"Tanto a partir da convicção bíblica quanto dos anos de experiência, essas mulheres pensam seriamente sobre discipulado, evangelismo, mentoria entre as gerações e compaixão. Fica evidente a força que elas têm, o intenso compromisso com a Escritura, a contagiante alegria no evangelho e a expectativa da consumação, que é como um guia para suas vidas e serviço. Embora este seja um livro escrito por mulheres para nutrir o "Ministério de Mulheres", ele será lido com igual proveito pelos homens. Tenho esperança de que alguns desses homens sejam pastores que refletirão sobre o que podem fazer para incentivar tal ministério em suas próprias igrejas.

D. A. Carson, *Professor de Pesquisa do Novo Testamento, Trinity Evangelical Divinity School*

"O ministério de mulheres não é, em última análise, sobre as mulheres. Nem se trata de programas. Trata-se da glória de Deus e da saúde de sua Igreja. **Ministério de Mulheres: Amando e Servindo a Igreja por meio da Palavra** é um recurso bastante necessário para que tanto homens quanto mulheres considerem a necessidade do ministério entre as mulheres, bem como a centralidade da Palavra para cultivar uma igreja em que as mulheres floresçam."

Melissa B. Kruger, *Coordenadora do Ministério de Mulheres, Uptown Church; Autora do livro* The Envy of Eve

"Não há dúvida de que as mulheres em suas igrejas serão discipuladas. A única questão é: serão discipuladas pelo mundo ou pela Palavra? É por isso que estou tão animado com o **Ministério de Mulheres: Amando e Servindo a Igreja por meio da Palavra**. Ele é mais do que um livro. Essas colaboradoras representam um movimento de mestras guiando mulheres para que encontrem esperança, liberdade e salvação no evangelho de Jesus Cristo, como revelado em sua Palavra. Eu não poderia ter maior consideração por essas autoras, e oro para que você também levante essa bandeira de levar a Palavra."

Collin Hansen, *Diretor Editorial, The Gospel Coalition;*
Autor de Blind Spots

"Este é um assunto importante que tem despertado meu interesse há algum tempo, e as vozes das minhas irmãs neste livro são tão edificantes quanto encorajadoras. Pastores, mestres, presbíteros e líderes de ministérios de mulheres serão beneficiados por essa obra que é fundamentada na Bíblia, centralizada no evangelho e focada na igreja local. Faço coro com a tese central: 'o ministério proveitoso entre mulheres está fundamentado na Palavra de Deus, cresce no contexto do povo de Deus e tem como objetivo a glória de Cristo', e espero alegremente o florescimento dessa visão nas igrejas."

J. Ligon Duncan III, *Chanceler e Presidente,*
Reformed Theological Seminary,
Jackson, Mississippi

"Aqui está um livro que foca nas possibilidades e não apenas nos problemas do ministério de mulheres. Ele foi escrito por mulheres vindas de uma grande variedade de contextos de ministério, mas todas com corações que batem em um ritmo comum pelo evangelho. Cada capítulo é fundamentado na Escritura e maravilhosamente prático. Mulheres e homens da Palavra, leiam este livro e sejam encorajados por todas as possibilidades do evangelho."

Jenny Salt, *Deã de Alunos,*
Sydney Missionary and Bible College

"***Ministério de Mulheres: Amando e Servindo a Igreja por meio da Palavra***" foi escrito para as filhas de Cristo que vivem na correria e precisam da Palavra de Deus para instruí-las e sustentá-las em suas diversas tarefas. Esta obra reconhece a grande diversidade de ministérios de mulheres em diferentes igrejas, ao mesmo tempo em que as convida a um comprometimento unificado à Palavra de Deus. Mulheres crescem mais à medida que aprendem da Escritura, primeiramente quando é pregada à igreja reunida e, em seguida, quando é explorada e explicada na companhia de outras mulheres piedosas. Este livro é um incentivo a essa última ação, dando uma visão do que pode e deve acontecer quando a Bíblia toma o seu lugar de direito no centro do ministério de mulheres."

Megan Hill, *Esposa de Pastor;*
Blogueira, Sunday Women

"Cheio de um ensino bíblico cuidadoso e muitas aplicações úteis, este livro é uma ajuda inestimável para todas as mulheres cristãs pensarem sobre suas próprias possibilidades de ministério. Mas também é uma ferramenta muito útil para pastores e presbíteros compreenderem e, então, ativarem oportunidades bíblicas necessárias para cada ministério na igreja local. Espero que este livro esteja na lista de leitura obrigatória de todos os líderes de igreja."

David Jackman, *Ex-presidente,*
Proclamation Trust, Londres, Inglaterra

"Gloria Furman e Kathleen Nielson, juntamente com uma série de outras escritoras talentosas, ajudam-nos a explorar uma prática da nossa teologia orientada por visão. Demasiadas vezes no ministério da igreja, o gênero é recebido como um problema a ser resolvido, e não como uma bela dádiva de Deus a ser explorada. Este livro é um guia maravilhoso para se desfrutar de Deus, liderar a igreja de Deus e explorar o mundo de Deus, quer uma mulher esteja entrando no ministério pela primeira vez ou já seja uma veterana experiente."

Daniel Montgomery, *Pastor,*
Sojourn Community Church, Louisville, Kentucky;
Fundador, Sojourn Network;
Autor, Faithmapping e Proof

"Um recurso maravilhoso para cristãos reflexivos, homens e mulheres que anseiam por ver o poder do evangelho derramado em suas vidas, na igreja e ao redor do mundo."

Colin Smith, *Pastor,*
The Orchard, Arlington Heights, Illinois

Ministério de mulheres

Amando e servindo a igreja por meio da Palavra

Editado por
Gloria Furman e Kathleen Nielson

Prefácio por Don Carson

F986m Furman, Gloria, 1980-
   Ministério de mulheres : amando e servindo a igreja por meio da palavra / Gloria Furman e Kathleen Nielson ; prefácio por Don Carson ; [tradução: Ingrid Rosane de Andrade]. – São José dos Campos, SP : Fiel, 2016.

   356 p.
   Bibliografia: p. [347]-356.
   Tradução de: Word-filled woman's ministry.
   ISBN 9788581323411

   1. Mulheres no cristianismo. 2. Mulheres – Vida religiosa. I. Título.

                                              CDD: 220.92

Catalogação na publicação: Mariana C. de Melo Pedrosa – CRB07/6477

Ministério de Mulheres
Amando e Servindo a Igreja por meio da Palavra

Traduzido do original em inglês
*World-Filled Women's Ministry:
Loving and Serving the Church*
Copyright ©2015 por The Gospel Coalition

∎

Publicado por Crossway Books,
Um ministério de publicações de
Good News Publishers
1300 Crescent Street
Wheaton, Illinois 60187, USA.

Copyright © 2015 Editora Fiel
Primeira Edição em Português: 2016

Todos os direitos em língua portuguesa reservad
por Editora Fiel da Missão Evangélica Literária
PROIBIDA A REPRODUÇÃO DESTE LIVRO POR
QUAISQUER MEIOS, SEM A PERMISSÃO ESCRITA
DOS EDITORES, SALVO EM BREVES CITAÇÕES, CON
INDICAÇÃO DA FONTE.

∎

Diretor: Tiago J. Santos Filho
Editor-chefe: Vinicius Musselman
Editora: Renata do Espírito Santo T. Cavalcant
Coordenador Gráfico: Gisele Lemes
Tradução: Ingrid Rosane de Andrade
Revisão: Lia Silva Gomes
Diagramação: Wirley Corrêa - Layout
Capa: Rubner Durais
ISBN: 978-85-8132-341-1

Caixa Postal, 1601
CEP 12230-971
São José dos Campos-SP
PABX.: (12) 3919-9999
www.editorafiel.com.br

Dedicamos este livro às mulheres cheias da Palavra que nos instruíram e nos mostraram o amor de Jesus Cristo.

Sumário

Prefácio por Don Carson 13
Introdução 15

Parte 1
O CORAÇÃO DO MINISTÉRIO DE MULHERES
1. A Palavra no Centro:
   Ouvindo Deus Falar 23
   Kathleen Nielson
2. A Palavra sobre as Mulheres:
   Deleitando-se na Distinção 53
   Claire Smith
3. A Palavra Transmitida:
   Treinando Novos Líderes 87
   Carrie Sandom

Parte 2
CONTEXTOS PARA O MINISTÉRIO DE MULHERES
4. A Igreja Local:
   Encontrando o Nosso Lugar 121
   Cindy Cochrum
5. O Mundo ao Nosso Redor:
   Praticando o Evangelismo 155
   Gloria Furman
6. Os Confins da Terra:
   Pensando em Nível Global 183
   Keri Folmar

Parte 3
QUESTÕES NO MINISTÉRIO DE MULHERES
7. Mais Velhas e Mais Jovens:
   Levando Tito a Sério 215
   Susan Hunt e Kristie Anyabwile
8. Integridade Sexual:
   Afirmando a Verdade com Compaixão..........................245
   Ellen Mary Dykas
9. Dons e Talentos:
   Encontrando o Lugar para Servir 279
   Gloria Furman e Kathleen Nielson

Parte 4
O OBJETIVO DO MINISTÉRIO DE MULHERES
10. Objetivos Finais:
    Tendo Aquele Dia em Vista..317
    Nancy Guthrie

Agradecimentos 341
Colaboradoras 343
Notas 347

Prefácio

Dos vários elementos que compõem o ministério *The Gospel Coalition*, um dos mais vibrantes é a Conferência de Mulheres. Ela tem servido, entre outras coisas, para reunir um notável grupo de mulheres que têm estudado as Escrituras e, partilhado suas experiências e, então, se ramificado em uma lista crescente de projetos compartilhados. Muitos desses projetos têm a ver com a escrita e a publicação.

Neste livro, dez dessas mulheres encorajam de forma cativante uma ampla variedade de ministérios - ministérios fundamentados na Escritura, mas que não se esquecem de que existem pessoas reais lá fora. O título e o subtítulo carregam um foco duplo: o ministério baseado na Palavra e a centralidade da igreja local. Mas o que é mais cativante nesses textos é o fato de serem maravilhosamente voltados para o exterior. Eles são reflexivos, mas não há qualquer vestígio do tipo de introspecção que é essencialmente autoconsumidora. Tanto a partir da convicção bíblica quanto dos anos de experiência, essas mulheres pensam seriamente sobre discipulado, evangelismo, mentoria entre as gerações e compaixão. Fica evidente a força que elas têm, o intenso compromisso com a Escritura, a contagiante alegria no evangelho, e a expectativa da consumação, que é como um guia para suas vidas e serviço.

Embora este seja um livro escrito por mulheres para nutrir o "**Ministério de Mulheres**", ele será lido com igual proveito pelos homens. Tenho esperança de que alguns desses homens sejam pastores que refletirão sobre o que podem fazer para incentivar tal ministério em suas próprias igrejas.

Don Carson

Introdução

O ministério proveitoso entre mulheres é fundamentado na Palavra de Deus, cresce no contexto do povo de Deus e tem como objetivo a glória de Cristo. Em poucas palavras, essa é a premissa deste livro. Parece simples. No entanto temos muitas perguntas e muito progresso a fazer.

Desde Eva, a tendência humana tem sido nos distanciarmos da Palavra de Deus. Nenhum ministério na igreja está isento da tentação de se focar mais nas necessidades e desejos humanos do que na provisão de Deus em revelar-se a si mesmo a nós. O ministério de mulheres, em particular, pode facilmente tornar-se algo sobre as mulheres, em vez de ser sobre mulheres reunidas para ouvir e seguir a voz de Deus, revelada em sua Palavra.

O fato básico da nossa criação por Deus como homem e mulher se encontra no centro de uma das maiores felicidades e das maiores perversões da existência humana. A maneira como florescemos como homem e mulher esclarece ou distorce a imagem de Deus em nós e a glória de Cristo para a qual nós estamos destinados a resplandecer com alegria. Portanto o tema do ministério de mulheres não é sobre satisfazer suas necessidades, mas é, em última análise, sobre a glória de Deus.

Até vermos essa glória face a face, ela está revelada a nós nas Escrituras. Este livro começa e termina com a afirmação da Palavra viva e ativa de Deus como a lâmpada que ilumina cada passo em todas as áreas da vida – incluindo o ministério de mulheres. Se o Deus do universo, de fato, fala conosco em sua Palavra, então nossas vidas devem ser centradas em ouvir e viver essa Palavra – inclusive no ministério de mulheres. A Palavra nos mostra Jesus desde o início até o fim; assim, o ministério de mulheres deve exaltar Cristo, nosso Redentor e Senhor, do início ao fim. Neste livro, tentaremos estabelecer esse fundamento em Cristo baseado na Palavra, mostrando que o ministério de mulheres sobre esse fundamento não apenas as ajuda a conhecerem e a servirem outras mulheres, mas basicamente as ajuda a conhecerem e a servirem juntas ao Deus trino.

A Bíblia chama os crentes a viverem dentro de um contexto particular: uns com os outros como povo de Deus por meio de congregações locais e com líderes locais. Certamente muitas mulheres hoje enfrentam tentações cada vez maiores para ministrar a outras e junto de outras, fora desse contexto. Pode ser

Introdução

bem menos confuso simplesmente fazermos por nós mesmas. E, na verdade, podemos fazer um trabalho realmente muito bom. De alguma forma, muitos capítulos deste livro, não apenas aquele que trata diretamente desse tópico, encontram uma maneira de apresentar a questão da importância da igreja, o corpo de Cristo no qual Deus chama seu povo para encontrar sua identidade e enraizar seu serviço. Mesmo quando celebramos todos os tipos de formas antigas e novas de ministérios entre as mulheres, devemos fazer nossa celebração dentro do corpo dos adoradores de Deus e de seus líderes cuidadosamente escolhidos.

A crescente separação da liderança física veio combinada com a crescente separação do ensino bíblico, incluindo o ensino sobre os papéis do homem e da mulher na igreja e no lar; tal separação ameaça destruir o ministério de mulheres de um contexto bíblico claro. O perigo aqui não é apenas compreender a nossa doutrina de forma errada. O perigo é que podemos ofuscar a imagem de Deus e a glória de Cristo, as quais estamos destinados a resplandecer com alegria em todos os nossos diversos caminhos. A *oportunidade* aqui é para que estimulemos umas às outras em alegre obediência à Palavra, pelo bem do evangelho.

Que melhores vozes poderiam ser acrescentadas a esta conversa sobre tais questões do que aquelas de mulheres biblicamente comprometidas? Que maneira melhor de abordar não apenas os problemas, mas também as possibilidades de ministério entre as mulheres do que com os testemunhos daquelas que estão envolvidas nisso? As mulheres representadas neste volume (tanto as que escrevem quanto as entrevistadas) falam a partir da experiência no estudo e ensino da Palavra com mulheres – e a partir de uma grande variedade de contextos nos quais amam e servem a Igreja. Elas conhecem pessoalmente as questões abordadas nesses capítulos. Elas têm ativamente buscado um lugar para florescer dentro da igreja como líderes que abraçam a liderança de homens ordenados: o livro explora o ministério de mulheres naquilo que é frequentemente referido como um contexto *complementar* (como explicado no Capítulo 2) – embora acreditemos que o livro possa beneficiar múltiplos contextos. Essas mulheres vêm de distintas faixas etárias, denominações, situações pessoais e partes do mundo, mas amam e servem o mesmo Jesus. Elas se preocupam com a sua glória mais do que qualquer outra coisa e, assim, elas se preocupam com as mulheres da melhor maneira: eternamente – não todas da mesma forma, e, com certeza, nenhuma o faz perfeitamente ou sem luta, mas todas o fazem por amor ao seu Salvador.

As vozes dessas mulheres entrelaçam-se ricamente – na parte 1 (três capítulos) focando a Palavra como o centro do ministério de mulheres; na parte 2 (três capítulos) com o foco em contextos para o ministério de mulheres, começando com a igreja local e se espalhando pelo mundo; na parte 3 (três capítulos) concentrando-se em questões específicas relacionadas ao ministério de mulheres. O capítulo final nos lembra daquilo que, em última análise, estamos visando quando ministramos.

Introdução

Você ouvirá essas vozes se encontrando em certos temas-chave, tecendo fios de cores semelhantes. Tivemos muito prazer em reunir essas vozes, cada uma tão distinta da outra e, no entanto, todas em harmonia por causa de corações que batem em um ritmo comum pelo evangelho.

Este livro não oferece uma discussão exaustiva, mas concisa sobre o ministério de mulheres – ao tornar públicas algumas vozes de mulheres envolvidas no assunto. Ele não oferece uma fórmula, mas sim um sólido conjunto de indicadores bíblicos para a estrada a ser percorrida no ministério de mulheres. A Palavra nos diz que, ao longo dessa estrada do ministério, podemos esperar encontrar todas as nações do mundo fluindo para Cristo. Nosso objetivo é encorajar mulheres a se unirem a essa corrente e ajudá-las a crescer. Nosso objetivo final no ministério de mulheres é a glória de Jesus Cristo.

Gloria Furman
Kathleen Nielson

Capítulo 1

A Palavra no Centro

Ouvindo Deus Falar

Kathleen Nielson

Quais imagens as palavras "ministério de mulheres" trazem à mente? Viemos de diferentes contextos, todas nós. Algumas imaginarão um pequeno círculo de mulheres vestidas de jeans, reunidas ao redor da mesa da cozinha de uma amiga, ou talvez sentadas em cadeiras dobráveis em uma sala de reunião da igreja. Outras se recordarão de conversas particulares importantes em uma cafeteria do bairro. Outras pensarão em visitas regulares de uma mulher mais jovem a uma mais idosa que está muito frágil para sair de seu pequeno apartamento repleto de fotos antigas. Outras serão levadas de volta aos tempos de crise, com algumas poucas mulheres reunidas na sala de uma amiga, com orações e o fluir das lágrimas. Outras se lembrarão de momentos adoráveis de chás com flores sobre toalhas de mesa e de mulheres perfumadas vestidas com cores que combinam com as flores. Para outras, o cenário pode ser de uma cozinha de igreja, onde mulheres com rostos corados e focados usam luvas térmicas para manejar as panelas fumegantes. Outras talvez imaginem salas de aula, com mulheres se inclinando sobre crianças tagarelas em pequenas cadeiras em torno de mesas baixas, ou então auditórios cheios de mulheres atentas ouvindo uma mulher de pé atrás de um púlpito. E outras terão conjuntos de imagens completamente diferentes – esses são apenas alguns exemplos do meu conjunto!

Como podemos reunir todas as nossas variadas imagens em um único álbum que possamos legitimamente nomear de "ministério de mulheres"? Nunca haveria páginas suficientes – ou gigabytes. E isso é uma coisa boa. Este livro aborda o ministério de mulheres não simplesmente como *programas* específicos de ministério, mas também como um fluxo contínuo de ministério acontecendo de diversas formas entre as mulheres em congregações de igrejas locais. Nossa pergunta: Como podemos incentivar esse fluxo para que seja forte e cheio de vida – e como podemos começar a falar sobre esse fluxo de alguma forma coerente? Como? Somente por meio de um foco central na Palavra de Deus.

Todas as nossas diversificadas ilustrações se unificarão se enxergarmos cada um desses cenários como um lugar em que a obra da Palavra está acontecendo. Poderíamos imaginar cada uma dessas imagens de mulheres (e muitas outras) sobrepostas em uma página em que o fundo está repleto de versículos bíblicos? O ministério de mulheres deve ser, antes de tudo, fundamentado na Palavra. Não devemos começar com as necessidades das mulheres – embora devamos chegar a essas necessidades. Como no caso de qualquer ministério da igreja, no ministério de mulheres devemos começar com a Palavra de Deus no cerne de tudo o que fizermos.

Para falar sobre as Escrituras como tendo o papel central, começarei com Isaías 55 e retornarei frequentemente a esse capítulo, pois ele nos diz por que precisamos da Palavra de Deus. Esta não será uma exposição completa, mas, à medida que nos movermos pelos versículos de Isaías 55, o meu objetivo será deixar que as suas palavras poderosas nos apontem para as verdades básicas sobre a Palavra de Deus que devem moldar nossas vidas e ministérios como seguidoras de Jesus Cristo.

A PALAVRA DE DEUS É DEUS FALANDO

Vamos começar pelo meio do capítulo. Penso que não existam versículos mais bonitos do que Isaías 55.10-11 para nos ajudar a compreender a verdade básica de que *a Bíblia é Deus falando a nós*. Pode parecer difícil acreditar quando pensamos sobre isto: aqui estamos nós, em Isaías, ouvindo um profeta que trouxe a Palavra de Deus ao seu povo há mais de setecentos anos antes de Cristo, em um reino dividido que estava em declínio e se dirigindo para o desastre. Essas palavras foram escritas há milhares de anos por um profeta que há muito já se foi. E, ainda assim, nós, crentes, confiamos nossas vidas nessas palavras e em outras como essas, colocando a nossa esperança na nítida mensagem central do livro de Isaías: *o Senhor salva o seu povo*. Como podemos então confiar nessas palavras antigas? Aqui está a Palavra de Deus acerca da palavra de Deus:

> Porque, assim como descem a chuva e a neve dos céus e para lá não tornam, sem que primeiro reguem a terra, e a fecundem, e a façam brotar, para dar semente ao semeador e pão ao que come, assim será a palavra que sair da minha boca: não voltará para mim vazia, mas fará o que me apraz e prosperará naquilo para que a designei. (Isaías 55.10-11)

A primeira verdade a se afirmar sobre a Bíblia é que *ela é Deus falando*. Não é apenas um livro sobre Deus. Qual é a imagem que Isaías usa para a Palavra de Deus? É a imagem da chuva e da neve descendo do céu, dando vida à Terra e fazendo as coisas crescerem. É a imagem de uma dádiva celestial – uma dádiva que vem, notavelmente, *da boca de Deus*.

A imagem de Isaías corrige uma série de equívocos. Tantas vozes atualmente nos dizem que, a fim de chegar à verdade, precisamos olhar para dentro de nós mesmos, ou, pelo menos, temos que começar por ali. Mas essa imagem nos mostra algo que se origina fora de nós mesmos – como precipitação do céu, algo que precisamos desesperadamente, mas não temos em nós mesmos – de forma que não somos chamados a olhar para o nosso interior a fim de recebê-lo, mas a olhar para fora, olhar para cima e estender as nossas mãos.

Muitas que estão lendo este livro podem estar percebendo uma tendência geral crescente nos dias de hoje de nos focarmos em nossa própria experiência pessoal ao pensarmos e ao falarmos – e até mesmo ao estudarmos a Bíblia. Essa tendência, é claro, é tão antiga quanto Eva, que foi atraída pelo sabor tentador daquele fruto em sua boca, pelo encanto daquele fruto bem diante de seus olhos e pelo fascínio de que aquele fruto a tornaria sábia (veja Gênesis 3.6). Eva foi atraída pela Serpente para o mal, por meio do foco em suas próprias sensações, desejos e autopercepção – em oposição ao foco na palavra clara que Deus havia falado.

Certos tipos de frases pairam regularmente sobre as mulheres, em especial nos dias de hoje, chamando as mulheres *a prestarem atenção em quem elas são, a libertarem seu potencial dado por Deus, a ouvirem seus anseios por significância, a abraçarem suas dúvidas, a sonharem os sonhos em seus corações* e assim por diante. Tais jornadas interiores podem ser boas e necessárias algumas vezes. Talvez seja importante dizer que tal ênfase possa representar uma reação reprimida à ênfase exagerada das gerações mais antigas quanto ao decoro externo em oposição à transparência e transformação internas.

O apelo para não negligenciarmos nossa experiência interior é válido, mas tudo gira em torno da questão de qual voz está nos orientando, seja a nossa própria, ou as vozes ao nosso redor, ou a voz de Deus, que nos foi dada em sua Palavra. Em nossa sede por um sentido pessoal profundo, podemos esquecer o quão profundamente pessoal são as Escrituras.

Às vezes, as vozes ao nosso redor falam sobre a Bíblia como se fosse um texto de fórmulas teológicas que precisamos aprender, como para um teste na escola. E assim, podemos passar a enxergar as Escrituras como algo seco e acadêmico – e na verdade preferimos fazer algo caloroso e pessoal.

Esta é uma luta perene nos círculos de estudo bíblico das mulheres. Dois tipos distintos de ideias parecem se desenvolver: Devemos ser calorosas, acolhedoras e pessoais, ou seremos acadêmicas e estudaremos o texto? Que infeliz distinção! Aqui está a pergunta: O que poderia ser mais pessoal do que sentir o próprio sopro de Deus – realmente ouvi-lo falar? De acordo com 2 Timóteo 3.16, toda a Escritura é inspirada, ou *expirada*, por Deus. Isaías, ao entregar a palavra de Deus, proclamou essa mesma verdade sobre a própria palavra que ele estava entregando: *ela sai da boca de Deus* (55.11). De fato, todas as palavras reunidas dos textos canônicos são o próprio sopro da boca de Deus – sopradas pelo seu Espírito por meio das mentes e imaginação dos autores que as escreveram, que "falaram da parte de Deus, movidos pelo Espírito Santo" (2 Pedro 1.21). Isso é o mais pessoal que se pode ser: o próprio sopro de Deus, vindo da boca de Deus, recebido pelo povo de Deus. No Antigo Testamento, o mesmo termo hebraico é traduzido tanto por "sopro" quanto por "espírito". A palavra de Deus é viva com seu sopro, seu próprio Espírito.

Amo o jeito como o respeitado teólogo John Frame coloca isso no início de sua conceituada obra teológica chamada *A Doutrina da Palavra de Deus*. Para entender como funciona a Bíblia, de acordo com o Dr. Frame, você deve imaginar Deus ao pé de sua cama durante a noite conversando com você.[1] Imagine o Deus do universo falando diretamente com você. É pessoal assim.

Nosso Deus é um Deus que fala. Como Deus criou o mundo? Falando. Ele disse: "Haja luz" (Gênesis 1:3), e houve luz, não depois, mas *no momento em que as palavras foram proferidas*. A Palavra de Deus deu forma à Terra; sua palavra sustenta tudo – inclusive nós. Você e eu fomos feitas para receber o fôlego de Deus, por meio da sua Palavra, e, assim, viver em um relacionamento com ele. Esse relacionamento foi quebrado na queda – quando o pecado entrou no mundo e nos separou de nosso santo Deus criador. Mas ele restaura esse relacionamento dando-nos a sua Palavra, em última instância, o seu Verbo feito carne; veremos Isaías 55 nos levando em direção a essa restauração encontrada somente em Jesus Cristo.

Por que Isaías usa todas essas imagens como chuva, neve, sementes e pão? Isso não é teologia abstrata, não é? Essa Palavra viva é tão real quanto o pão que desfrutamos no café da manhã, por meio do qual nossos corpos recebem energia. Isso é verdade pessoal – tão pessoal quanto sentir a respiração de alguém em seu rosto, ou olhar para um monte de flocos de neve vindo das nuvens, ou assistir à chuva cair sobre as flores murchas e vê-las se endireitando e se esticando em direção ao céu. Essas vívidas imagens transmitem a maravilha da forma como Deus nos fala do céu, enviando sua própria palavra fora de nós, para nos dar a vida que não temos dentro de nós mesmos.

Se a Bíblia realmente é Deus falando, então cada um de nós, seres humanos, precisamos, mais do que qualquer outra coisa no mundo, olhar para cima e receber essa Palavra todos os dias de nossas vidas. Essa é a nossa resposta lógica e a necessidade mais básica que temos tanto como indivíduos quanto como povo de Deus. Precisamos nos colocar debaixo da pregação e do ensino da Palavra, como a terra seca está debaixo dos céus e espera a chuva cair. É maravilhoso olhar para uma congregação ouvindo atentamente um sermão e perceber a irrigação vivificante que acontece na medida em que a Palavra é pregada, e as almas das pessoas começam a se endireitar e se a esticar em direção ao céu. O ideal é que esse processo de irrigação aconteça em cada parte da vida da igreja: em pequenos grupos, classes, conversas e aconselhamentos individuais – no coração de todos os diversos ministérios de uma congregação de pessoas que reconhecem a Bíblia como a Palavra de Deus vinda da boca de Deus. Essa é uma verdade urgente, que a Palavra de Deus é Deus falando. Essa verdade deve moldar as vidas e os ministérios do povo de Deus.

A PALAVRA DE DEUS É PODEROSA

A segunda verdade a se afirmar acerca da Bíblia é que *ela é poderosa*. Ela tem que ser, se ela for o próprio sopro de Deus, o sopro que fez o mundo inteiro. É sobre isso que Isaías 55.11 está falando quando diz que a palavra de Deus não voltará para ele vazia, mas cumprirá tudo que o apraz; ela fará tudo aquilo que Deus a designou para fazer. Diferentemente de nossas palavras, as palavras de Deus estão sempre ligadas à realidade atual; na verdade, elas fazem acontecer tudo o que acontece. Muitos de nós têm memorizadas as palavras do apóstolo Paulo a Timóteo, em 2 Timóteo 3.16, onde ouvimos primeiramente que "Toda Escritura é inspirada por Deus", e então, logo em seguida, encontramos as declarações mais maravilhosas sobre todas as áreas às quais Deus aplica o poder de sua palavra: ensino, repreensão, correção, educação na justiça, tornando o homem de Deus competente, habilitado para toda – pense sobre isso, *toda* boa obra! A Palavra de Deus é poderosa o suficiente para ser abrangentemente provedora; essa é a sua intenção, e ele a cumprirá. Sobre essa verdade podemos construir nossos ministérios na igreja.

Mas precisamos ler o versículo anterior também - 2 Timóteo 3.15 - onde Paulo faz a grande afirmação de que os escritos sagrados inspirados por Deus "podem tornar-te sábio para a salvação pela fé em Cristo Jesus". As palavras de Deus realmente nos chamam da morte para a vida, antes de qualquer coisa; elas têm grande poder quando o Espírito de Deus as usa. Isso me faz pensar nas palavras de Jesus a seu amigo Lázaro que havia morrido. Você se lembra da cena, quando Jesus estava em pé diante do túmulo de Lázaro e disse três pequenas palavras: "Vem para fora" (João 11.43)? E Lázaro saiu da morte para a vida. É assim que a Palavra de Deus funciona. Ela realiza o que ele intenciona. Ela é bem-sucedida naquilo para o que ele a envia. Ela chama pessoas à vida em Cristo e, então, as instrui de forma abrangente sobre como viver em Cristo.

Se essa Palavra é tão poderosa assim, então podemos confiar nela. Podemos confiar nesta Palavra poderosa para fazer a sua obra em meio ao povo de Deus. Isso significa que faremos nossos planos baseados no fato de que essa Palavra é "viva, e eficaz, e mais cortante do que qualquer espada de dois gumes". Não embainharemos essa espada nos diversos ministérios das nossas igrejas, mas a desembainharemos avidamente, expondo jovens e idosos a essas bordas afiadas que penetram "ao ponto de dividir alma e espírito, juntas e medulas, e é apta para discernir os pensamentos e propósitos do coração" (Hebreus 4.12). Não temos esse poder em nós mesmos; precisamos da "espada do Espírito" (Efésios 6.17), cujo corte é salvador e sustentador da vida.

O que pode significar *embainhar* (cobrir, deixar de lado) essa espada em meio ao povo de Deus? Talvez isso aconteça com mais frequência quando nós simplesmente não reservamos tempo para ouvir e estudar suas palavras ou para ajudar outros a fazê-lo. Talvez estejamos apenas falando de seus princípios ou simplesmente usando vários textos como pontos de partida para falar sobre nossas próprias ideias ou sobre aquilo que pensamos que as pessoas para as quais estamos falando têm necessidade de ouvir. Talvez estejamos gastando mais tempo juntos lendo livros sobre a Bíblia do que lendo a própria Bíblia. Talvez pensemos que um vídeo animado atrairá pessoas mais regularmente do que o ensino vivo da Palavra. Com frequência nós simplesmente não confiamos no poder da Palavra expirada por Deus para trazer pessoas à vida, levá-las à cura e esperança e instruí-las de forma abrangente a viver piedosamente.

O que significa, mais positivamente, desembainhar essa espada? Como podemos expô-la em um espaço aberto e, deixá-la brilhar e fazer a sua obra enquanto ministramos para e com outros? Sabemos que devemos confiar que, pelo seu Espírito, por meio de sua Palavra, Deus cumprirá os seus propósitos sem falhar. Nossa confiança deve certamente ser uma confiança *respeitosa* – da mesma forma que temos por uma arma poderosa, como uma espada afiada de dois gumes a qual é aconselhável aprender a manejar da forma correta. Precisamos aprender como ela funciona. Em relação à Bíblia, isso significa aprender como ela fala – em livros completos, do Gênesis ao Apocalipse, e em gêneros distintos, desde a narrativa, passando pela poesia, pela profecia, ao apocalíptico. A penetração da Palavra certamente acontece mais profundamente quando permitimos que ela fale na forma em que foi dada a nós, em vez de cortá-la e segmentá-la ou manejá-la para os nossos próprios fins. Não somente no púlpito, mas em cada área da vida e ministério da igreja, podemos ter como objetivo deixar que a Palavra seja proclamada integralmente enquanto a ouvimos plenamente, sem negligenciar qualquer parte de toda a Escritura inspirada pelo Espírito.

Achamos que os nossos jovens precisam aprender sobre casamento e sexo sob uma perspectiva bíblica? Bem, então, é claro que está tudo bem em fazer seminários sobre o tópico e convidar palestrantes experientes sobre o assunto. Mas quão crucial é abordar tais questões no contexto de um ensino estável e com propósito, por meio dos livros da palavra de Deus.

Nossa juventude estará mais bem preparada ao receber não apenas respostas para certas questões difíceis, mas uma forma de lidar biblicamente com questões difíceis, à medida que desdobramos o tecido do pensamento bíblico e vemos todas as questões da nossa vida como fios na história bíblica da redenção centrada em Cristo. Se a Palavra for um conjunto seco de proposições que precisamos avivar, então é claro que isso não funcionará. Se a Palavra for Deus falando a nós de forma pessoal e poderosa, então é claro que isso não apenas funcionará, mas será o nosso único curso de ação razoável.

De fato, é bom ter estudos e seminários para as mulheres sobre todos os tipos de temas relacionados a sexo, casamento, feminilidade, papéis de homens e mulheres na igreja, e assim por diante. Mas como é crucial abordar esses temas importantes também no contexto de um ensino estável e com propósito por meio dos livros da Palavra de Deus. Se esse tipo de ensinamento acontece em todos os níveis de uma congregação, então nós, seres humanos estúpidos (eu me dirijo a mim!), podemos começar a compreender isto – compreender a forma como a espada da Palavra penetra profundamente em todas as áreas da vida. Começaremos a entender o ensinamento bíblico sobre mulheres e homens como parte de uma história maior de Deus redimindo um povo para si mesmo em Cristo. Entenderemos a instrução de Tito sobre as mulheres mais velhas ensinarem às mais jovens no contexto de uma epístola unificada, celebrando a conexão necessária na igreja entre boa doutrina e boas obras. Entenderemos a Palavra de forma mais abrangente conforme a ouvirmos sendo orada, ensinada e estudada nas vozes não apenas de pastores, mas também de outros homens, mulheres e crianças.

A PALAVRA DE DEUS É PARA TODOS

Isso nos leva à terceira verdade a ser afirmada sobre a Palavra: *ela é para todos*. Não para certas pessoas em especial, mas para todos. Às vezes, as vozes ao nosso redor nos farão pensar que talvez apenas as pessoas realmente inteligentes podem verdadeiramente entender a Bíblia, ou os pastores, ou aqueles com uma educação teológica extensa, ou as pessoas que têm sido boas ou cresceram em adoráveis famílias cristãs, ou talvez os homens que são chamados para orientar suas famílias. Podemos até mesmo pensar em tais coisas como uma espécie de um sinal do pagamento principal, para fazer uma reserva – e algumas pessoas parecem mais ricas do que outras.

Nos dias de Isaías, o povo de Israel também pensava assim: eles eram o povo escolhido de Deus; Deus havia dado sua palavra e suas promessas de grande bênção *a eles*, até mesmo de um grande rei da linhagem de Davi que governaria para sempre. Em Isaías 54, o capítulo anterior ao que estamos observando, Deus faz promessas maravilhosas ao seu povo, promessas de amor infalível, de uma cidade brilhante, de filhos abençoados e segurança contra todos os inimigos (v. 9-14). Isso certamente fez o povo de Judá, com Jerusalém como sua capital, se sentir muito especial. O profeta Isaías *está* realmente trazendo a palavra de Deus a Judá, que passará por uma terrível destruição, mas será maravilhosamente restabelecida. Mas esses versos também tinham um alcance muito mais amplo em relação ao seu cumprimento, visto que Isaías, levado pelo Espírito, fala a um público muito mais amplo do que ele conhecia – na verdade, tão amplo quanto toda a terra, que será renovada para o povo de Deus de todas as nações.

Iniciamos no meio de Isaías 55, mas iremos observar como esse capítulo começa – com um chamado para *beber* e *comer* (veja v. 1-3a). Mas a quem se destina esse chamado no verso de abertura? A Judá? Não, mas a "todos os que têm sede". A única qualificação explícita aqui é ser sedento. A outra qualificação singular parece ser que você não precisa ter dinheiro para pagar o que você supostamente comprará. Parece totalmente ilógico. Não faz sentido ir comprar comida e bebida se você não tem dinheiro. Mas Isaías é enfático ao dizer que aqueles que têm muito dinheiro estão comprando todas as coisas erradas.

Isaías ama imagens, e essa poesia está repleta delas. Como essa imagem especificamente funciona? A comida e a bebida nos dão uma imagem de *quê*? Isaías nos diz após ter capturado nossa atenção com esse chamado dramático. Ele nos apresenta as próprias palavras de Deus no meio do verso 2: "*Ouvi*-me atentamente, comei o que é bom". Verso 3: "*Inclinai os ouvidos* e vinde a mim; *ouvi*, e a vossa alma viverá". Não podemos deixar de perceber os mandamentos repetidos: *Ouvi... inclinai os ouvidos... ouvi*. Em outras palavras, comer é uma imagem de ouvir a Deus, e comida e bebida retratam a Palavra de Deus que recebemos. É o sustento que cada um de nós precisa. Sua Palavra é a água viva e o pão da vida, entregue por meio do Espírito. Não é para aqueles que pensam ter alguma posição diante de Deus por serem espertos, ou bons, ou ricos, ou estarem nas famílias certas, ou qualquer outra coisa. É para todo aquele que tem sede, que percebe a completa ausência de qualquer capacidade de pagar pela vida que Deus derrama sobre nós somente pela sua graça. A chuva da Palavra de Deus é derramada sobre todas as rachaduras e fendas, e sobre todas as plantas e toda grama – chamando *todos* os que estão sedentos.

Visto que Deus chama cada um que está sedento para ouvir, então ele deve ter a intenção de que cada sedento seja capaz de entender. E vimos que a Palavra de Deus realiza tudo o que ele intenciona. Logo, podemos esperar compreender essa Palavra! Não completamente, é claro – mas cada vez mais, à medida que estudamos, ouvimos, aprendemos e oramos. Quanto mais olharmos para o alto e erguemos as nossas mãos. Essa é uma atividade para toda a vida. Pode ser um trabalho árduo. No fim, compreender não depende de nós, mas do Espírito de Deus, que inspirou as palavras inicialmente. A maravilha está em que, à medida que ouvimos, e pregadores pregam, e professores ensinam, e pessoas sedentas ajudam umas às outras a beber, com a ajuda do Espírito, a Bíblia não esconde a sua verdade; não, ela ilumina!

Os reformadores do século dezesseis basearam suas vidas e trabalho sobre essa verdade que eles chamaram de "perspicuidade" da Escritura, ou seja, a compreensibilidade das Escrituras. Homens como Martinho Lutero e William Tyndale acreditavam que a Palavra de Deus deveria ser lida e estudada por todos, traduzida para a língua comum e disponibilizada a todas as pessoas para que ouvissem e aprendessem, e não fosse mantida apenas nas mãos de uma elite que a interpretaria para todo o restante. A perspicuidade da Escritura é uma bela doutrina, por causa dela pessoas lutaram e morreram, e é ela que deveria nos dar esperança, seja quando lemos e estudamos a Bíblia ou quando a compartilhamos com outros – outros em nossa própria cultura e outros pelo mundo. A Palavra de Deus fala claramente em todo o mundo que ele criou.

A PALAVRA DE DEUS É SOBRE JESUS

Já dissemos que a Bíblia é Deus falando, que é poderosa e que é para todos. Mas ficamos com uma questão aqui em Isaías 55. Como nos é dito para "comprar" essa comida e bebida? Como isso pode ser comprado sem dinheiro? Então, qual é o pagamento? E quem paga? O versículo 3 de Isaías 55 prossegue com a melhor notícia de todo o capítulo. É a notícia de que somos chamados a ouvir e comer. É isso o que Deus tem como propósito, aquilo para o que ele envia sua palavra. É a notícia acerca da promessa da aliança de Deus dada por meio do rei Davi.

Ao longo de todo o Antigo Testamento, desde Adão e Eva, Deus não para de falar conosco. Ele não nos deixa sozinhos em nosso pecado, como merecemos. Não, ele vem e fala. Ele faz promessas e pactos que se desdobram – desde Adão e Eva, passando por Abraão até o rei Davi – promessa de uma semente que traria bênção a toda a terra. Ao rei Davi, Deus prometeu um rei grandioso e eterno que viria de sua linhagem (2 Samuel 7.8-17). O profeta Isaías fala muito sobre essas promessas, e o capítulo 55 apresenta um exemplo vívido. Nesses próximos versículos ouvimos o próprio Deus falando de suas promessas ao seu povo; primeiramente referindo-se à sua aliança com o rei Davi. Mas enquanto Deus fala sobre Davi, algo maravilhoso acontece: a atenção se volta do humano rei Davi, que recebeu o pacto, para o filho de Davi prometido pelo pacto. Já no versículo 5, Deus efetivamente se volta e realmente fala ao Filho prometido de Davi, seu próprio Filho:

> Porque convosco farei uma aliança perpétua, que consiste nas fiéis misericórdias prometidas a Davi. Eis que eu o dei por testemunho aos povos, como príncipe e governador dos povos. Eis que chamarás a uma nação que não conheces, e uma nação que nunca te conheceu correrá para junto de ti, por amor do SENHOR, teu Deus, e do Santo de Israel, porque este te glorificou. (v. 3b-5)

A quarta verdade é a verdade de toda a Escritura: é que *a Bíblia é toda sobre Jesus*. Aqui estamos nessa profecia do Antigo Testamento à nação de Judá, e o que Isaías está fazendo? Ele está chamando todos que têm sede para vir e ouvir a boa-nova da aliança eterna de Deus com Davi. Davi aqui prefigura ou aponta adiante para o rei prometido que virá de sua linhagem

– aquele que de fato será testemunho, príncipe e governador (v. 4) não apenas para um povo, mas para "os povos", *muitos* povos, na verdade, todas as nações da terra. O versículo 5 declara a este prometido que ele chamará uma nação estrangeira, uma que Israel não conhece e que não conhece Israel. Estamos lendo aqui uma confirmação da promessa feita a Abraão de que todas as nações do mundo seriam abençoadas por meio de sua semente (Gênesis 12.3). As promessas vieram *por meio* de Israel, mas não vieram somente *para* Israel; elas vieram por meio de Israel para toda a terra – exatamente como Deus prometera. E todas as promessas de Deus apontavam para seu Filho, Jesus Cristo, nascido da semente de Abraão, da linhagem de Davi.

Esses versos são apenas um exemplo da forma como a profecia de Isaías aponta para Jesus, o Messias, o prometido rei descendente de Davi. Tendemos a citar as profecias mais conhecidas de Isaías, aquelas do servo sofredor – que, na verdade, aparecem nos capítulos que levam diretamente a este. Muitos de nós valorizamos essas profecias pungentes do servo sofredor de Isaías 53, que tomou sobre si nossas enfermidades e levou as nossas dores (v. 4). Esse servo sofredor *é* o rei prometido sobre o qual estamos lendo apenas dois capítulos adiante, nesse capítulo culminante da seção central de Isaías. O servo prometido veio, sofreu o juízo de Deus em nosso lugar na cruz, pagou o preço pela nossa salvação, e então ressuscitou dos mortos e ascendeu em glória para reinar e atrair todas as nações para si mesmo. Este é o *glorificado* que é referido profeticamente no versículo 5. Ele é a resposta à pergunta de como essa comida e bebida são compradas: não *por* nós, que não temos dinheiro, mas *para* nós, por aquele que pagou o preço em nosso lugar. Jesus é a resposta para a sede da qual Isaías 55 fala – e é a mesma sede sobre a qual o próprio Jesus estava falando quando disse à mulher samaritana no poço que lhe daria água viva para que ela nunca mais tivesse sede (João 4.14). Jesus sempre foi a fonte dessa água viva.

Se estivermos pensando sobre ministério baseado na Palavra, estamos pensando sobre o ministério que desvenda para as pessoas a grandiosa história das Escrituras com Jesus no centro, de modo que elas possam entender as histórias de suas próprias vidas como sendo centradas na história e na glória de Jesus. Isso revoluciona a nossa forma de encarar o enredo abrangente das Escrituras, começando no início e vendo ali o Verbo que estava com Deus e de fato era Deus – esse Verbo por meio de quem todas as coisas foram criadas (João 1.1-3). A história começa com este Deus criando os céus e a terra, e termina com Deus *recriando*, fazendo um *novo* céu e uma *nova* terra. A história é coerente do início ao fim. Começa em um lindo lugar onde a árvore da vida cresce, e onde os seres humanos vivem em comunhão com Deus – um lugar que rapidamente se perde, assim que o pecado quebra essa comunhão. Mas, então, o Cristo prometido finalmente vem para restaurar essa comunhão, visto que, por meio da sua morte, Deus redime para si um povo de todas as nações da terra. A Bíblia até mesmo nos permite vislumbrar o final, esse novo céu e terra, novamente com a árvore da vida, onde Deus habita novamente com o seu povo, com o Cristo ressurreto no centro, o Cordeiro sobre o trono.

Cada um de nós gostaria de fazer a história ser toda sobre "mim". De fato, muitas vozes ao redor nos encorajam a nos vermos como o centro da narrativa. É por isso que, quando vamos às Escrituras, tendemos a perguntar primeiramente o que o texto significa para nós – como ele nos faz sentir, como ele pode nos ajudar. Quando damos forma a um ministério, tendemos a perguntar em primeiro lugar como esse ministério pode satisfazer as necessidades do grupo específico envolvido. Essa não é uma pergunta ruim. Mas e se, em vez de começar com essa pergunta, começarmos perguntando como esse grupo pode entender melhor as Escrituras para que possa compreender suas próprias histórias à luz da história maior de Deus criando um povo para si mesmo por meio de seu Filho? Segundo as Escrituras, como esse grupo pode tratar sobre a história e a glória de Cristo, que brilha ao longo das Escrituras do começo ao fim?

As vozes lá fora perguntarão: "Será que não podemos simplesmente tratar sobre amar e servir a Jesus em nosso ministério?" Sim, mas o que significa amar e servir a Jesus? Quem é Jesus? Qual a melhor forma de amá-lo e servi-lo? Até que levemos nossas perguntas à Palavra de Deus, haverá tantas respostas diferentes a essas perguntas quanto há grupos de pessoas. As Escrituras nos dizem claramente quem Jesus é, e é uma descrição bastante diferente das várias que pairam por aí na cultura, até mesmo na cultura evangélica. Para compreender integralmente a história de

Jesus, devemos estar lendo e ensinando regularmente o livro de forma integral – Novo e Antigo Testamento, narrativas, poesias, evangelhos, apocalíptica, epístolas, literatura de sabedoria, profecias – tudo isso! Todas as partes trabalham juntas, na providência de Deus, para nos alimentar totalmente acerca desse que vem e nos diz que ele é a água viva e o pão da vida.

A PALAVRA DE DEUS É UMA QUESTÃO DE VIDA OU MORTE

O que vem a seguir em Isaías 55 é importante. Sem esses versos poderíamos acreditar em todo o restante do capítulo, mas não teríamos nada a ver com isso. Os versículos 6-9 nos dizem que *a Palavra é uma questão de vida ou morte*. Eles são como o apelo de Isaías 55:

> Buscai o SENHOR enquanto se pode achar, invocai-o enquanto está perto. Deixe o perverso o seu caminho, o iníquo, os seus pensamentos; converta-se ao SENHOR, que se compadecerá dele, e volte-se para o nosso Deus, porque é rico em perdoar. Porque os meus pensamentos não são os vossos pensamentos, nem os vossos caminhos, os meus caminhos, diz o SENHOR, porque, assim como os céus são mais altos do que a terra, assim são os meus caminhos mais altos do que os vossos caminhos, e os meus pensamentos, mais altos do que os vossos pensamentos. (v. 6-9)

Há uma urgência de vida ou morte aqui. O tempo se esgotará. Está claro que essa oportunidade de ouvir é oferecida somente enquanto Deus "se pode achar" ou "enquanto está perto". Está claro que a oferta envolve não apenas ser feliz ou próspero; Nós já ouvimos (anteriormente no v. 3) que a vida de nossa alma está em jogo. O oposto do perdão (v. 7) é a condenação. E estamos em uma posição desesperadora, porque a palavra da qual precisamos é tão elevada que não podemos alcançá-la. Os versículos 8 e 9 deixam claro que Deus e nós existimos em dois diferentes reinos, e Deus é muito elevado para nós. O verso 9 nos deixa desesperadamente de fora: "Porque, assim como os céus são mais altos do que a terra, assim são os meus caminhos mais altos do que os vossos caminhos, e os meus pensamentos, mais altos do que os vossos pensamentos".

Agora que percorremos o caminho desde o início do capítulo até esses versos magníficos com os quais começamos, podemos ver por que o versículo 10 começa com a palavra "Porque". Ele está continuando o "Porque" do versículo 9 e o "Porque" do versículo 8, e o crescente e imenso argumento é que nós, por nós mesmos, não podemos chegar a essa palavra desesperadamente necessária; precisamos recebê-la do céu. Olhando os versículos 8 e 9, compreendemos ainda mais a maravilha dos versículos 10 e 11, que as palavras de Deus, das quais estamos separados, viria até nós como a chuva e a neve do céu para nos dar vida ao invés de morte. Que maravilha. Quanta misericórdia.

Todas as outras religiões do mundo envolvem uma busca pelo céu, a fim de alcançar um nível mais elevado de retidão, um levantar de nós mesmos. A Bíblia revela um Deus que se aproxima de nós ao mesmo tempo que nos convida a nos achegarmos até Ele e que envia do céu a sua palavra – verdadeiramente, a Palavra encarnada, o seu próprio Filho. Nós, cristãos, temos verdadeiramente boas notícias, notícias urgentes, notícias de vida ou morte para receber e para oferecer por meio dessa Palavra que chegou até nós. Se a Palavra é o que ela diz ser, então, à medida que chove em nossas vidas, nós, crentes, deveríamos certamente estar transbordando com a urgência de ouvir e compartilhar essa boa notícia misericordiosa nesses últimos dias, enquanto o Senhor ainda pode ser encontrado.

Segue-se, então, que, em nossas vidas e ministérios, estaremos respondendo ativamente e chamando outros para responder à Palavra de Deus. Tal resposta ativa envolve, em primeiro lugar, um impulso evangelístico mais integrado aos nossos ministérios do que nós talvez rotineiramente imaginemos. O Capítulo 5 deste livro aborda esse tema especificamente, mas em muitos dos capítulos aparece um desafio repetido de pensar no ministério de mulheres não como um programa que realiza um evento evangelístico de tempos em tempos, mas sim como uma rede de relacionamentos que está sempre alcançando por meio da palavra viva – em nossos estudos bíblicos, nossas amizades e aconselhamentos, em todas as nossas reuniões – sempre chegando para ajudar outros a receber a Palavra que dá vida, da qual todas nós estaríamos separadas se ela não tivesse vindo até nós. Se um ministério está repleto de estudo e ensino focado na Palavra, então é realmente difícil isso *não* acontecer, porque a Palavra de Deus é tanto suficiente quanto eficaz para a nossa salvação e santificação.

A resposta ativa à Palavra envolve não apenas receber e compartilhar o evangelho, mas também vivê-lo cada vez mais fielmente. A boa notícia, que é uma questão de vida ou morte, é uma notícia que transforma a vida de forma abrangente à medida que o povo de Deus é conformado à imagem de seu Filho. Observe que essa passagem fala tanto de *pensamentos* quanto de *caminhos* (v. 9). Isaías combina o recebimento da Palavra de Deus com a prática dela. Os quatro verbos nos versos 6 e 7 apresentam uma progressão de imperativos, ou ordens, que são quase como uma trilha de pegadas a seguir. No versículo 6, "buscai" e "invocai" ordenam uma resposta à Palavra de Deus que primeiramente vai em direção a ele (*buscai*) e, então, responde a ele com nossas próprias palavras (*invocai*). Ele é um Deus de palavras, e ele nos fez criaturas de palavras à sua própria imagem, para que possamos realmente responder às suas palavras e conectarmo-nos a ele com as nossas.

As próximas duas ordens, "deixe" e "volte-se" (v. 7), pedem por um afastamento do mal e por um retorno ao próprio Senhor que perdoa esse mal quando nos arrependemos. Esse chamado ecoa audivelmente tanto para incrédulos, que devem se arrepender, quanto para crentes, que ouviram a voz de Deus e se arrependeram, mas não seguiram perfeitamente essa voz (como nenhum de nós seguirá, até que vejamos Jesus face a face). *Buscar, invocar, deixar* e *voltar-se* são ações que devemos tomar inicialmente, quando respondemos em fé ao chamado regenerador de Deus em nossos corações – mas também continuamente, conforme o Espírito Santo continua a aplicar a Palavra aos nossos corações.

Esses versos continuam falando a todos nós. Eles nos chamam a nos voltarmos *de* nossos próprios pensamentos e caminhos *para* os pensamentos e caminhos de Deus. Isto é o que a Palavra nos ensina a fazer quando a ouvimos, receber sua vida e ser transformado, tanto em nossos pensamentos quanto em nossos caminhos. Estudamos e ensinamos a Bíblia ao longo de nossos diversos ministérios não apenas para nos tornarmos conhecedores, mas para termos nossas vidas transformadas e continuarmos no processo de sermos transformados – até que morramos ou Jesus venha novamente, e o processo seja completo. Como ficarão os nossos ministérios, à medida que, pelo Espírito e por meio da Palavra, nós ativamente respondermos e ajudarmos outros a responderem de forma transformadora de vida? Esperamos responder a essa pergunta em relação aos ministérios de mulheres nos próximos capítulos. Pelo menos sabemos que envolverá muita busca e invocação pelo Senhor e também muito abandono de maus caminhos e retorno ao Senhor.

O que torna essas ações boas não somos nós que as realizamos, mas Deus que as ordena e também as torna possíveis àqueles que a elas respondem. Que misericórdia ler que o nosso Deus de *compaixão* não apenas perdoará, mas *perdoará ricamente* (v. 7). A chuva não apenas goteja; ela derrama perdão em nossas almas secas e carentes. Isso é uma boa notícia, de fato. Nossos locais de ministério deveriam ser locais onde as pessoas estão encontrando vida – nova vida, e crescendo em vida abundante – porque em sua misericórdia, o Deus da nossa salvação se aproximou. Ele derramou vida de si mesmo em seu Filho, pelo seu Espírito, por meio de sua Palavra.

A PALAVRA DE DEUS É BELA

Observemos mais uma verdade: *a Palavra de Deus é bela*. Considere o seguinte: apenas por meio desse único capítulo nossas mentes foram preenchidas com imagens e sensações de vinho, leite, os mais finos manjares, de chuva e neve, de plantas verdes saudáveis, sementes, pão e assim por diante! Deus claramente tem como objetivo nos penetrar com a sua Palavra, não apenas por meio de nossas mentes, mas também por meio de nossa imaginação, nossas emoções e nossos sentidos – por meio de todo nosso ser. Nenhuma parte da Bíblia é apenas a verdade proposicional crua; todas as suas palavras são, como o autor de Eclesiastes diz, pesadas, moldadas e arranjadas com grande cuidado de forma que não sejam apenas palavras de verdade, mas também palavras agradáveis (12.9-10). A verdade de Deus é bela. Uma sentença gramaticalmente complexa escrita pelo apóstolo Paulo é como um caminho sinuoso com muitas bifurcações, infinitamente agradáveis na relação de todas as suas diferentes partes que nos levam através da riqueza da verdade do evangelho. Temos lido uma poesia magnífica nessas palavras que nos foram dadas por Isaías, desvendando ricamente versos paralelos cheios de imagens que nos mostram a maravilhosa dádiva da graça de Deus no evangelho. *Cada tipo de literatura na Bíblia tem a sua própria forma e beleza que evocam nossa percepção e deleite.*

Como podemos marcar nossos ministérios não apenas com o ensino claro da Palavra, mas com o prazer nela? Na verdade, quanto mais claro e fiel for o nosso trato das Escrituras, mais esse trato *será* caracterizado por prazer. Quando dedicarmos maior atenção a essas palavras sopradas por Deus, então notaremos como elas são colocadas juntas. Distinguiremos os diversos tipos de literatura trabalhadas pelos diversos escritores humanos conduzidos pelo Espírito Santo para falar por Deus em suas vozes e contextos únicos. Entenderemos de forma mais completa as formas que a Bíblia fala e, inevitavelmente, ficaremos maravilhados com sua beleza.

Mas sua beleza não é apenas a beleza da forma somada ao conteúdo. Sua beleza é a beleza de forma e conteúdo tão maravilhosamente casados que, ao diagramar uma daquelas frases paulinas complexas ou desvendar dois versos poéticos paralelos, teremos deleite no significado, por meio do processo de recebê-lo com uma submissão ao texto que nos satisfaz no mais alto nível. Teremos ouvido diligentemente as palavras inspiradas. É uma questão de estender nossas mãos abertamente para receber o rico alimento ou apreciar a chuva que dá vida. É claro que, quanto mais nos deleitamos na Palavra, mais os outros serão atraídos para estender suas mãos também. Reunir-se com prazer ao redor da Palavra de Deus faz com que o povo de Deus cresça e se fortaleça de maneiras surpreendentes.

Os versos finais de Isaías 55 trazem este capítulo a um clímax incrivelmente belo, retratando as consequências de todo o povo de Deus e, na verdade, de toda a terra recebendo e celebrando plenamente a Palavra de Deus:

> Saireis com alegria e em paz sereis guiados; os montes e os outeiros romperão em cânticos diante de vós, e todas as árvores do campo baterão palmas. Em lugar do espinheiro, crescerá o cipreste, e em lugar da sarça crescerá a murta; e será isto glória para o SENHOR e memorial eterno, que jamais será extinto. (v.12-13)

O *brotar* que vimos anteriormente no versículo 10 rompe aqui em plena floração gloriosa. Esses são os resultados que vislumbramos agora no corpo de Cristo, mas sabemos que os veremos totalmente e, finalmente, quando Jesus voltar e a História for completada. Esse é o objetivo para o qual esses versículos apontam e, assim, aprendemos aqui o que deveria ser a direção, o ímpeto dos nossos ministérios, os quais fazem parte do fluxo desses últimos dias apontando em direção à vinda de Cristo.

O último capítulo do livro nos colocará nesse ponto, mas é

bom afirmá-lo desde o início: os nossos ministérios não existem simplesmente com a finalidade de ajudar as pessoas a viverem bem agora; os nossos ministérios, bem como toda a nossa vida, devem apontar para o fim, quando veremos Jesus face a face. As imagens gloriosas em Isaías 55 têm o seu clímax em um único fim: "será isto glória para o SENHOR e memorial eterno, que jamais será extinto" (v. 13). Esse nome é o nome de Jesus, a quem Deus deu "o nome que está acima de todo nome, para que ao nome de Jesus se dobre todo joelho, nos céus, na terra e debaixo da terra" (Filipenses 2.9-10).

Mesmo agora, ao longo do caminho, nossos ministérios podem estar florescendo mais e mais com vidas frutíferas à medida que encontram o seu centro na Palavra que misericordiosamente chove sobre nós. Não há mais nada em que possamos depender eternamente. Aquele álbum de ministério de mulheres, com as mais variadas imagens, pode se tornar cada vez mais colorido e belo à medida que mostra o processo de nos abrirmos às palavras da própria boca de Deus, que vêm até nós como a chuva e a neve dos céus, regando a terra, trazendo vida, realizando tudo o que apraz a Deus, para a glória do seu nome.

Capítulo 2

A Palavra sobre as Mulheres

Deleitando-se na Distinção

Claire Smith

No mesmo dia em que o convite para contribuir com este livro chegou à minha caixa de mensagens, um jornal de Sydney reportava uma campanha online para fazer fabricantes de brinquedos e varejistas australianos pararem de marcar os produtos como sendo para meninas ou meninos. Eles queriam que os brinquedos fossem agrupados por temas, não por "estereótipos de gêneros". [1]

Em certo aspecto, isso faz sentido. Muitos meninos gostam de brincar com bonecas e de cozinhar; e meninas (como eu) gostam de aeromodelos e bastões de críquete. Mas o objetivo dos ativistas não é apenas a remoção dos estereótipos de gênero. Eles querem que o *gênero* deixe de ser uma parte importante do que uma criança é – de quem *nós* somos. Eles querem um mundo em que a identidade de uma pessoa não seja definida pelo primeiro rótulo que recebemos ao nascer: "É uma menina!" ou "É um menino!"[2]

Eles não estão sozinhos nisso. O Facebook parou de oferecer a opção de apenas dois gêneros para perfis de usuários. Até o presente momento, ele oferece cinquenta e seis diferentes identidades de gênero.[3]

Estes são apenas dois exemplos de uma tendência crescente que vê o gênero como uma construção social: um fenômeno que é produto de forças sociais e da linguagem que usamos para falar sobre a vida mais do que algo que faz parte de uma realidade determinada biologicamente. Para uma minoria crescente e cada vez mais barulhenta, essa é uma construção que já teve a sua época.

No entanto, aqui estamos *nós* escrevendo, e aqui está *você* lendo um livro sobre *mulheres*: um livro que afirma não só que mulheres existem, mas também que o gênero é um bem intrínseco e essencial, e uma parte dada por Deus de quem somos. Então, antes de ponderarmos sobre outras questões acerca do ministério de mulheres, precisamos primeiramente entender o que é ser uma mulher (ou um homem) nos propósitos de Deus.

DEUS CRIOU O SER HUMANO HOMEM E MULHER

Como vimos no Capítulo 1, a Palavra de Deus por si só fornece a base para a fé e a vida, e o melhor lugar para começar a explorar questões relacionadas a gênero são os três primeiros capítulos da Bíblia, onde (entre outras coisas)

Deus nos dá uma lição de antropologia bíblica: uma introdução a *quem nós somos*.

Gênesis não começa com apenas um relato da criação, mas com dois relatos complementares (Gênesis 1.1–2.3, 2.4-25). Ambos tratam da criação de Deus de todas as coisas, mas dão visões e focos diferentes sobre verdades complementares. Eles não são relatos conflitantes, mas também não são idênticos. Cada um ensina as mesmas e, no entanto, diferentes verdades sobre Deus, criação e humanidade.

Ambos os relatos revelam Deus como criador soberano, governante e legislador amoroso. Ele está lá antes de qualquer outra coisa. Ele vê todas as coisas, sabe de todas as coisas e cria todas as coisas. Ele é generoso e bom. Ele está acima da criação, chamando-a à existência (Gênesis 1), e está presente nela, formando, plantando e dando vida (Gênesis 2).

Em ambos os relatos, o caos e a falta de forma são substituídos por ordem, distinção, propósito e produtividade. Deus está sempre separado e é distinto de sua criação. Ele governa sobre ela e está presente nela, mas ele não está e nem mesmo é parte de qualquer coisa criada.

No entanto, curiosamente, quando chegamos ao auge de sua obra criativa – "homem" ou a humanidade – vemos que o Criador compartilha sua imagem divina com suas criaturas (Gênesis 1.26-27; Gênesis 9.5-6). Os homens correspondem a ele e, assim, relacionam-se com ele como nenhuma outra criatura. Eles são o seu rosto para sua criação, feitos à sua imagem para cuidar e governar como seus representantes.

Mas não são humanos sem gêneros; são seres humanos *homem* ou *mulher*. Uma humanidade em dois tipos, ambos igualmente feitos e apreciados por Deus. Ambos carregam igualmente a imagem divina. Ambos são responsáveis por encher a terra e governá-la como representantes de Deus. Mas são decididamente diferentes: *homem ou mulher*.[4]

Agora, você não precisa que eu lhe diga que Deus fez os pássaros, e abelhas, e a maioria das outras criaturas como macho e fêmea também, mas em Gênesis isso fica subentendido. Não é assim em relação aos humanos! A nossa diferenciação sexual é mencionada porque é significativa. E ela leva à ordem de Deus de que os seres humanos devem ser frutíferos, multiplicarem-se e produzirem mais portadores da imagem para estender o domínio de Deus por toda a criação (Gênesis 1.28).

Mas nossas diferenças sexuais também ajudam a nos dizer quem somos, como seres humanos criados à imagem de Deus. Precisamos ter cuidado com a forma como entendemos isso. Certa vez ouvi alguém dizer que Deus fez a humanidade como sendo *homem* e *mulher* porque Deus é masculino e feminino. Isso não é o que a Bíblia ensina. Ser feito à imagem de Deus tem algo a ver com seres humanos serem *homens* e *mulheres*, mas não é porque Deus é masculino e feminino.

Deus é espírito (João 4.24) e não possui gênero como nós. Algumas vezes a Bíblia usa o imaginário feminino para descrever Deus,[5] mas Deus se revelou como Pai, Filho (que se tornou o homem, Jesus Cristo) e Espírito (que é o Espírito do Pai e do Filho), e podemos conhecer a Deus somente como ele se revelou. É certo, então, usar pronomes e títulos masculinos para Deus e não ignorar a sua autorrevelação.[6] Ao mesmo tempo, porém, Deus não é homem da forma como homens e meninos são.

No entanto, Gênesis nos diz que o que quer que tenha sido feito à imagem de Deus tem um significado para a humanidade – nosso papel como seus representantes, nossa capacidade de julgamento moral, relacionamentos, criatividade e assim por diante – também envolve ser criado como homem e mulher. Recebemos uma dica de que é assim quando Deus diz: "Façamos o homem à *nossa* imagem" (Gênesis 1.26), e, em seguida, o escritor acrescenta: "à imagem de Deus o criou; homem e mulher os criou" (v. 27). O apóstolo Paulo faz algo semelhante ao ligar as diferenças de gênero com a nossa criação à imagem de Deus e coloca a sua discussão no contexto teológico das relações ordenadas dentro da Divindade (1 Coríntios 11.3, cf. 11.7-8, 12).[7] Ser feito à imagem de Deus e ser homem e mulher são características que se relacionam.

A relação de homem e mulher – uma relação de unidade e diferenciação de partes não idênticas, mas iguais da humanidade – reflete, de alguma maneira, a perfeita unidade e diferenciação das pessoas eternas do Deus trino: um só Deus em três pessoas, iguais em divindade e pessoalidade, que amam, agem e se relacionam em perfeita unidade.

No entanto, apesar dessa igualdade e unidade, as pessoas divinas não são intercam   biáveis; nem são as suas relações ou funções. O Pai é o Pai e não o Filho ou o Espírito. O Filho é o Filho, não o Pai, e assim por diante. Além disso, o Pai envia o Filho, não o Filho ao Pai. O Filho é gerado pelo Pai, não o Pai pelo Filho. O Filho se encarnou, não o Pai ou o Espírito. Unidade e diferenciação. Uniformidade e diferença. E *ordem sem desigualdade*. Tudo isso é verdadeiro sobre o Deus trino.

Da mesma forma, homens e mulheres são iguais em humanidade, dignidade, valor e propósito, mas não idênticos, e, quer sejamos casados ou não, nossas diferenças trabalham juntas para criar relacionamentos de unidade e complementaridade. Não somos simplesmente pessoas. Somos pessoas masculinas ou femininas feitas para a sociedade humana, construída por meio de relacionamentos com pessoas de ambos os sexos.

As tendências atuais sobre a sexualidade humana não deveriam nos surpreender. Assim como o nosso rosto ou imagem não permanece no espelho quando nos afastamos, noções modernas de diversidade e flexibilidade de gênero, e a agenda do movimento homossexual são simplesmente expressões de nossa sociedade se afastando daquele de quem somos feito à imagem. À medida que nos esquecemos de Deus, perdemos nossa identidade. Mas o fato permanece: Deus nos fez com polaridade binária de gênero, e essa é uma parte boa de nossa identidade que foi dada por *Deus*.

NEM HOMEM NEM MULHER, MAS TODOS UM EM CRISTO JESUS

No entanto, alguns cristãos – até mesmo alguns evangélicos – chegaram ao ponto de ver as diferenças bíblicas entre homens e mulheres como uma consequência do pecado, e não como parte do projeto original de Deus. Essas diferenças, portanto, pertencem à humanidade caída e são vencidas ou revertidas em Cristo. O texto normalmente usado é Gálatas 3.28, onde Paulo escreve: "Não pode haver judeu nem grego; nem escravo nem liberto; nem homem nem mulher; porque todos vós sois um em Cristo Jesus".

O argumento é mais ou menos assim: o evangelho desafia e derruba essas coisas que criam divisões e hierarquias na sociedade humana decaída. Assim, embora as diferenças biológicas permaneçam, todas as distinções de função entre homens e mulheres são removidas em Cristo, e homens e mulheres, indistintamente, podem assumir as mesmas funções e fazer as mesmas coisas dentro da sociedade, igreja e casamento.

Isso soa razoável para alguns porque contém um elemento de verdade. Em Cristo, as divisões mais profundas na sociedade humana foram vencidas. Mas o argumento de Paulo, no contexto, não é que essas distinções entre judeu e grego, escravo e livre, homem e mulher tenham deixado de existir. O seu argumento é de que, em Cristo Jesus, nós, crentes, somos um, quem quer que sejamos. Nós todos compartilhamos de um relacionamento comum com ele, e somos todos igualmente "filhos" de Deus.[8] As divisões se foram, mas não as distinções.

Além disso, como veremos, há (pelo menos) mais dois problemas ao tentar usar esse texto de Gálatas para rejeitar as distinções de função baseadas no gênero, a saber, que essas distinções são anteriores à queda e que, em outro lugar, Paulo exorta claramente diferentes papéis e responsabilidades para homens e mulheres redimidos.

HOMEM E MULHER NO JARDIM

É certamente verdade que na queda, e desde então, homens e mulheres têm estado em luta, como qualquer um com uma experiência mínima de vida pode perceber. Mas não é verdade que as diferenças entre homem e mulher começaram com a queda.

Não apenas Deus criou o ser humano como homem e mulher em Gênesis 1, mas Gênesis 2 nos diz que ele também os criou de formas diferentes, em momentos diferentes e para papéis, funções e responsabilidades diferentes (relacionados àquelas formas e momentos diferentes).

O homem é o primeiro foco da atividade criativa de Deus. Ele é o primeiro no jardim, e somente ele recebe o mandamento de Deus. Ele está "só", e isso "não é bom". Ele nomeia as criaturas, atribuindo-lhe, dessa forma, um lugar na criação. Mas ainda não há uma auxiliar adequada para ele. Deus faz a mulher a partir de uma costela tomada do homem e a apresenta a ele.

Ela é uma auxiliadora adequada ao homem, assim, ele canta com alegria ao encontrar o seu *complemento* – da mesma substância, porém, distinta e diferente dele, como o nome que ele lhe dá sugere.[9] É também o homem (não o homem e a mulher juntos) que deve "deixar seu pai e mãe" e unir-se à sua esposa, iniciando uma nova família (Gênesis 2.24; Mateus 19.5; Marcos 10.7).

Em suma, o homem ocupa um lugar na narrativa que a mulher não ocupa. Não é que ele seja mais importante, ou abençoado, ou humano do que ela é. É que ele tem uma prioridade temporal e relacional. Ele é o primeiro a ser formado na criação de Deus (um fato de importância ressaltado em 1 Timóteo 2.13). Deus forma somente ele a partir do pó da terra (Gênesis 2.7). Ela é feita depois dele, a partir dele e para ele (1 Coríntios 11.7-9), para que *juntos* possam cumprir os propósitos para os quais Deus os criou: serem frutíferos, multiplicarem-se, encherem a terra e dominá-la (Gênesis 1.28). Sem a mulher, o homem não pode fazer isso. Sem o homem, ela também não (ver Gênesis 3.20; 1 Coríntios 11.11-12).

Deus lhes dá um ao outro, e ele lhes dá funções e responsabilidades diferentes. Eles não são iguais; nem as suas funções são iguais. Ele tem responsabilidades de autoridade e liderança vindas da sua prioridade temporal e relacional, que são vistas, por exemplo, na sua tarefa de nomear, no recebimento do mandamento de Deus e na sua iniciação de uma nova família com a mulher que Deus traz para ele. Ela é uma auxiliadora adequada a ele, uma descrição que exploraremos mais profundamente em breve. Há ordem em seu relacionamento, suas funções e responsabilidades não são intercambiáveis.

Essas palavras podem soar chocantes para nós. Talvez apenas algumas pessoas pensem que o gênero é uma construção social, mas muitos de nós – especialmente as *mulheres* – aprendemos a resistir às distinções baseadas em gêneros e, portanto, isso pode nos deixar bastantes desconfortáveis e, em certo sentido, é compreensível ter algum desconforto.

Todos nós vivemos deste lado da queda, logo, nenhum de

nós sabe em primeira mão o quão maravilhoso esse relacionamento foi! *Nossa* experiência da relação homem/mulher foi tingida pelo pecado, na verdade, todos os nossos relacionamentos foram – nossos e de outros. Mesmo que tenhamos sido abençoados com vidas (relativamente) felizes, sabemos que as coisas podem dar errado e, frequentemente, conhecemos isso em primeira mão.

Mas não era assim antes da queda. Não havia ego, jogos de poder, manipulação, abusos, cônjuges negligenciados, abusadores no local de trabalho, pornografia ou piadas sexistas. Na verdade, não havia nenhuma das experiências que fazem com que seja difícil para nós ler esse relato em Gênesis e nos regozijarmos no projeto bom e perfeito de Deus para homens e mulheres.

Todavia, uma segunda olhada em Gênesis revela coisas que podem nos ter escapado em uma primeira leitura, coisas que podem facilitar ou dificultar.

A primeira é que Gênesis 2 vem após Gênesis 1. Já nos foi dito que o ser humano como homem e mulher é o ápice da criação de Deus. Já sabemos, portanto, que não há inferioridade ou superioridade entre o homem e a mulher, eles são iguais aos olhos, coração e propósitos de Deus.

Segundo, perceba como Deus é. Em Gênesis 2, o nome que aparece, o SENHOR Deus, nos diz que ele é um Deus que faz alianças, que está com seu povo e que cria vínculos com ele (Gênesis 2.4; ver Êxodo 3.14-15).[10] Ele está no controle, não o homem. E ele é o provedor generoso. Ele está do nosso lado, e o seu projeto original para nós é bom, uma bênção e não maldição.

Terceiro, note que a criação não está completa sem a mulher. O homem tem uma necessidade, uma falta que ele não pode preencher. Mais do que isso, sem ela, ele está só, e isso "não é bom", é o único *déficit* na boa criação de Deus.

Quarto (e importante para homens e mulheres deste lado da queda), o termo "auxiliadora" (*ezer*) não é um insulto ou uma desculpa para exploração. Pelo contrário! Esse é um termo muito frequentemente aplicado a Deus quando ajuda seu povo.[11] Também é usado para força militar.[12] Não é um nome para fracotes, mas também não significa que o auxiliador é mais forte do que o auxiliado. Ele descreve um tipo de relacionamento.

O ponto é que aqueles que precisam de ajuda não conseguem fazê-lo por conta própria. Assim é para o homem. A mulher é criada para um relacionamento no qual ela é uma auxiliadora adequada para ele – perfeitamente adequada. Ela é seu oposto e complemento.

Há uma ordem em seu relacionamento, uma ordem baseada na função, não no valor. Sendo o primeiro a ser formado, o homem tem responsabilidades de liderança dadas por Deus; como sua auxiliadora, a mulher tem uma responsabilidade dada por Deus de aceitar a liderança do homem; por exemplo, ela recebe o nome que ele lhe dá, ela se une a ele na nova família que ele cria, e ela aprende com ele os mandamentos que ele recebeu de Deus. Ela abraça o seu distinto papel como uma auxiliadora para ele, e juntos formam uma parceria de iguais.

E, é claro, tudo isso acontece antes de Gênesis 3 e do evento trágico e fatal da queda.

DESORDENANDO A CRIAÇÃO ORDENADA DE DEUS

Então, o que acontece em Gênesis 3 não é a causa nem a data de início dos papéis sociais de gêneros, mas de sua rejeição, distorção e ruptura. Foi quando o paraíso foi perdido, e a lua de mel acabou.

Em etapas progressivas o plano de Deus para relacionamentos dentro da sua criação foi rejeitado. Em vez do homem e da mulher governarem a criação como representantes de Deus debaixo do seu governo, o Diabo (na forma de uma serpente)[13] persuadiu a mulher, a mulher persuadiu o homem, e cada um deles desobedeceu à palavra de Deus. Eles rejeitaram a bondade e verdade de seu mandamento (Gênesis 2.16-17) e tentaram colocar a si mesmos no lugar de Deus. Também rejeitaram o seu lugar nos relacionamentos que Deus havia estabelecido, motivo pelo qual o homem é julgado tanto por comer do fruto quanto por ouvir à sua mulher (Gênesis 3.17).

Rapidamente os relacionamentos fáceis e harmoniosos dentro da criação de Deus são perdidos – entre a criação e a humanidade, entre o homem e a mulher, e com Deus. O único recurso para o homem e a mulher é se esconder, um do outro e de Deus.

No entanto, eles não podem escapar! Seu criador se tornou seu juiz, e ele reafirma sua ordem original ao chamar primeiramente pelo homem: "Onde estás?... Quem te fez saber que estavas nu? Comeste da árvore de que te ordenei que não comesses?" (Gênesis 3.9,11; ver 2.16-17).

Mas o homem não consegue responder diretamente. Ele confessa, mas não antes de culpar a mulher e o Deus que a trouxe para ele: "A mulher que me deste..." (Gênesis 3.12).

Mas Deus não desistiu deles, nem descartou seu modelo original para relacionamentos. Todavia, todo aspecto de sua existência envolverá agora luta, mostrando o resultado do pecado. Encher a terra e governá-la será difícil. Produzir alimento e descendência será difícil. Em vez de uma parceria de iguais ordenada e alegre, o relacionamento do homem e da mulher será agora uma parceria de iguais difícil e quebrada (3.16). Ambos caíram. No lugar da ajuda disposta da mulher haverá "desejo", e a liderança amorosa do homem será "domínio" (NVI).

Percebemos quais as implicações dessas mudanças logo no capítulo seguinte, onde as mesmas palavras e estrutura similar de frase são aplicadas ao pecado e a Caim, quando Deus lhe diz que o *"desejo* [do pecado] será contra ti, mas a ti cumpre *dominá*-lo" (Gênesis 4.7). Há uma batalha pelo controle: o pecado deseja possuir Caim, mas ele deve dominar o pecado. Para a mulher e seu marido, essa batalha surgirá a partir de suas respectivas respostas de interesse próprio do desejo e governo. Essas distorções pós-queda do plano e propósito original de Deus se expressaram, desde então, de formas inumeráveis em todas as relações de gênero, especialmente no casamento.

De fato, a Bíblia nos diz que nenhum de nós e nenhum de nossos relacionamentos são como Deus planejou que fossem.

Mas a maravilhosa nova do evangelho é que, em Cristo, cada um de nós é uma nova criatura (2 Coríntios 5.17). Quando confiamos em Cristo, nosso eu pecador é crucificado com ele e, pela obra do seu Espírito, recebemos nova vida e somos refeitos à sua imagem – a imagem de Cristo.[14] Tanto homem quanto mulher, estamos sendo renovados à imagem da *verdadeira* humanidade, a perfeita imagem do Deus invisível (2 Coríntios 4.4; Colossenses 1.15). Nosso destino é a perfeição como verdadeiros portadores da imagem.

TODOS SÃO NOVAS CRIATURAS EM CRISTO

Nesse ponto pode parecer que pegamos o caminho mais longo possível para chegar aonde queremos, a saber, um local onde possamos pensar biblicamente sobre o ministério de mulheres. É como se tudo que quiséssemos fazer fosse ir de casa até a igreja local, no entanto, acabamos dando a volta ao redor do mundo! Mas agora que olhamos todo o quadro, estamos em uma posição melhor para retornar às nossas casas e igrejas.

É aqui que chegamos ao segundo problema adicional, observado anteriormente ao ler Gálatas 3.28 como uma passagem que derruba as distinções de funções baseadas em gênero; ou seja, o *mesmo* autor, o apóstolo Paulo, exorta mais uma vez sobre a função e as diferentes responsabilidades para homens e mulheres no casamento e no ministério. O apóstolo Pedro faz o mesmo com o casamento. Seria estranho se Paulo contradissesse a si mesmo dizendo uma coisa em Gálatas e o oposto em outro lugar. Devemos esperar que a infalível Palavra do Deus soberano, inspirada pelo Espírito fale com uma só voz. E é claro que ela fala.

Não há contradição. Como veremos, essas funções e responsabilidades têm a ver com nos restaurar como homens e mulheres portadores da imagem e nos transformar à semelhança de Deus por meio da obra renovadora do Espírito.

Maridos e Mulheres Feitos Novos

Começamos com o ensino do Novo Testamento sobre casamento, não porque cada uma de nós seja ou deva ser casada, e muito menos porque o casamento seja o santo graal das relações humanas. Começamos aqui, porque as diferenças baseadas no gênero a serem vividas na igreja – a família de Deus – são uma expressão de diferenças que são vistas de forma mais íntima e exclusiva no relacionamento entre marido e mulher. Vislumbramos essas diferenças na carta de Paulo aos Colossenses:

> Vós, mulheres, sede submissas aos vossos maridos, como convém no Senhor.
> Vós, maridos, amai a vossas mulheres, e não as trateis asperamente. (Colossenses 3.18-19, arib)

Várias coisas são evidentes nesses dois breves versos:
- Tanto esposas quanto maridos são tratados diretamente como agentes morais iguais e individualmente responsabilizados pela forma como se relacionam com seu cônjuge.

- As responsabilidades de esposas e maridos não são idênticas, nem reversíveis, nem intercambiáveis: esposas têm uma responsabilidade; maridos têm outra.
- Existe uma ordem em seu relacionamento: um se submete, e o outro tem algum tipo de autoridade (daí a instrução aos maridos para não serem ásperos).
- Essas responsabilidades não são baseadas em personalidades, renda, inteligência ou posição social. São instruções a todas as esposas e a todos os maridos.
- Essas responsabilidades não são condicionais ou baseadas em mérito. Paulo não diz: "*Se* eles fizerem X, *então* se submeta ou ame", mas "sedes submissas" e "amai".
- A linguagem original deixa claro que a esposa deve levar a si mesma à submissão; isto é, sua submissão é sua resposta considerada e disposta. Seu marido não é responsável por fazer isso acontecer.
- O foco está sobre as responsabilidades e dever amoroso do marido, não em seu poder ou direitos.
- Ambas as responsabilidades são contraculturais: a submissão da esposa não é apenas "como convém" (i.e. culturalmente), mas "como convém no Senhor", e aos maridos não era hábito dizer para "amar" suas esposas, principalmente com o amor sacrificial e perdoador de Cristo (Colossenses 3.13-14). Essas são responsabilidades *cristãs*, não culturalmente fundamentadas.

- Essas responsabilidades revertem as distorções de Gênesis 3.16 pós-queda, substituindo o "desejo" destrutivo da mulher e o "domínio" áspero do marido por submissão voluntária e liderança amorosa, que eram os ideais de Deus desde o começo.
- Por fim, nenhuma resposta virá naturalmente para o coração pecaminoso. É por isso que a submissão da mulher deve ser "como convém no Senhor", e porque Paulo alerta os maridos para não serem ásperos. Essas reações pertencem ao novo homem, do qual os crentes devem se "revestir" depois de terem se "despido" do velho homem e suas práticas (Colossenses 3.9-10).

Espero que você concorde que essas afirmações estão bastante claras. Mas essa breve declaração ainda nos deixa com perguntas. Como o marido deve amar sua esposa? Por que os maridos e as esposas devem se relacionar dessa maneira? Será que essas instruções implicam em inferioridade e superioridade? E se uma das partes não for cristã? Será que isso realmente se aplica aos dias de hoje?

Felizmente Deus não nos deixou no escuro. Várias outras passagens do Novo Testamento também discutem a relação entre maridos e esposas. Todas elas ensinam esse mesmo padrão ordenado na relação matrimonial, mas cada uma trata a questão a partir de ângulos ligeiramente diferentes e, assim, nos dão uma compreensão mais completa do que Deus quer (Efésios 5.21-33; Tito 2.5; 1 Pedro 3.1-7).

Em Efésios 5, aprendemos por que a esposa deve se submeter ao seu marido. É porque, nos propósitos de Deus, o marido é cabeça da mulher, como também Cristo é cabeça da Igreja, e, assim como a Igreja se submete a Cristo – em tudo – também as esposas devem se submeter a seus maridos.[15] Também aprendemos como o marido deve amar sua esposa, e não é uma tarefa fácil! Ele deve amar sua esposa como Cristo amou a Igreja e se entregou por ela, e ele deve amar sua esposa como ama a si mesmo. Ele deve cuidar dela, protegê-la e guiá-la.

Em 1 Pedro 3, lemos que que esse modelo de relacionamento é válido mesmo nos casamentos em que o marido não é crente. Mas há uma reviravolta. Naqueles dias, era o marido quem definia a agenda religiosa de sua casa, e a esposa normalmente aceitava sua religião. Mas Pedro está falando às mulheres de espírito independente que rejeitaram a religião de seus maridos e creram em Jesus, dizendo-lhes para submeterem-se a seus maridos (mas não de modo que desobedeçam a Cristo), na esperança de que seus maridos possam ser ganhos para Cristo. Radical!

E em Tito 2, vemos que a boa conduta das esposas e sua submissão a seus maridos poderiam ter um efeito ainda maior porque a ausência dessas coisas levaria a Palavra de Deus ao descrédito na sociedade em geral (v. 3-5). Além disso, este não era o caso apenas no primeiro século, porque não era a cultura cretense do primeiro século que guiava a agenda de Paulo; mas a pureza e santidade que pertencem a Cristo em todas as épocas (2.11-14).

Pela mesma razão, a presença de instruções para servos e senhores em todos esses textos – e a bem-vinda rejeição histórica da instituição da escravatura[16] – não é indicação de que as instruções aos maridos e esposas fossem indesejáveis ou culturalmente orientadas e, portanto, limitadas em sua aplicação para hoje. Os autores do Novo Testamento tratam a escravidão e o casamento muito diferentemente. O casamento é constantemente visto como uma coisa boa que tem suas origens nos propósitos de Deus na criação. Não é assim com a escravidão. Nenhum autor do Novo Testamento escreve positivamente sobre isso (exceto sobre nossa escravidão a Cristo). Na verdade, Paulo insta os escravos a adquirirem sua liberdade se for de alguma forma possível. O que os apóstolos fazem é regulamentar a prática da escravidão.[17] Eles não a promovem, endossam ou defendem. No entanto, eles certamente promovem, endossam e defendem o casamento e os diferentes papéis dentro dele.

Se estivéssemos com qualquer dúvida sobre a relevância duradoura desse modelo bíblico para o casamento, teríamos apenas que olhar novamente para Efésios 5, porque o modelo para o casamento humano é retirado de nada menos do que o perfeito casamento do fim dos tempos entre Cristo e sua noiva, a Igreja. Esse casamento foi planejado antes da fundação do mundo, durará por toda a eternidade e transcende todos os tempos e culturas. Esse é o modelo eterno para todos os casamentos terrenos.

Claro, a analogia não é exata, mesmo para o casamento cristão, pois dentro da relação ordenada de casamento humano não há desigualdade. No modelo perfeito, Cristo é Senhor e Salvador de sua noiva. No casamento cristão, marido e mulher pertencem igualmente à Igreja, o corpo do qual Cristo é o cabeça, pelo qual morreu, e o qual ele nutre e cuida (Efésios 5.23-32). Ambos são igualmente herdeiros da graça de vida (1 Pedro 3.7). E também membros de "um povo", que é propriedade exclusiva de Deus (Tito 2.14).

Há muito, muito mais que poderia ser dito sobre esses textos.[18] Para nossos propósitos, é suficiente dizer que todos esses textos têm a mesma mensagem: há uma relação ordenada entre marido e esposa, com funções e responsabilidades correspondentes que não são reversíveis ou intercambiáveis. A esposa deve se submeter com inteligência e voluntariamente ao marido, e o marido deve amar sacrificialmente, conduzir sua esposa como seu cabeça e protegê-la, nutri-la e cuidar dela, como uma só carne. Eles devem servir um ao outro, porém servem de maneiras diferentes.

Um Corpo com Muitas Partes

Isso nos leva naturalmente à forma como essas diferenças se mostram dentro do corpo de Cristo. Uma das minhas partes preferidas de *Vila Sésamo* é chamada de "Uma Dessas Coisas (Não é Igual às Outras)". Ela tem até mesmo uma música que não sai da cabeça:

> Uma dessas coisas não é igual às outras
> Uma com certeza é diferente basta olhar
> Quero ver agora quem percebe a diferença
> E me diga antes que eu acabe de cantar

Cito isso ao começarmos a considerar as funções e responsabilidades de mulheres e homens na igreja porque resume a forma como muitas vezes pensamos sobre as coisas: se duas coisas são diferentes, então uma delas não se encaixa. Mas, por essa premissa, ninguém se encaixaria na igreja, porque a memorável mensagem do Novo Testamento é de que na igreja, por desígnio de Deus, somos todos diferentes!

Já deveria estar claro que nós compartilhamos muita coisa quando se trata de ser parte da Igreja de Cristo. Somos todos pecadores salvos pela mesma graça e todos membros do mesmo corpo. O mesmo Espírito permite a nossa membresia e participação (cf. Atos 2.17-21). No entanto, apesar dessas características em comum, há diferenças que afetam e determinam nossas relações e contribuições.

Diferentes dons nos são dados pelo mesmo Espírito.[19] Existem diferentes papéis e funções para os quais podemos ser designados.[20] Existem diferenças na maturidade cristã[21], oportunidade[22], proeminência, participação[23] e idade[24]. E há diferenças de gênero.

A música da *Vila Sésamo* nunca poderia ser uma música cristã, a menos que a diferença sendo identificada – a *única* diferença – fosse a ausência de fé em Cristo.

Com isso em mente, vamos observar três textos principais que abordam diretamente as diferenças entre homens e mulheres na igreja de Deus. Vamos nos mover do mais geral para o mais específico.

1 Coríntios 11.2-16

A questão apresentada em 1 Coríntios 11.2-16 é o que homens e mulheres estavam fazendo com suas cabeças enquanto oravam e profetizavam no culto regular. Ao que parece, alguns homens estavam cobrindo suas cabeças, talvez como sinal de uma demonstração de superioridade espiritual. Algumas das mulheres estavam *des*cobrindo as suas, talvez como um sinal de sua nova liberdade em Cristo, principalmente porque os véus eram provavelmente um símbolo cultural associado ao gênero e casamento. Ao fazer isso, esses homens e mulheres estavam obscurecendo as diferenças entre homens e mulheres e negando a ordem em seus relacionamentos.

Mas isso não era aceitável. Homens e mulheres podem ser capacitados pelo mesmo Espírito a orar e profetizar, mas devem fazê-lo como homens e mulheres, não como seres unissex e andróginos, e nem negando seus relacionamentos ou a ordem dentro deles. É por isso que Paulo começa da maneira como começou (v. 3), localizando o relacionamento entre homens e mulheres dentro do contexto de Cristo como o cabeça de todo homem, e de Deus como o cabeça de Cristo. Em outras palavras, ele define a relação do homem e da mulher no contexto das relações ordenadas dentro da divindade e, de tal forma, que Cristo compartilha um lugar tanto com os homens quanto com as mulheres, como sendo aquele *com* autoridade e aquele *sob* autoridade.[25]

O problema, como se vê, não era o cobrir das cabeças em si. Mas era que fazendo assim, esses homens e mulheres estavam negando suas diferenças de gênero e ordem relacional ordenadas por Deus, as quais têm seu modelo nas relações da divindade. A teologia, não a cultura, molda o ensino de Paulo. Ainda que a teologia devesse ser expressa de maneiras culturalmente significativas. Assim, embora Paulo cresse que tanto homens quanto mulheres devessem orar e profetizar, as convenções culturais que expressavam gênero e ordem relacional deveriam ser mantidas mesmo enquanto eles oravam e profetizavam.

1 CORÍNTIOS 14.26-40

Quando passamos para 1 Coríntios 14, essas diferenças tornam-se ainda mais claras. Paulo aborda novamente o comportamento de diferentes partes do corpo reunido de Cristo. No entanto, a questão já não é mais o que os homens e as mulheres estavam fazendo com a cabeça, mas garantir que o que acontece quando a igreja se reúne beneficie realmente toda a igreja.

Dois fatores tiveram que ser balanceados. Havia o desejo para que todos participassem e contribuíssem. E havia o desejo – na verdade, a necessidade – de que todos aprendessem e fossem edificados na verdade de Deus. O bem comum era o objetivo (12.7).

Assim, falar em línguas foi regulamentado. A profecia também. Em determinadas circunstâncias, tanto os falantes de línguas quanto potenciais profetas deveriam ficar em silêncio (14.28,30). Na mesma linha, em algumas circunstâncias, as mulheres – provavelmente esposas, em particular – deveriam ficar em silêncio também (14.34). Mas quando?

Obviamente não o tempo todo, pois a expectativa desses capítulos (1 Coríntios 12–14) é de que cada membro tenha algo a contribuir, e Paulo havia acabado de indicar que espera que as mulheres estejam orando e profetizando (1 Coríntios 11.5). Então, isso não é uma proibição geral às mulheres de falar na igreja, assim como as instruções para os outros dois grupos também não eram!

As mulheres deveriam ficar em silêncio em um momento específico: elas não deveriam participar do julgamento de profecias. Paulo sinalizou essa atividade de julgamento em 14.29, mas passou primeiro a regular os potenciais profetas (homens e mulheres) antes de retornar para identificar quem deveria julgar o que era profetizado, por que era assim e, então, apresentar alguns critérios de como as profecias deveriam ser julgadas (v. 36-40).

Era durante essa atividade que as mulheres deveriam ficar em silêncio. A sua não participação voluntária era uma expressão de submissão. Embora homens e mulheres pudessem e fossem encorajados a falar em línguas, interpretar, cantar, orar e profetizar, a tarefa de autoridade de governar e ensinar a congregação por meio da avaliação e aceitação ou rejeição de profecia não era uma tarefa compartilhada. Era uma responsabilidade da liderança masculina.

A razão disso não era cultural ou situacional. Paulo aponta para "a Lei", a palavra escrita de Deus, como o motivo (1 Coríntios 14.34; cf. 14.21). Muito provavelmente, ele tem em mente os três primeiros capítulos do Gênesis, onde o relacionamento de homens e mulheres é estabelecido pela primeira vez, como já vimos.

1 Timóteo 2.11-15

Isso nos traz ao mais claro e, no entanto, mais controverso texto sobre papéis e funções de gênero no ministério: 1 Timóteo 2.11-15. Assim como em 1 Coríntios 14, esse texto é formado na negativa, identificando algo que as mulheres não deveriam fazer. Na verdade, há duas coisas que uma mulher não deveria fazer: ela não deveria ensinar e não deveria exercer autoridade sobre os homens.

É provável que essas duas atividades se sobreponham, mas não são uma coisa só. As mesmas duas atividades são mencionadas (com palavras diferentes) em relação aos bispos e presbíteros (3.2,4; 5.17) e também combinam com as duas coisas que as mulheres devem fazer: "aprender" e "com toda a submissão".

A maioria de nós tem uma noção sobre o que implica exercer autoridade, mas que tipo de instrução as mulheres não deveriam dar? É uma proibição geral de qualquer ensino por mulheres em qualquer contexto? Não! Em 1 Timóteo e outras cartas de Paulo, ensinar é geralmente uma atividade oficial de instrução intencional e contínua na doutrina apostólica e na Escritura. É como o povo de Deus é instruído na verdade de Deus, a partir da Palavra de Deus, de modo que ouça – aprenda – a sua Palavra.[26]

Assim, o ensino que Paulo tem em mente não é todo tipo de ensino – de piano, economia ou Educação Cristã no Ensino Médio. Seu ponto não é nem mesmo que as mulheres nunca deveriam ensinar a Palavra de Deus. O ponto de Paulo é que as mulheres não deveriam dar esse tipo de ensino aos homens.

Quando a família de Deus se reunisse para orar, adorar e aprender, as mulheres não deveriam ensinar o que hoje poderíamos chamar de "sermões" ou "devocionais", a instrução formal, regular e oficial do povo de Deus a partir de sua Palavra.

Por que isso? Não era por causa da qualidade de seu ensino, ou por que elas não pudessem ensinar, ou por que estivessem ensinando heresia, ou por que não fossem devidamente treinadas. Não há nenhuma indicação de que a qualidade ou heresias fossem o problema. Afinal, por que Paulo ficaria contente em deixar as mulheres ensinarem livremente a outras mulheres e crianças se esse fosse o caso? Não há nenhuma razão aqui para crer que mulheres não possam ser excelentes professoras, e excelentes professoras da Bíblia!

Não era assim porque havia uma cláusula de *a menos*; ou seja, as mulheres não deveriam ensinar aos homens *a menos* que só o fizessem algumas vezes por ano, ou *a menos* que o fizessem sob a autoridade do pastor ou presbíteros, ou *a menos* que tivessem um dom nessa área, ou *a menos* que se sentissem chamadas para isso.

As razões – as únicas razões – são encontradas nos dois versículos seguintes (v. 13-14). São a prioridade temporal do homem (ele foi formado primeiro) e os acontecimentos da queda (a mulher foi enganada, não o homem). Mais uma vez, Paulo retorna aos propósitos de Deus para o homem e a mulher na criação e ao que aconteceu quando esses bons propósitos foram rejeitados. As instruções de Paulo não são baseadas na cultura greco-romana do primeiro século ou em problemas localizados. Seus motivos abrangem a história humana e os propósitos de Deus para homens e mulheres. Eles, portanto, se aplicam a nós hoje. Esses são os motivos pelos quais o ensino oficial, a liderança e a disciplina da família de Deus são responsabilidades dos homens, e não qualquer homem, mas homens adequadamente dotados e devidamente designados.[27]

Então, vamos voltar para a música da *Vila Sésamo*. Ela diz que se algo é diferente, então não se encaixa. Mas não é assim no corpo de Cristo, porque, na sabedoria e bondade de Deus, há muitas, muitas diferenças entre nós. Somos todos diferentes, mas todos nós nos encaixamos.

E embora o Novo Testamento diga que os crentes têm um grande número de dons espirituais e oportunidades de ministério em comum, e que devemos estar ávidos por ver todos esses ministérios florescerem e por edificar a Igreja de Cristo juntos, ele também diz que devemos fazê-lo de uma forma que reflita a ordem de Deus.

Assim como a atividade criativa de Deus trouxe ordem a partir do caos, também agora, como membros de sua família, devemos nos conduzir de forma ordenada e nos relacionar de acordo com sua ordem. Nossos relacionamentos e contribuições devem ser moldados por dom, função, papel, idade e assim por diante. Em particular, há algumas diferentes responsabilidades ministeriais entre os gêneros em que certas funções e atividades são para os homens e não para as mulheres; essas são as atividades relacionadas de ensino oficial, liderança doutrinária e governo do povo de Deus.

Além disso, as duas coisas, semelhanças e diferenças de gênero, encontram as suas origens nos primeiros capítulos de Gênesis. Temos uma humanidade compartilhada como aqueles feitos à imagem de Deus e sendo refeitos à imagem de Cristo, e também somos feitos homem e mulher, com diferentes funções e responsabilidades, enquanto aguardamos o retorno de Cristo. O Novo Testamento também nos diz que essas diferenças refletem tanto no casamento eterno entre Cristo e a Igreja quanto nas relações divinas assimétricas dentro da divindade eterna.

MINISTÉRIO DE MULHERES

Agora estamos em posição de considerar o ministério *de* mulheres. Vimos que há um grande número de diferentes dons e ministérios que as mulheres compartilham com os homens. Mas o que muitas vezes pode passar despercebido a nós é a frequência com que são dadas descrições de mulheres em ministérios no Novo Testamento.

Há o ministério de mulheres nas comunidades cristãs. Elas desempenhavam um papel na formação de assembleias[28] e atuavam como anfitriãs nas casas onde os crentes se encontravam.²⁹ Elas falavam em línguas, oravam e profetizavam³⁰ e demonstravam grande atividade e caridade (Atos 9.36-41). Febe era uma serva (lit. diácono) da igreja e uma benfeitora que provavelmente dava assistência financeira, material e administrativa (Romanos 16.1-2). Priscila e seu marido instruíram privadamente a Apolo (Atos 18.26). Viúvas mostraram hospitalidade, lavaram os pés dos santos e socorreram atribulados (1 Timóteo 5.10). As mulheres eram "cooperadoras" de Paulo, presumivelmente na obra do evangelho, e arriscaram suas vidas por Cristo.³¹ Outras viajaram, trabalharam ou foram aprisionadas.³²Outras enviaram ou receberam saudações cristãs ou receberam cartas.³³

Há o ministério de mulheres como esposas e mães. Lóide, a avó de Timóteo, e sua mãe Eunice criaram-no para amar o Senhor e conhecer as Escrituras (2 Timóteo 1.5, 3.14-15). As dignas viúvas de Éfeso haviam sido fiéis a seus maridos e criado bem seus filhos (1 Timóteo 5.9). Paulo até mesmo recebeu cuidado maternal da mãe de Rufo (Romanos 16.13).

Em todo o Novo Testamento há mulheres no ministério, e isso antes mesmo de chegar a todas aquelas descrições de cristãos em geral!³⁴

Não menos importantes são as prescrições ou as instruções sobre mulheres envolvidas no ministério. Duas, em particular, me vêm à mente.

A primeira diz respeito às mulheres que eram diaconisas ou esposas de diáconos,³⁵ elas deveriam ser sãs na doutrina, piedosas e fiéis em seu modo de vida (1 Timóteo 3.11).

É provável que, como com os diáconos do sexo masculino, o seu ministério envolvesse o cuidado prático de pessoas na comunidade cristã (cf. Atos 6.1-6), mas as suas qualificações também sugerem que seu discurso poderia edificar ou minar a fé e a comunidade, logo, ele deveria concordar com a Palavra de Deus.

A segunda diz respeito à tarefa das mulheres mais velhas em Creta de ensinar o bem e, assim, corrigir e instruir as mulheres mais jovens a amarem seus maridos e filhos e viverem vidas retas (Tito 2.3-5). Esse texto tem o seu próprio capítulo mais adiante neste livro; mas, por agora, perceba que a instrução de Paulo significava efetivamente que as mulheres mais velhas deveriam assumir o papel de mães – mães espirituais – das mulheres mais jovens, que poderiam ser ou não da própria família. Em outras palavras, as relações entre as mulheres eram uma expressão dos laços familiares estabelecidos no evangelho (cf. 1 Timóteo 5.1-2).

Há mais comentários gerais sobre o ministério de mulheres: a contribuição que as esposas fazem à piedade de seus maridos por meio da intimidade sexual (1 Coríntios 7.1-5) e ao compartilhar Cristo com eles (1 Coríntios 7.16; 1 Pedro 3.2); a necessidade de mulheres para cuidar de viúvas da família (1 Timóteo 5.16); e a maior liberdade das mulheres solteiras para servir a Cristo, em comparação com suas irmãs casadas (1 Coríntios 7.8,34, 40).

Finalmente, não podemos nos esquecer da ordem de Paulo a todos os Colossenses, homens e mulheres:

> Habite, ricamente, em vós a palavra de Cristo; instruí-vos e aconselhai-vos mutuamente em toda a sabedoria, louvando a Deus, com salmos, e hinos, e cânticos espirituais, com gratidão, em vosso coração. (Colossenses 3.16)

Ou seja, ao nos reunirmos, todos participarão e instruirão, encorajarão, repreenderão e aconselharão uns aos outros – mulheres e homens, jovens e velhos, quem quer que sejamos.[36] E todos nós oraremos pelo avanço do evangelho e apresentaremos o evangelho ao mundo com nossas bocas e em nossas vidas (Colossenses 4.2-6; 1 Pedro 2.11-12).

Nada disso deveria nos surpreender. Tal como nossos irmãos cristãos, nós, mulheres, somos capacitadas para as boas obras e ministério pelo Espírito de Cristo, e o nosso mandato juntamente com eles é encher a terra com a mensagem de Cristo e apresentar todas as pessoas perfeitas nele – mulheres e homens, meninos e meninas, em nossas famílias, dentro e fora de nossas igrejas, e em todo o mundo (Atos 1.8; Colossenses 1.28).

MINISTÉRIO PARA AS MULHERES

Isso nos traz, finalmente, ao ministério *de* mulheres *para* mulheres, já vislumbrado em meio às mulheres mais velhas e mais jovens em Creta e no ministério da mulher para com as viúvas. Vimos que, como mulheres, existem todos os tipos de ministérios nos quais podemos nos envolver, mas estamos particularmente em ótima posição para ministrarmos umas às outras.

Naturalmente, homens podem ministrar a mulheres, e mulheres podem ministrar a homens, ainda que esses ministérios não sejam idênticos, e podemos colocar algumas disposições em prática para assegurar a conveniência e a segurança de ambas as partes (mulheres e homens).

Mas é lógico que, pelo fato de homens e mulheres serem diferentes biológica e relacionalmente, as mulheres estão em melhor posição de conhecer mulheres, e os homens estão em melhor posição de conhecer homens, e, portanto, há um benefício particular em mulheres ministrando a mulheres, e homens a homens. Há o benefício do conhecimento vivido, e há a empatia que existe entre iguais.

Entendo que isso é, em parte, o que motivou Paulo a dizer que ele se tornou coisas diferentes para pessoas diferentes (1 Coríntios 9.19-23). Ele reconheceu que é mais fácil de alcançar, ganhar e ministrar às pessoas se você for como elas. O ministério específico de gênero é o caso em questão. O exemplo de Paulo mostra que você não precisa ser uma mulher para ministrar a mulheres – mas ajuda!

CRESCENDO EM CRISTO QUE É A CABEÇA

Há um campo de colheita lá fora e uma família da igreja à qual pertencemos, e Deus nos recrutou e nos capacitou para servirmos, promovermos e defendermos o evangelho em nossas casas, nossas igrejas e nosso mundo – e nós fomos recrutadas *como mulheres*. Paulo resume bem o que isso significa para nós (e nossos irmãos):

> Mas, seguindo a verdade em amor, cresçamos em tudo naquele que é a cabeça, Cristo, de quem todo o corpo, bem ajustado e consolidado pelo auxílio de toda junta, segundo a justa cooperação de cada parte, efetua o seu próprio aumento para a edificação de si mesmo em amor. (Efésios 4.15-16)

Que qualquer outra coisa que você tire desse livro possa encorajá-la a crescer em Cristo, que é a única cabeça amorosa de sua verdadeira Igreja, e a fazer todo o possível para trazer outros a fazerem o mesmo.

Capítulo 3

A Palavra Transmitida

Treinando Novos Líderes

Carrie Sandom

Quem foi a primeira pessoa que Deus usou para ensiná-lo a respeito do Senhor, sua morte e ressurreição? Talvez tenha sido um de seus pais, ou um professor de Escola Bíblica Dominical, ou mesmo um amigo da escola ou do trabalho. Para mim, foi o líder da mocidade, um homem chamado Harold Brown. Eu frequentava a igreja com minhas irmãs e meus avós por tanto tempo quanto posso me recordar, e devo ter ouvido o evangelho de Cristo sendo pregado em inúmeras ocasiões. Mas é de Harold que eu especificamente me lembro ao ensinar-me sobre o evangelho e sobre como eu precisava me arrepender de meus pecados e colocar minha confiança na morte de Cristo. Um pouco depois disso, durante um acampamento de jovens, o Senhor graciosamente me convenceu de meus pecados e trouxe-me àquele ponto de entrega quando reconheci Jesus como meu Salvador e meu Senhor. Não sei se Harold alguma vez soube o quão significativo foi o seu ensino naquele grupo de jovens, mas sou imensamente grata por seu ministério e sua fidelidade em proclamar o evangelho a um punhado de adolescentes rebeldes.

POR QUE O ENSINO É TÃO IMPORTANTE

Em 2 Timóteo 2.2 Paulo exorta Timóteo a ser um ministro fiel do evangelho ao passar para as gerações futuras aquilo que lhe havia sido ensinado:

> E o que de minha parte ouviste através de muitas testemunhas, isso mesmo transmite a homens fiéis e também idôneos para instruir a outros.

Há quatro gerações de obreiros do evangelho nesse verso: *Paulo*, que o ensinou a *Timóteo*, que tinha a responsabilidade de transmiti-lo a *homens fiéis*, que por sua vez deveriam instruir a *outros*. O contexto mais amplo mostra que essa era a estratégia do ministério de Paulo em assegurar que o evangelho fosse guardado de falsos mestres e preservado para as gerações futuras. As Epístolas Pastorais (1 Timóteo, 2 Timóteo e Tito) mostram que a designação de homens fiéis como líderes na igreja local era um componente chave nessa estratégia de ministério, mas os princípios delineados nessas epístolas podem ser aplicados de forma mais ampla que essa.[1] Esta é a forma de guardar o evangelho em nossas Escolas Bíblicas Dominicais, nos grupos de jovens, nos *campi* estudantis, nos estudos bíblicos de mulheres e nos grupos de idosos: confiá-lo a homens e mulheres fiéis que, por sua vez, serão capazes de ensiná-lo a outros. Duas qualificações para essas pessoas sobressaem nesse verso.

1) Elas Precisam Ser Fiéis

Não é por acidente que Paulo menciona as muitas testemunhas presentes quando ele ensinava a Timóteo. Isso era para lembrar Timóteo que ele não tinha liberdade para alterar a mensagem recebida de Paulo, e que havia muitas pessoas capazes de checar se aquilo que Timóteo passava adiante era de fato o verdadeiro evangelho.[2] Mas Timóteo também precisava ser cuidadoso, a fim de que os homens a quem ele confiasse o evangelho também fossem fiéis e não inclinados a adulterar a mensagem. Era isso que os falsos mestres estavam propensos a fazer e, infelizmente, ainda o fazem nos dias de hoje. Timóteo precisava ensinar o evangelho com fidelidade e garantir que os homens que ele instruía eram capazes de fazer o mesmo. Eles precisavam ser fiéis. Mas isso não é tudo.

2) Elas Precisam Ser Capazes de Ensinar

Isso significa que nem todo mundo é um professor de Bíblia talentoso. Sim, todos nós temos a responsabilidade de falar a respeito de Cristo. Tanto Pedro quanto Paulo deixaram isso bem claro – chamando-nos para estarmos preparados, com mansidão e temor, para responder a todo aquele que nos pedir uma razão de nossa esperança (1 Pedro 3.15); e incitando-nos, à medida que a Palavra habita em nós, a instruir e aconselhar uns aos outros (Colossenses 3.16). Mas algumas pessoas são particularmente dotadas para ensinar a Bíblia. E essas eram as pessoas a quem Timóteo precisava confiar o trabalho do ministério do evangelho – homens que fossem fiéis no que ensinavam, mas também capacitados a realmente ensiná-lo.

Estas duas qualidades eram necessárias. Se esses homens fossem fiéis, mas não capazes de ensinar, eles confundiriam seus ouvintes. Se eles fossem capazes de ensinar, mas não fiéis, eles os levariam à heresia. Designar homens e mulheres fiéis que possam ensinar outros não é uma tarefa fácil. Devemos ser cuidadosos para não designar as pessoas mais conhecedoras da Bíblia, se elas não forem capazes de ensinar o que sabem; nem devemos nomear os melhores comunicadores, se não forem teologicamente confiáveis. É por isso que o Senhor Jesus exorta seus discípulos a "rogar ao Senhor da seara que mande trabalhadores para a sua seara" (Mateus 9.38).

É marca da bondade do Senhor que tenhamos homens e mulheres fiéis que são capazes de nos ensinar a Bíblia hoje – mas eles não são inovadores. Eles precisam passar adiante o que lhes foi ensinado por outros professores fiéis que, por sua vez, passaram o que lhes foi ensinado por outros. O Senhor Jesus tem guardado a pregação fiel do evangelho em cada geração desde o seu ministério terrestre até agora, por meio de seu ensino e comissionamento de seus apóstolos, por meio de pessoas como Timóteo e outros líderes da igreja primitiva, por meio dos homens que Timóteo (e outros) designou para ensinar depois dele, e assim por diante – seguindo todo o caminho até chegar a pessoas como o meu líder de jovens, Harold.

Isso significa que temos uma enorme responsabilidade de não apenas ensinar fielmente a Palavra de Deus a outros de nossa própria geração, mas também de instruir aqueles que serão os professores e instrutores fiéis da próxima geração de professores e instrutores. E no ministério de mulheres não é diferente. Sou imensamente grata a Deus pelos homens e mulheres fiéis que ele tem usado para me ensinar a Bíblia e então me instruírem a ensinar e instruir outras mulheres para serem professoras e instrutoras de outras. Mas, antes de pensarmos em quem devemos treinar e como podemos treiná-las, precisamos primeiro entender o panorama maior dos planos e propósitos de Deus.

COMO A INSTRUÇÃO SE ENCAIXA NOS PLANOS E PROPÓSITOS MAIS AMPLOS DE DEUS

Há três coisas que precisamos entender: o plano de Deus para o mundo, o propósito de Deus para a Igreja e os meios de Deus para a realização desse plano e propósito.

1) O Plano de Deus para o Mundo:
Unir Todas as Coisas em Cristo

De acordo com Efésios 1.9-10, o "propósito que ele [Deus] estabeleceu em Cristo, na dispensação da plenitude dos tempos" é "de fazer convergir em Cristo todas as coisas" – isto é, sob o senhorio de Cristo. Esse é o fim para o qual toda a história está se dirigindo – quando, ao nome de Jesus, todo joelho se dobrará, no céu, na terra e debaixo da terra, e toda língua confessará que Jesus Cristo é o Senhor (Filipenses 2.10-11). Sabendo o final do plano de Deus, os ministros fiéis da Palavra de Deus sempre terão um coração voltado para os perdidos, exortando-os a se converterem de seus pecados e reconhecerem o senhorio de Cristo antes que ele volte, quando não terão mais escolha.

2) O Propósito de Deus para a Igreja: Estar Radicada e Edificada em Cristo

De acordo com Colossenses 2.6-7, o propósito de Deus para a Igreja é que devemos estar fundamentados em nossa fé, "radicados" e "edificados" em Cristo, e eternamente gratos por tudo que ele tem feito. As metáforas ativas de raízes descendo até Cristo e sendo edificadas em Cristo mostram que não há espaço para complacência; há sempre progresso a se fazer. Isso significa que professores fiéis da Bíblia encorajarão os cristãos a crescerem em seu conhecimento e amor por Cristo, a estarem enraizados e edificados nele, e a crescerem em ações de graças por tudo que ele tem feito.

3) Os Meios de Deus para a Realização desse Plano e Propósito: A Escritura

De acordo com 2 Timóteo 3.15-16, é a Escritura que nos torna sábios para a salvação pela fé em Cristo, e é a Escritura que nos equipa completamente para o ministério.

Toda a Escritura (tanto o Antigo quanto o Novo Testamento) é inspirada por Deus e útil para o *ensino* e a *repreensão* (os verbos gregos indicam o ensino da sã doutrina; em outras palavras, o que nós cremos); e também para a *correção* e *educação* na justiça (os verbos gregos indicam o resultado prático do discipulado ético; em outras palavras, como nos comportamos). Há verdade a ser ensinada e erro a ser corrigido. Nunca é suficiente ensinar apenas os aspectos positivos da Escritura; o professor fiel da Palavra de Deus deixará claro também os aspectos negativos.

QUEM INSTRUI

Mas quem é digno de tal tarefa? Bem, em certo nível, nenhum de nós é. Paulo afirmou que ser um professor da Palavra de Deus é uma tarefa nobre,[3] mas Tiago ressaltou que ela não deveria ser assumida levianamente: "Meus irmãos, não vos torneis, muitos de vós, mestres, sabendo que havemos de receber maior juízo" (Tiago 3.1).

O contexto mostra que Tiago se refere à tarefa de ser um presbítero da igreja, mas, novamente, o princípio pode ser aplicado de forma mais ampla. Presumo que quem tem o papel de ensinar a Bíblia – quer como obreira entre mulheres, estudantes, ou professor de escola dominical – está em uma posição de grande responsabilidade e influência.

Então, quem é digno de tal tarefa? Algumas passagens no Novo Testamento descrevem os critérios para a nomeação de líderes da igreja, mas nós olharemos brevemente para apenas um, da carta de Paulo a Tito.[4]

> Por esta causa, te deixei em Creta, para que pusesses em ordem as coisas restantes, bem como, em cada cidade, constituísses presbíteros, conforme te prescrevi: alguém que seja irrepreensível, marido de uma só mulher, que tenha filhos crentes que não são acusados de dissolução, nem são insubordinados. Porque é indispensável que o bispo seja irrepreensível como despenseiro de Deus, não arrogante, não irascível, não dado ao vinho, nem violento, nem cobiçoso de torpe ganância; antes, hospitaleiro, amigo do bem, sóbrio, justo, piedoso, que tenha domínio de si, apegado à palavra fiel, que é segundo a doutrina, de modo que tenha poder tanto para exortar pelo reto ensino como para convencer os que o contradizem. (Tito 1.5-9)

Paulo havia deixado Tito em Creta para designar presbíteros em cada cidade. O critério para nomear esses homens pode ser dividido em três categorias.

1) CARÁTER PIEDOSO: TITO 1.6-8

Os presbíteros precisavam ser bem conhecidos e ter um histórico comprovado. Deviam ser irrepreensíveis em uma variedade de contextos. A palavra grega significa "sem culpa", não "sem mácula". Não se esperava que esses homens fossem perfeitos (o que, naturalmente, excluiria todos), mas era esperado que fossem irrepreensíveis. A mudança para o singular no versículo 6 é significativa: cada homem deveria ser considerado individualmente.

O primeiro contexto a ser considerado era o lar. Cada um desses homens devia ser marido de uma só mulher e demonstrar uma vida disciplinada no lar. Ele devia liderar e estar no controle de seus próprios filhos (v. 6). A passagem paralela em 1 Timóteo afirma que, se um homem não for capaz de gerenciar sua própria família, então não será capaz de liderar a família de Deus.[5]

A próxima área a ser analisada era a de seus relacionamentos. Ele não deveria ser autoritário, nem arrogante ou irascível; não deve ser um beberrão, nem violento, nem ganancioso (Tito 1.7); ele devia ser gentil e hospitaleiro, alguém que amasse o que era bom; devia ser disciplinado e ter o controle de si mesmo, justo aos olhos dos outros e santo aos olhos de Deus (v. 8). Em outras palavras, ele precisava ser um homem de integridade com uma forte fé em Cristo e que confiasse na justiça de Cristo somente.

2) Convicções Firmes: Tito 1.9

O próximo critério a ser avaliado eram suas crenças doutrinárias. Esses líderes da igreja deveriam ter firmes convicções fundamentadas nas Escrituras e no ensino apostólico, de modo que não fossem facilmente seduzidos pelos ventos do falso ensino que regularmente assolam a igreja. Tito precisava ter certeza de que qualquer presbítero em perspectiva fosse conhecido por suas crenças ortodoxas e fosse capaz de se manter firme no que havia sido instruído (Tito 1.9).

A passagem paralela em 1 Timóteo vai ainda mais longe e especifica que os líderes da Igreja não deveriam ser recém-convertidos, ou então poderiam se tornar ensoberbecidos e cair sob o mesmo julgamento que o Diabo.⁶ Isso significava que a adequação de qualquer pessoa ao ministério do ensino bíblico precisava ser avaliada por outros ao longo de algum período de tempo. O Novo Testamento não incentiva a autonomeação. Mesmo a adequação de Timóteo para o ministério exigiu tempo para que fosse avaliada por Paulo.⁷

3) COMPETÊNCIA PARA ENSINAR: TITO 1.7,9

O critério final para a nomeação de presbíteros está relacionado à competência para ensinar. Visto que os presbíteros eram mordomos de Deus e estavam encarregados da obra de Deus (Tito 1.7), eles precisavam ser comunicadores confiáveis da verdade de Deus, não apenas capazes de ensinar a sã doutrina, mas também capazes de convencer os que se opunham a ela (v. 9). Isso confirma o que vimos: que nunca é suficiente apenas ensinar só o que é verdade. As pessoas também precisam saber em que estão errando para que seu pensamento e comportamento permaneçam no caminho correto.

Agora, antes de assumir que esses critérios não se aplicam às mulheres, porque não estamos na categoria que a Escritura descreve como "presbíteros", vejamos o que Paulo diz sobre o papel que ele esperava que as mulheres tivessem no ensino e como Tito saberia quem selecionar para essa tarefa. Acho surpreendente que em Tito 2.3-5, praticamente os mesmos três critérios são aplicados aqui para as mulheres mais velhas que têm a tarefa de ensinar e instruir as mulheres mais jovens. Não tenho certeza de que "mais velhas" nessa passagem se refira necessariamente à idade, como sabemos, a idade por si só não é garantia de maturidade.[8] Mas Paulo estava claramente preocupado de que as mulheres espiritualmente mais maduras devessem ensinar e instruir as mulheres mais jovens na fé, e os critérios para avaliar a sua adequação são notavelmente semelhantes aos que já vimos.

1) *Caráter Piedoso: Tito 2.3*. As mulheres mais velhas deveriam ser reverentes na forma como viviam (Tito 2.3). Seu amor pelo Senhor Jesus e sua Palavra precisavam ser evidentes, e suas vidas deveriam ser vividas para a glória dele somente. Elas não deveriam ser caluniadoras nem dadas ao vinho (v. 3). Muito dano pode ser feito à reputação da Igreja e especialmente à sua liderança por meio do mal da difamação, mas o dano é muitas vezes irreparável se os caluniadores estão bêbados e fora de controle. Os cretenses eram conhecidos por suas mentiras e sua gula,[9] mas Paulo queria que esses cristãos – e, especificamente, essas mulheres aqui – vivessem de forma diferente. Não que eles fossem capazes de fazer isso por suas próprias forças. Era a graça de Deus que lhes permitiria dizer não à impiedade e os instruiria a viver uma vida autocontrolada, justa e piedosa.[10] Essas mulheres mais velhas precisavam demonstrar caráter piedoso.

2) *Convicções Firmes: Tito 2.5*. Mas as mulheres mais velhas também precisavam ter convicções firmes. Paulo tinha

a preocupação de que a Palavra de Deus não fosse difamada de maneira alguma. Essas mulheres precisavam estar impregnadas da Palavra de Deus, sabendo o que ela ensinava, o que significava e como aplicá-la. Suas vidas precisavam ser moldadas pela Palavra de Deus para que não estivessem abertas à acusação de hipocrisia. E precisavam manter-se firmes à Palavra de Deus e não ceder à pressão para mudar seu significado ou torná-la mais palatável. Precisavam ser capazes de dizer coisas difíceis e não renunciar a suas convicções, mesmo quando sofressem oposição de outros e se tornassem impopulares por isso. Não deveriam ser como as mulheres mencionadas na segunda carta de Paulo a Timóteo – mulheres de vontade fraca, sobrecarregadas de pecados e facilmente desviadas por paixões e prazeres.[11] As mulheres mais velhas em Creta precisavam mostrar que a Palavra de Deus era a sua paixão e sua autoridade final. Eles precisavam de firmes convicções.

3) *Competência para Ensinar: Tito 2.3-4.* E, por fim, as mulheres mais velhas precisavam ser competentes para ensinar. Paulo deixou claro que essas mulheres eram necessárias para ensinar o que era bom, em outras palavras, o que era piedoso.[12] A palavra grega aqui para "ensinar" não indica uma posição formal de ensino, mas um papel mais informal no ensino. A complementaridade entre homens e mulheres no ministério sustenta essa instrução. Enquanto Tito e os presbíteros do sexo masculino tinham um papel formal no ensino, que devia ser exercido em toda a igreja, eles, no entanto, precisavam que as mulheres mais velhas ensinassem e instruíssem as mais jovens.

Esse era um ministério do qual o presbitério não podia se encarregar (porque os homens não podem ser um modelo de feminilidade piedosa para as mulheres!), e então, eles precisavam contar com as mulheres espiritualmente maduras para fazerem isso por eles, tomar as mulheres jovens sob seu cuidado, ensiná-las e instruí-las a abraçar suas responsabilidades como mulheres de Deus.

As questões que necessitam ser ensinadas e modeladas para as mulheres mais jovens são dignas de atenção, embora eu tenha certeza de que essa lista é mais ilustrativa do que exaustiva. As mulheres mais jovens precisavam ser ensinadas e instruídas (literalmente "trazidas à razão") a amarem seus maridos e filhos (v. 4). A palavra usada para "amar" não é o amor de emoção e romance, mas sim de serviço autossacrificial. Também precisavam ser ensinadas sobre autocontrole e sobre a pureza para as mulheres (v. 5). Ambos os termos carregam nuances de fidelidade sexual e exigiam que mulheres solteiras fossem celibatárias e as casadas, fiéis aos seus maridos.

Nossa sensibilidade do século 21 talvez se ofenda com o pensamento de mulheres tendo que trabalhar *em casa* (v. 5), mas precisamos lembrar que, no primeiro século, ninguém saía para o escritório para trabalhar. Os cretenses também eram famosos por sua preguiça,[13] assim, uma forma dessas mulheres cristãs poderem se livrar dessa reputação era estando *ocupadas em casa* (como a NVI coloca). A ênfase de Paulo aqui não é tanto um estereótipo de dona de casa para todas as mulheres, nem uma proibição de esposas sendo treinadas profissionalmente e tendo suas próprias carreiras, mas mais um reconhecimento de que se uma mulher aceita a vocação do matrimônio e da maternidade, então ela tem responsabilidades específicas com seu marido e filhos. Em todas as suas tarefas, ela manterá um compromisso central para com sua família – um compromisso que não deve ser negligenciado.[14]

Mas relacionamentos piedosos dentro da família não são os únicos mencionados aqui. As mulheres mais jovens devem ser gentis em todos os seus relacionamentos, tanto dentro quanto fora de casa. Também devem estar sujeitas a seus *próprios* maridos. Isso significa que a boa ordem no casamento e a compreensão do papel de liderança do marido precisam ser ensinadas, compreendidas e abraçadas. A submissão em questão não é de todas as mulheres para com todos os homens, mas de cada mulher para com seu próprio marido. Observe que Paulo não concebe a ideia de maridos exigindo submissão de suas esposas; ao contrário, ele exorta as esposas a oferecerem-na voluntariamente a partir de sua submissão e reverência por Cristo.[15] Essa é uma distinção importante. A razão dada para essas instruções também é importante: para que a palavra de Deus não seja difamada. Aqui temos a primeira indicação de que uma vida piedosa é uma parte necessária do nosso testemunho para o mundo (existem mais duas em 2.8 e 2.10). Paulo deixa claro que casamentos e lares cristãos que demonstram uma combinação de igualdade e complementaridade sexual adornarão o evangelho de forma maravilhosa, mas aqueles que ficam aquém desse ideal estão em perigo de levar o evangelho ao descrédito.

Observamos os critérios de seleção de mulheres para ensinar e instruir outras mulheres, bem como algumas das questões que precisam ser abordadas. Mas como esse ensino e instrução funcionam na prática?

COMO DEVEMOS INSTRUIR NOVOS LÍDERES?

Existem vários contextos em que podemos instruir líderes para o ministério de ensino da Bíblia. Mas antes de discutir esses contextos, vamos considerar uma passagem da primeira carta de Paulo aos Tessalonicenses, em que ele lhes traz à memória alguns de seus métodos de discipulado. Convido você a abrir sua Bíblia e ler 1 Tessalonicenses 2.1-12. A estratégia de Paulo delineada nesses versículos constituiu a estrutura de muitos cursos de formação de líderes desde então. Quatro pontos se destacam no discipulado de Paulo da inexperiente igreja de Tessalônica.

1) Seu Foco no Evangelho:
1 Tessalonicenses 2.2, 8-9

Paulo nunca se cansou de proclamar o evangelho, as boas novas de Jesus Cristo, que morreu por nossos pecados e ressuscitou dos mortos. Ele trouxe o evangelho a Tessalônica, mesmo depois de sofrer e ser tratado vergonhosamente por pregá-lo em Filipos (1 Tessalonicenses 2.2). Ele compartilhou o evangelho com os tessalonicenses e continuou a pregá-lo com ousadia e encanto (v. 8); dia e noite ele trabalhou arduamente em sua fabricação de tendas para não ser um fardo enquanto lhes proclamava o evangelho (v. 9).

Isso nos diz que o evangelho não deve ser negligenciado; pelo contrário, ele precisa ser o foco central em nossa instrução. Sim, o evangelho precisa ser proclamado aos incrédulos, mas também precisamos ensiná-lo continuamente a nós mesmas para que possamos estar plenamente edificadas em nossa fé e radicadas no Senhor Jesus Cristo. O evangelho deve estar no centro do nosso treinamento de liderança. Será que as nossas aprendizes conhecem o evangelho? Elas podem explicá-lo? Elas o vivem na prática? Elas entendem que somos salvos pela graça e não pelas obras? Será que elas sabem resumir o evangelho? Elas poderiam expor o evangelho em trinta segundos? Explicá-lo em cinco minutos? Ensiná-lo em trinta minutos? Se nossas líderes devem ser mestras fiéis da Palavra de Deus, elas precisam ser capazes de ensinar o evangelho. Devemos estar focadas no evangelho em nosso treinamento.

2) Sua Transparência de Vida:
1 Tessalonicenses 2.1, 3, 5-6, 8-10

Paulo estava preocupado em compartilhar não somente o evangelho com esses cristãos, mas também toda a sua vida. Muitas pessoas têm observado ao longo dos anos que a vida cristã se aprende tanto pelo ensino quanto pelo *exemplo*. A própria estratégia de Jesus foi se concentrar em alguns (os doze discípulos) e compartilhar sua vida com eles enquanto os ensinava e instruía para o ministério futuro. E aqui a transparência da vida de Paulo era um componente importante em sua própria estratégia ministerial. Os tessalonicenses conheciam bem a Paulo (1 Tessalonicenses 2.1). Eles sabiam do seu sofrimento em Filipos e da oposição contínua que ele enfrentava ao pregar o evangelho (v. 3). Seu ensinamento não provinha de erro ou motivos impuros, nem ele estava tentando enganá-los (v. 3). Ele nunca procurou bajulá-los ou tirar proveito deles, e não era motivado por ganância (v. 5). Ele não exigia nada deles e nem buscava glória para si mesmo (v. 6). Ele compartilhou tudo com eles (v. 8) e teve o cuidado de prover suas próprias necessidades (v. 9). Sua conduta entre eles era santa, justa e irrepreensível (v. 10).

Mas tudo isso leva tempo! Os tessalonicenses chegariam a conhecer Paulo em uma variedade de contextos, não apenas quando ele estava ensinando as Escrituras. Eles veriam como ele se relacionava com as pessoas, crentes e não crentes; como ele interagia com homens e mulheres, judeus e gentios, idosos e crianças. Veriam a qualidade de seu trabalho com tendas, sua interação com outros mercadores, comerciantes e autoridades do governo, e se ele pagava seus impostos. A transparência da vida de Paulo era evidente. Ali estava um homem que não só pregava o evangelho, mas também o vivia abertamente. O poder transformador do evangelho em sua própria vida o havia levado de perseguidor blasfemo da Igreja de Deus a um pregador fiel e seguidor da Palavra de Deus.

Isso significa que se nós somos aquelas que ensinamos e instruímos outras, temos que deixá-las nos conhecer. Elas precisam nos ver fora da sala de aula; elas precisam ver o modo como vivemos, como nos relacionamos, como gastamos nosso tempo de lazer, as brincadeiras que fazemos e como interagimos com as pessoas. Não somos cristãs profissionais; somos servas companheiras de Cristo e caminhamos na mesma estrada – todas nós. Nossas vidas precisam ter transparência.

3) Suas Preocupações Paternais:
1 Tessalonicenses 2.7-8, 11-12

É interessante ver como Paulo descreve seu ministério a esses jovens cristãos. Ele tem sido como uma mãe e um pai para eles. Quando lemos que ele era carinhoso entre eles como a mãe que amamenta os próprios filhos (1 Tessalonicenses 2.7), entendemos por essa imagem que ele se importava ternamente com suas necessidades. Presumo que Paulo não estivesse apenas delegando esse tipo de cuidado a outros, mas estivesse envolvido intimamente com as pessoas em Tessalônica, e, como resultado, elas eram muito amadas por ele (v. 8).

Mas ele também era como um pai para eles. Ele desenvolve essa imagem explicando que os exortou pessoalmente e individualmente; ele os encorajou e os instou a viverem vidas dignas de Deus (v. 11-12). As palavras para *exortar*, *encorajar* e *instar* são todas palavras de ensino que indicam a necessidade tanto de instrução cuidadosa quanto de repreensão urgente. Paulo não teria deixado de dizer coisas que precisavam ser ditas. Seu amor paternal por esses cristãos incluía tanto o encorajamento quanto a repreensão quando necessária, enquanto desejava esperançosamente que o evangelho frutificasse em suas vidas.[16]

Precisamos demonstrar e recomendar a mesma preocupação paternal de Paulo em nossa instrução de líderes, mostrando gentileza e cuidado por cada pessoa, mas também a urgência em nosso ensino que não permite que o comportamento ímpio passe em branco. Suspeito que todas nós achemos isso difícil – algumas por serem muito gentis e acharem difícil dizer coisas duras, e outras por estarem muito focadas em uma determinada tarefa que não sabem quando mostrar gentileza e compaixão. O Senhor Jesus foi o modelo perfeito de ambas essas qualidades; precisamos orar por sabedoria à medida que ensinamos e instruímos outras.

4) Sua Integridade Diante de Deus:
1 Tessalonicenses 2.4, 5, 10

Paulo nunca abusou de seu papel de liderança, e ele estava consciente de que um dia ele prestaria contas de como havia conduzido a si mesmo diante de Deus. Ele sabia que Deus testaria seu coração (1 Tessalonicenses 2.4) e duas vezes invoca a Deus como sua testemunha: primeiro, de não ser motivado pela ganância e, segundo, de sua conduta justa entre eles (v. 10). Paulo não está alegando perfeição aqui, mas ele é inocente de qualquer acusação que possa ser movida contra ele. Ele era um ministro fiel do evangelho e o vivia na prática, confiando no sangue expiatório e na justiça de Cristo que dizia que ele não estava mais condenado.[17]

Esse é um desafio à nossa própria integridade diante de Deus, que conhece os nossos corações, uma integridade que não depende de nosso conhecimento das Escrituras, ou da nossa capacidade de ensino, ou da reputação que possamos ter, mas depende unicamente de Cristo e de sua obra graciosa em nossas vidas. Para sermos ministras fiéis do evangelho, precisamos saber quão totalmente dependentes somos de sua graça. Não ousamos – na verdade, não podemos – ensinar ou instruir outras pessoas sem saber isso.

O QUE ENSINAR E ONDE INSTRUIR

Vejamos alguns pontos: por que instruir é tão importante como estratégia de ministério na igreja local; como instruir pessoas para ensinar a Bíblia se encaixa nos planos gerais de Deus e propósitos para o mundo; quem instruir como líderes; e alguns dos métodos que o próprio Paulo usou. Finalmente, vamos observar qual conteúdo deve ser ensinado às pessoas e em que contextos elas devem ser instruídas. Existem vários contextos de instrução. Abaixo estão quatro com os quais tenho estado envolvida ao passar dos anos.

1) Treinando Individualmente para o Ministério

Se treinar mulheres para o ministério da Palavra for um novo conceito para você e, ainda por cima, um tanto assustador, esse é o melhor ponto para se começar. É também o mais fácil de encaixar em uma agenda cheia de atividades. Em todas as igrejas em que trabalhei, procurei por mulheres cristãs maduras que amam ao Senhor e estão sedentas por sua Palavra. Elas talvez evitem o pensamento de um treinamento formal e talvez não tenham tido qualquer experiência de serem ensinadas por mulheres no passado ou não saibam o quão importante isso é para a vida da igreja local. Isso não importa, pelo menos não para começar. Essas coisas se desenvolvem ao longo do tempo.

Tudo o que você precisa para o treinamento de liderança individual é uma Bíblia, uma xícara de chá e o compromisso de se reunir regularmente por cerca de uma hora e meia! Eu já usei este método em cafeterias, mas prefiro que a reunião seja em minha própria casa, onde há menos distrações e onde posso determinar quando terminar o encontro. Em uma sessão típica, eu teria como meta usar o tempo da seguinte forma:

- Chá/café e colocar a conversa em dia: 15 minutos.
- Estudo da Bíblia e oração ao longo da passagem: 45 minutos.
- Conversa e oração pelas questões e preocupações relacionadas: 30 minutos.

A conversa inicial é crucial. Precisamos compartilhar nossas vidas e ouvir sobre as famílias umas das outras, sobre com quem temos preocupação e como orar por eles, sobre onde o nosso testemunho cristão é mais desafiador (em casa, faculdade ou trabalho) e por quem temos orado por oportunidades de testemunhar. Pode-se orar por essas questões mais tarde na sessão.

O estudo da Bíblia precisa ser dirigido, mas informal. A dinâmica é diferente quando há apenas duas pessoas. Tento não ter várias questões anotadas em grandes pedaços de papel (o que pode desencorajar a outra pessoa), mas apenas um pequeno cartão dentro da minha Bíblia com algumas notas – seja de perguntas a fazer ou pontos da passagem sobre os quais quero que discutamos. O objetivo não é ensinar-lhes tudo o que há para ser aprendido com a passagem (o que lhes deixará esgotadas), mas falar sobre algumas coisas da passagem – o que essas coisas significam (e não apenas o que elas dizem) e como elas se aplicam hoje.

De certa forma, realmente não importa qual livro da Bíblia você estude. Toda a Palavra de Deus é útil para ensinar, repreender, corrigir e educar na justiça. No entanto, acho que é bom apontar as partes gerenciáveis da Escritura em um estudo individual. No passado, estudei Gênesis 1–3 (fundamental para a compreensão de quem Deus é e o que significa ser feito à sua imagem); Efésios (para maior clareza sobre a salvação e viver como povo redimido de Deus); 2 Timóteo (cheio de princípios práticos de ministério); e Tito (esclarecedor sobre o ministério de mulheres para mulheres na igreja local).

Para fechar, sempre *oramos sobre o* que aprendemos a partir da passagem e, em seguida, deixamos a conversa fluir para outros assuntos relacionados (questões pastorais que surgiram desde o nosso último encontro, um sermão pelo qual podemos ter sido particularmente desafiadas, e assim por diante). Após nos reunirmos por seis meses a um ano, meu objetivo é sempre encorajá-las a se encontrar com alguém e passar o que aprendemos, o que me deixa livre para me encontrar com outra pessoa. Se esse modelo de treinamento caminhar bem, então, no final do segundo ano, haverá quatro de nós prontas para se encontrar com outras quatro. Ao final de cinco anos, você terá levantado um número bastante significativo de mulheres capazes de ensinar e instruir outras. É realmente simples assim!

Há recursos (em inglês) que valem a pena ser conferidos para a instrução de pessoas no ministério individual. Isso pode incluir:

- Sophie Peace, *One to One: A Discipleship Handbook* (Milton Keynes, Reino Unido: Authentic Lifestyle, 2003)
- David Helm, *One to One Bible Reading* (Sydney, Austrália: Matthias Media, 2012)
- Andrew Cornes, *One 2 One: Bible Studies for Bible Reading Partnerships* (Purcellville, Virgínia, EUA: Good Book Company, 2003)
- Phillip Jensen e Tony Payne, *Just for Starters: Seven Foundational Bible Studies*, edição revisada (Sydney, Austrália: Matthias Media, 2003)

2) Treinando Líderes de Estudo Bíblico na Igreja local

Esse próximo contexto – o treinamento de líderes de pequenos grupos – não é realmente diferente. A melhor maneira é sempre lhes ensinar a Bíblia primeiro e, então, encorajá-las a ensiná-la a outras. Ao longo dos anos, tenho regularmente me reunido com líderes de grupos de estudos bíblicos de diversos tipos de mulheres (quer estudantes, profissionais, mães que ficam em casa, aquelas que trabalham meio período, aposentadas – ou qualquer mistura dos tipos acima) e estudado uma passagem da Bíblia com elas uma semana antes de elas estudarem-na com seus próprios grupos. Além disso, tenho conduzido várias oficinas de treinamento onde olhamos para os diferentes gêneros bíblicos e vemos quais são as ferramentas necessárias para se chegar ao coração de cada um deles.[18] Também conduzi reuniões que tratam de grande parte do conteúdo desse capítulo. Meu objetivo é sempre o de ensinar a Bíblia em primeiro lugar, e, em seguida, ver como os princípios bíblicos podem ser aplicados ao nosso próprio contexto da igreja em particular. As Epístolas Pastorais são um rico tesouro de princípios ministeriais para professores da Bíblia, portanto, em um ciclo de cinco anos, meu objetivo é ensiná-las pelo menos uma vez.

Somado a isso, existem vários outros componentes para se incorporar em um programa de treinamento de liderança, seja com material que eu mesma tenha escrito (a vantagem é que posso adaptá-lo às mulheres que procuro instruir) ou com material publicado por outros. Vou mencionar dois exemplos de outros componentes importantes.

Em primeiro lugar, um *panorama bíblico*, olhando para o grande quadro dos propósitos redentores de Deus desde a criação até a nova criação. Professores fiéis da Bíblia precisam saber como a Bíblia se encaixa e quais promessas pactuais Deus fez ao seu povo em vários pontos na História – Abraão, Moisés, Davi, durante e após o exílio babilônico – e como essas promessas são cumpridas em Cristo. Uma compreensão dos diferentes tipos de gêneros bíblicos também é importante: como se difere o estudo de Juízes e Salmos do de Colossenses ou Apocalipse? Alguns dos recursos disponíveis (em inglês) incluem:

- Christopher Ash, *Remaking a Broken World: The Heart of the Bible Story* (Milton Keynes, Reino Unido: Authentic Media, 2010)
- Vaughan Roberts, *God's Big Picture: Tracing the Story line of the Bible* (Downers Grove, Illinois, EUA: Inter Varsity, 2003)
- Phil Campbell e Bryson Smith, *Full of Promise: Understanding the Old Testament* (Sydney, Austrália: St. Matthias, 1997)
- Carrie Sandom, *Bible Toolkit #1: The Story of the Bible (Creation to New Creation)*, http://thegospelcoalition.org/2014

Em segundo lugar, um *curso de treinamento em evangelismo*: aprendendo a compartilhar a boa nova com clareza e eficácia. O material *Two Ways To Live* [Duas Maneiras de Viver] é um excelente recurso para instruir as pessoas no evangelho.[19] Ele não apenas apresenta um esboço útil do evangelho para se aprender (com seis fotos para aprendizes visuais acompanhados de seis versículos da Bíblia), mas também ensina uma teologia sistemática básica, abrangendo as Doutrinas da Criação, do Pecado e da Ira de Deus, da Cruz, da Ressurreição e do Juízo Final. Esses pontos preparam as pessoas para responder às perguntas e objeções muitas vezes levantadas pelos inquiridores, tais como:

- A Ciência não refutou o Cristianismo?
- Por que pessoas boas vão para o inferno?
- Jesus não era apenas um bom professor de moral?
- O Cristianismo é apenas um dos muitos caminhos para Deus?
- Que evidências existem para a ressurreição?
- Como pode um Deus de amor permitir tanto sofrimento no mundo?
- Não posso deixar isso de lado até quando estiver aposentado e tiver mais tempo para pensar sobre isso?

Além disso, existem inúmeros cursos básicos online disponíveis de várias instituições e organizações que podem ajudar a preparar pessoas para o ministério da Palavra.[20] Pode ser extremamente útil para um grupo de líderes da igreja e/ou líderes em potencial trabalharem em conjunto por meio de uma série de cursos bem desenvolvidos, a fim de construir uma compreensão integrada, coesa e internamente consistente da Bíblia e da doutrina cristã.

3) Treinamento de Liderança de Modo Misto com Estudo Parcial e Posições Ministeriais na Igreja Local

Durante os últimos vinte anos, um número crescente de *cursos de formação de ministério regional* foi estabelecido no Reino Unido, os quais oferecem a opção do que chamamos de "treinamento de modo misto". A fim de explicar esse terceiro contexto de instrução, descreverei alguns dos ministérios de treinamento com os quais tenho estado envolvida, não para prescrevê-los como as únicas possíveis opções, mas para encorajar uma consideração crescente de possíveis vias de treinamento na igreja em geral.

Os aprendizes (homens e mulheres) nesses cursos regionais são muitas vezes recém-graduados, com seus vinte e poucos anos (mas não exclusivamente, visto que algumas igrejas preferem que eles tenham mais experiência), que têm uma posição ministerial em uma igreja local por um ou talvez dois anos. Eles frequentam o curso de treinamento um dia por semana e trabalham o resto da semana em suas igrejas, realizando uma série de tarefas práticas e administrativas, e até mesmo dando algum ensino bíblico – quer seja no ministério de crianças, da juventude, de mulheres ou de homens – sob a supervisão de um professor da Bíblia mais experiente.

Baseados no *Ministry Training Scheme* [Estratégia de Treinamento para o Ministério] estabelecido na década de 1980 por Phillip Jensen na St. Matthias Church, em Sydney, os cursos de treinamento regionais oferecem um programa de dois anos que envolvem um dia de aula por semana, normalmente quatro aulas intensivas por dia: *Exposição da Bíblia*; *Teologia Bíblica* e, em seguida, *Sistemática*; *Período de Perguntas Sobre Ministério* (em que perguntas dos alunos sobre questões doutrinais ou pastorais decorrentes do seu trabalho na igreja são respondidas por uma bancada de professores experientes da Bíblia); e *Oficinas de Ensino da Bíblia* (em que os alunos ensinam a Bíblia uns aos outros em pequenos grupos e, em seguida, recebem um retorno, liderado por um professor experiente da Bíblia).

O *Cornhill Training Course* é outro curso de treinamento de modo misto que funciona dois dias por semana, durante dois anos.[21] Parte do ministério da *Proclamation Trust*, em Londres, Cornhill foi fundado em 1991 por dois clérigos apaixonados pela exposição bíblica, David Jackman e Dick Lucas. Cada estudante de Cornhill é encorajado a ter o foco no ministério da Palavra em sua igreja, e a maioria trabalha durante o resto da semana sob a supervisão de um professor experiente da Bíblia.

O curso oferece treinamento em ensino bíblico expositivo, com particular ênfase em preparar homens para pregar, enquanto prepara homens e mulheres para outros ministérios de ensino bíblico. A força vital do curso é o ensino expositivo de uma grande variedade de livros da Bíblia. São ensinadas algumas ferramentas para desvendar os sete diferentes gêneros bíblicos, a fim de que boas habilidades exegéticas sejam desenvolvidas. Esse programa básico de manejo da Bíblia é complementado por um ensino fundamental sobre a oração e o coração; princípios de exposição; teologia bíblica e teologia sistemática.

O *Women's Ministry Stream* tornou-se parte integrante do programa de estudos de Cornhill em 2000, desenvolvido como resultado de uma preocupação crescente de que, embora evangélicos reformados concordem que homens e mulheres têm diferentes papéis a desempenhar na vida da igreja local, muitas estratégias de treinamento para o ministério (e seminários teológicos) instruem-nas como se não tivessem. O *Women's Ministry Stream* procurou corrigir isso preparando especificamente as mulheres para os tipos de ministérios de ensino da Bíblia em que elas mais provavelmente estarão envolvidas – quer em tempo integral ou parcial, remuneradas ou não, membros de equipes de obreiros da igreja ou não.[22] Os cursos do *Women's Ministry Stream*, de Cornhill, são conduzidos um dia por semana no segundo ano e incluem: *Feminilidade Bíblica*, *Questões Ministeriais*, *Questões Pastorais* e *Aulas Práticas de Ensino Bíblico*.

A vantagem desses cursos de treinamento de modo misto é que eles mantêm os alunos fixos na igreja local, onde eles têm a oportunidade de colocar em prática o que estão aprendendo, enquanto ainda estão aprendendo! Ser supervisionado por um professor experiente da Bíblia também é um componente importante e, onde esse método funciona bem, o treinamento, a prestação de contas e o encorajamento continuam por muito tempo após o aprendizado para o ministério ter terminado.

4) Instrução Teológica Integral em Seminários e Faculdades Bíblicas

Nem todo mundo terá a oportunidade de estudar em tempo integral em uma faculdade teológica ou seminário, mas as mulheres deveriam pelo menos considerar isso. Pode ser dispendioso, tanto em relação ao tempo quanto em relação ao dinheiro, mas há cada vez mais bolsas de estudos disponíveis.

Há várias considerações a se fazer. Por exemplo, o tipo de seminário é importante (é denominacional, parte de uma universidade, ou independente?), e o tipo de cursos e graus oferecidos obviamente são fundamentais. Mas o mais crucial é considerar o corpo docente: Eles reverenciam a Palavra de Deus? Eles estão empenhados em ensinar a Bíblia ou apenas falar sobre a Bíblia? Eles ensinam uma teologia bíblica sólida e coerente, que está comprometida com o evangelho de Cristo, com a substituição penal como meio de nossa expiação, com a soberania de Deus em todas as coisas, com a evangelização do mundo por meio da pregação do evangelho, com o poder transformador do Espírito e com a importância da boa ordem na igreja local? Se todas as respostas são afirmativas, então, esse deve ser um bom lugar para se estudar. É claro, o Senhor conduzirá alguns para estudar em instituições acadêmicas onde essas coisas não são todas afirmadas ou não univocamente afirmadas, e então será uma questão de fazer o que cada um de nós deve sempre fazer: continuar buscando as Escrituras fielmente, buscar conselho sábio e confiável ao longo do caminho e manter-se bem envolvido em uma igreja local forte, baseada na Bíblia.

Aconselho as mulheres a não simplesmente se inscreverem sem primeiro conversar com um pastor e outros amigos cristãos – aqueles que a conhecem bem e lhe dirão honestamente se esse não for um bom investimento de seus dons. Se você não gosta de estudo acadêmico, então o seminário pode não ser o lugar para você; se você tem dons de ensino, mas nenhum coração para o ministério, então esse provavelmente não será o lugar certo para você também. Mas se você tem o coração, a oportunidade e o dom – então faça! Às vezes é difícil para as mulheres saberem exatamente como o Senhor usará a sua formação teológica. Você mesma pode se tornar um membro do corpo docente e ensinar outros estudantes; você pode entrar no mundo dos negócios e levar sua colega de trabalho a Cristo após meses de conversas em uma cafeteria depois do trabalho; você pode se envolver no treinamento de mulheres em sua igreja local; ou você pode usá-lo para ensinar seus filhos em casa. Uma coisa é certa: onde quer que você use sua formação teológica no futuro, nunca será um desperdício.

Nenhuma instrução bíblica é desperdiçada no bom plano de Deus. É um privilégio poder investir na formação de mulheres que serão capazes de ajudar a passar adiante a boa nova em todos os diversos contextos de suas vidas. Este treinamento é um deleite, à medida que vemos mulheres piedosas e fortes crescendo na igreja e testemunhando a verdade do evangelho de Deus. Essa instrução é uma necessidade, a fim de que uma geração continue declarando com plena voz a graça de Deus em Jesus Cristo à geração seguinte.

Parte 2

Contextos
para o
Ministério de
Mulheres

Capítulo 4

A Igreja Local

Encontrando o Nosso Lugar

Cindy Cochrum

Nayana atravessou as portas de nossa igreja pela primeira vez quando foi convidada por uma amiga para participar do nosso estudo bíblico de mulheres.[1] Tendo vivido a maior parte de sua vida em um país predominantemente muçulmano, ela estava curiosa sobre a Bíblia. Curiosa, mas também cética.

Os líderes de pequenos grupos que a acolheram estavam ansiosos para compartilhar as verdades da Palavra de Deus com ela. Eles a convidaram para refeições em suas casas e passaram um tempo, fora do círculo de estudo, respondendo às suas perguntas sobre Jesus. Nayana estava convencida de que Jesus era um homem bom. Ela acreditava que ele pertencia a uma linhagem de profetas, mas não que era o Filho de Deus.

Semana após semana, Nayana participou do nosso estudo bíblico. Ela participou das discussões nos pequenos grupos defendendo apaixonadamente e até mesmo promovendo a sua fé islâmica. Frequentemente ela permanecia após o horário de aula para fazer perguntas aos professores. Barreiras linguísticas e culturais dificultaram nossa leitura de suas intenções.

Nossa equipe de liderança das mulheres orou pela salvação de Nayana, pelos líderes de seus pequenos grupos, e pela orientação do Senhor às outras mulheres envolvidas no estudo. Buscamos conselho de nossa liderança pastoral. Nada parecia mudar.

Mas Deus, pelo seu Espírito, foi silenciosamente usando a sua Palavra para amolecer o coração de Nayana e abrir seus olhos. Depois de quase um ano de estudo da Bíblia, Nayana depositou sua fé no Senhor Jesus Cristo.

Não havia dúvidas quanto à autenticidade de sua conversão. A dureza que antes havia caracterizado seus comentários começou a abrandar. As perguntas de Nayana assumiram um tom de sinceridade. Seus olhos brilhavam quando ela falava de Jesus como seu Senhor e Salvador. Ela se envolveu nas atividades da igreja, frequentando regularmente os nossos cultos de domingo. Ela estava sedenta por aprender mais e aproveitava todas as oportunidades para ouvir a Palavra de Deus sendo ensinada. Rapidamente ela foi integrada na vida da igreja.

Mas o crescente compromisso de Nayana com o Senhor

teve um custo. Seu marido se opunha à mudança que via na vida de Nayana. Ele exigiu que ela parasse de frequentar o estudo bíblico. Ele confiscou seu telefone para mantê-la distante de qualquer pessoa envolvida. Eventualmente, ele a deixou com seus dois filhos, sem renda e com uma dívida esmagadora. Sua família ameaçou sua vida. Seus filhos questionaram a sua fé cristã. Mas, dentro do corpo de Cristo, Nayana descobriu um vínculo mais profundo do que qualquer outro que havia conhecido. Novos irmãos e irmãs em Cristo a acolheram, e também aos seus filhos, em suas casas para as refeições. Eles passavam horas respondendo perguntas e ensinando sobre o que significa seguir Jesus. A igreja ajudou com suas necessidades financeiras e com a manutenção de sua casa.

Alguns anos depois os filhos de Nayana começaram a frequentar os nossos cultos matinais de domingo. Eles haviam testemunhado a transformação de Nayana e ficaram curiosos sobre o cristianismo. Conforme ouviam a Palavra de Deus pregada e se encontravam com o povo de Deus, o Espírito Santo começou a trabalhar em suas vidas também. Ambos os seus filhos entregaram as suas vidas para o Senhor.

Agora, vários anos mais tarde, os filhos de Nayana se mudaram para estudar, mas ela continua a ser uma parte vibrante da nossa igreja local. Seus olhos continuam a brilhar quando fala do Senhor e de seu cuidado por ela. Recentemente ela convidou outras mulheres a se juntarem a nós em nosso estudo – mulheres cujas vidas são muito semelhantes à dela quando nos conhecemos.

A história de Nayana é bela porque é a história da nova vida e redenção por meio de Jesus. Também é bela porque é uma imagem clara do corpo de Cristo em ação. Nós certamente não fizemos a nossa parte perfeitamente. Havia lições para aprendermos em quase todos os passos ao longo do caminho – lições sobre barreiras culturais, sobre sensibilidade, sobre o poder da Palavra de Deus e sobre a confiança nele. Mas o Senhor estava trabalhando por meio de sua igreja, atraindo Nayana para si, fortalecendo o seu povo e, finalmente, realizando os seus propósitos, apesar de nossas falhas.

Ao escrever a história de Nayana, o Senhor usou a forte conexão entre o grupo de estudo bíblico de nossas mulheres e a igreja local da qual fazemos parte. Essa ligação permitiu que Nayana experimentasse a força e a beleza de todo o corpo de Cristo. Nayana foi atraída de forma mais imediata às mulheres e às relações que ela desenvolveu em torno da Palavra de Deus no estudo bíblico. Ela não teria se sentido confortável em frequentar um grupo misto inicialmente. Todo o corpo da igreja, no entanto, forneceu orientação, apoio e encorajamento em oração enquanto nossa equipe de líderes orava por direção e ministrava a essa mulher sedenta. Depois que Nayana veio a conhecer o Senhor, a igreja chegou a seu lado para ajudar com necessidades práticas e concretas. Eventualmente, ela e seus filhos foram integrados no corpo de Cristo. Agora ela está convidando suas amigas para se juntarem a nós no estudo bíblico de mulheres.

A VIDA NA IGREJA PRIMITIVA

Histórias como a de Nayana devem ter sido comuns na Igreja primitiva. No livro de Atos, que fala sobre a fundação da igreja, começando em Jerusalém e se espalhando para fora, Lucas descreve uma comunidade cada vez mais diversificada, que incluía pessoas de vários países, falando diferentes línguas, mas unidas pela fé comum em Jesus Cristo. Algumas dessas reuniões iniciais devem ter sido de tirar o fôlego, apresentando um mosaico de diferentes cores de pele, roupas, penteados e línguas – um mar de novos crentes se reunindo em louvor e adoração.

À medida que a boa nova da salvação por meio de Jesus se espalhava, grupos de igrejas locais começaram a surgir em cidades vizinhas. Conforme o tempo passava, surgiram desafios entre as várias comunidades de crentes. Cartas como as do apóstolo Paulo e do apóstolo Pedro nos oferecem vislumbres de algumas das dificuldades que as várias igrejas primitivas enfrentaram.

A igreja em Corinto oferece um exemplo dos desafios que surgiram quando o povo de Deus começou a viver a vida em comunidade, sob a autoridade da Palavra de Deus. Antes de passarmos para uma discussão mais prática de como é o ministério de mulheres no contexto da igreja de hoje, é proveitoso estabelecer esse contexto biblicamente.

Quando Paulo chegou a Corinto pela primeira vez para compartilhar a mensagem do evangelho, ele encontrou uma cidade repleta de energia. Essa metrópole era um centro de vida intelectual e uma interseção do comércio. Pessoas de diferentes culturas e origens viajavam regularmente através da cidade agitada.

Um ano e meio mais tarde, quando Paulo deixou Corinto, uma nova igreja havia sido estabelecida. A comunidade era jovem e vigorosa. Acolher novos crentes era uma parte regular de suas vidas. Mas não demorou muito para que os desafios começassem a surgir.

Paulo estava preocupado quando se sentou alguns anos mais tarde e escreveu sua carta aos crentes de Corinto. Palavras de divisões dentro da comunidade deles haviam chegado até Paulo, e os líderes da igreja haviam lhe escrito pedindo ajuda. Pressões de uma cultura pagã vinham de fora da igreja, e os desafios de lidar com pessoas reais (isto é, pecadores de verdade!) começaram a se desenvolver no interior da igreja. Pequenas divergências estavam começando a crescer à medida que os crentes seguiam suas próprias agendas. Divisões se formavam à medida que as pessoas começavam a seguir e se identificar com vários líderes. Alguns alegavam ser leais a Paulo. Outros seguiam Apolo ou se identificavam com Cefas. E aqueles que queriam ter um trunfo sobre todos os outros alegavam seguir somente a Cristo. Essa era uma situação perigosa. As cismas dentro da igreja ameaçavam corromper a fé dos crentes e minar a obra de Cristo em Corinto. Em um esforço para combater essas divisões, Paulo começa a sua carta com um lembrete de sua identidade comum:

A Igreja Local

À igreja de Deus que está em Corinto, aos santificados em Cristo Jesus, chamados para ser santos, com todos os que em todo lugar invocam o nome de nosso Senhor Jesus Cristo, Senhor deles e nosso.
(1 Coríntios 1.2)

Paulo enfatiza o elo comum entre os crentes que compõem a igreja em Corinto. Todos eles são parte da "igreja de Deus": sua comunidade pertence a ele. Eles são "santificados em Cristo Jesus": sua posição diante de Deus é determinada unicamente pela obra de Jesus na cruz em seu lugar. E eles são "chamados para ser santos" – chamados a uma comunidade de vidas transformadas pelo poder do Cristo ressurreto.

A realidade do evangelho era a base essencial para toda a vida em sua comunidade. Esses irmãos e irmãs estavam unidos pela graça e misericórdia de Jesus. Paulo não deixa espaço para orgulho ou individualismo. Cada palavra em sua carta decorre diretamente da verdade do evangelho. Essa verdade serviria como base para o modelo de Paulo para o ministério.

Em sua carta, Paulo aborda uma série de questões sobre a vida na igreja local, cada uma intrinsecamente ligada à saúde e eficácia do ministério deles como corpo de crentes. Ele dá instruções sobre como atravessar os desafios da imoralidade sexual e ações judiciais entre eles. Ele fornece instruções para a jovem igreja, ensinando-lhes sobre casamento, sobre a celebração da ceia e sobre a ressurreição.

Nos capítulos 12-14, Paulo aborda a questão dos dons espirituais, terminando esses capítulos com a finalidade para a qual os diversos dons são dados: "A manifestação do Espírito é concedida a cada um visando a um fim proveitoso" (1 Coríntios 12.7) . E então, em 1 Coríntios 14.26b: "Seja tudo feito para edificação". O ponto é claro: dons individuais são dados *para o bem comum* e para serem usados *para a edificação* da igreja local. Deus equipou cada pessoa, fornecendo pelo seu Espírito um conjunto de dons especificamente projetado, perfeitamente adequado para servir a igreja local em Corinto, para a glória de Cristo.

Então, o que aconteceu em Corinto? À medida que os membros foram altruistamente usando seus dons para edificar a igreja, a igreja se tornou uma imagem de Cristo para o mundo ao redor deles. A Palavra de Deus foi proclamada com poder, os cultos foram organizados e bem geridos, e questões desafiadoras foram tratadas com sabedoria. A pureza sexual foi vivida e honrada. Necessidades foram atendidas com avidez, e os relacionamentos foram fortalecidos em torno das refeições em várias casas – não, isso não foi o que aconteceu. Isso é o que teria acontecido se os crentes de Corinto tivessem realmente usado os seus dons para o bem comum e edificação da igreja.

Aqui está o que realmente aconteceu: quando vários membros dessa congregação se tornaram descontentes com seus papéis, as divisões começaram a se formar. Alguns estavam orgulhosos de seus dons e começaram a pensar que seus papéis eram a chave para o sucesso da igreja local. Eles começaram a desvalorizar os dons dos outros, esquecendo-se de que "os dons são diversos, mas o Espírito é o mesmo" (1 Coríntios 12.4). Em vez de fundamentar sua identidade em Cristo, muitos começaram a vincular-se a um ou outro líder importante. Alguns começaram a olhar para aqueles de fora de sua congregação em busca de afirmação e ensino. O mundo pagão ao redor exerceu sua influência, e o comportamento pecaminoso era tolerado. Tudo isso ameaçava o ministério da igreja em Corinto.

Que imagem Paulo poderia usar para comunicar a realidade da posição dos crentes de Corinto em Cristo e a necessidade uns dos outros? Que analogia é melhor do que a de um corpo humano saudável e em bom funcionamento?

> Porque também o corpo não é um só membro, mas muitos. Se disser o pé: Porque não sou mão, não sou do corpo; nem por isso deixa de ser do corpo. Se o ouvido disser: Porque não sou olho, não sou do corpo; nem por isso deixa de o ser. Se todo o corpo fosse olho, onde estaria o ouvido? Se todo fosse ouvido, onde, o olfato? Mas Deus dispôs os membros, colocando cada um deles no corpo, como lhe aprouve. Se todos, porém, fossem um só membro, onde estaria o corpo? O certo é que há muitos membros, mas um só corpo. (1 Coríntios 12.14-20)

Que imagem maravilhosa de diversidade e unidade! Todos os membros da igreja de Corinto tinham um papel vital a desempenhar na saúde da igreja. Todo seguidor de Jesus recebeu dons por meio do Espírito. Sem exceções. Isso significa que ninguém está livre de obrigações, e ninguém pertence a uma classe de elite suprema.

Quando a igreja de Corinto estivesse funcionando bem – com seus membros valorizando uns aos outros e trabalhando juntos para o bem da igreja de Cristo – essa jovem comunidade de crentes serviria como um reflexo poderoso da graça, amor e misericórdia de Jesus para o mundo assistir em Corinto.

IMPLICAÇÕES PARA HOJE

A analogia de Paulo chega através dos séculos ao nosso próprio mundo. Como os crentes de Corinto, fomos chamados a viver em comunidade com nossos irmãos e irmãs em Cristo. Enfrentamos desafios bastante semelhantes aos da jovem igreja de Corinto em nosso contexto do século vinte e um.

Muitas vezes é um negócio complicado viver semanalmente com os irmãos e irmãs na igreja, companheiros pecadores que estão crescendo em seu amor por Jesus e pelos outros. Pode ser tentador evitar as relações mais complicadas que envolvem tempo na presença física de pessoas carentes. Nosso mundo transborda em livros teológicos, sermões online de especialistas e blogueiros que postam com autoridade amplamente celebrada. Podemos facilmente começar a idealizar e nos identificar com vozes e líderes virtuais, ao invés de com pessoas ao vivo e realmente imperfeitas. É mais fácil ficar online do que nos aprontarmos (e talvez para outros também) e percorrer o caminho até a reunião da igreja, especialmente depois de um longo dia ou semana de trabalho de qualquer tipo.

Quando nossas comunidades mais importantes se tornam algo diferente do corpo da igreja em que o Senhor nos colocou, perdemos a alegria que vem de realmente viver em comunhão com aquelas pessoas que o Senhor nos deu para servir. O tipo de comunidade que Paulo visualiza não pode acontecer em salas de bate papo online, fóruns ou na seção de comentários na parte inferior de um blog; ele exige seguidores ternos e amorosos de Cristo que estão em contato de forma consistente e pessoal com as vidas uns dos outros. Ele exige que os membros de um corpo saudável e unido trabalhem em conjunto para o mesmo fim.

Engajar-se na igreja local traz muito mais alegria e muito mais desafios do que a interação por meio da tecnologia. Nem sempre podemos escolher o nosso próprio tempo para responder às solicitações. Não temos a opção de simplesmente "deixar de seguir" ou "desfazer a amizade" com alguém. Essa pessoa difícil provavelmente estará sentada no mesmo lugar na próxima semana – no culto do domingo seguinte. Ele ou ela provavelmente continuará fazendo os mesmos tipos de comentários irritantes, ou cantando muito alto, ou perdendo o ponto em conversas, ou fazendo uma série de outras coisas que nos enlouquecem. Isso é o que John Stott descreve como o "paradoxo da igreja local":

É a tensão dolorosa entre o que a igreja afirma ser e o que parece ser; entre o ideal divino e a realidade humana; entre a conversa romântica sobre "a noiva de Cristo" e a comunidade cristã nada romântica, feia, pecaminosa e conflituosa em que sabemos que estamos. É a tensão entre o nosso destino final, glorioso no céu e o nosso desempenho presente muito inglório na terra. Essa é a ambiguidade da Igreja.[2]

Não é essa a realidade que todos nós, crentes, enfrentamos? Em Cristo, a igreja é uma bela comunidade de irmãos e irmãs. Mas as nossas experiências diárias nos lembram de nosso estado caído e de nossa necessidade de um Salvador. Toda mulher que passou algum tempo investindo em sua comunidade de crentes experimentou essa "tensão dolorosa". Mas como destinatários do amor e da graça de Deus, somos dotados e chamados a participar da vida da Igreja e, especificamente, da nossa igreja local, em meio à pessoas de carne e osso. Esse tipo de investimento trará glória a Deus e alegria a nós à medida que usarmos os diversos dons que Deus nos deu no contexto para o qual foram dados.

Todos nós alguma vez já escolhemos de forma cuidadosa e intencional um presente para alguém que amamos. Embrulhamos o presente em um belo papel, presenteamos o destinatário e então assistimos com expectativa enquanto ele é aberto. Como essa pessoa amada reagirá? Será que ela vai gostar? Será que ficará claro o porquê de termos dado aquele presente específico e como ele é adequado à pessoa e sua personalidade? Mas como nos sentimos quando, após abrir o presente, a pessoa o deixa de lado ou o utiliza para alguma outra finalidade que não seja a razão pela qual foi dada?

Os dons espirituais são infinitamente mais valiosos do que presentes humanos. Esses dons preciosos, perfeitamente distribuídos, devem ser usados em comunidade, por meio do poder do Espírito que os dá, para edificar nossos irmãos e irmãs e fazer a igreja crescer como uma luz que brilha em um mundo de trevas. Os dons do Espírito são perfeitamente adequados às pessoas que os recebem. Também são perfeitamente adequados para atender às necessidades do corpo de Cristo e são distribuídos de uma forma surpreendentemente equilibrada entre os fiéis de uma igreja local.

Mas, assim como o povo de Corinto, podemos ser tentados a usar nossos dons de forma errada, talvez superestimando-os, talvez negligenciando-os, ou talvez aplicando-os de maneiras que não edificam a igreja – talvez por simplesmente tomar a decisão de utilizar o nosso dom somente em outros lugares. Na realidade, o mundo fora da igreja, muitas vezes, oferece salários mais elevados e um reconhecimento muito maior.

Quando os dons de alguma parte da igreja são mal utilizados ou não utilizados, o corpo local de Cristo é deixado com um vazio. Todos nós já experimentamos essa realidade em nossos corpos físicos. Se uma parte do nosso corpo não está funcionando bem, outras partes são obrigadas a compensar e, eventualmente, ficam exaustas. Às vezes, as contribuições de membros ausentes da igreja não podem ser substituídas – a ausência significa simplesmente que funções vitais não serão preenchidas.

A comunidade que Paulo visualiza ao escrever aos Coríntios está repleta de pessoas dispostas a se apresentar e se envolver nas questões do dia a dia que surgem quando se vive a vida em comunidade, pessoas que rotineiramente fazem perguntas como: "Como e onde posso servir mais eficazmente?", "Quais responsabilidades o Senhor colocou diante de mim?", "Que necessidades eu vejo que eu poderia suprir hoje?". O ministério entre as mulheres prospera, à medida que as mulheres empregam seus diversos dons dessa forma. Algumas terão dom de mestras, por exemplo, outras de evangelistas, algumas de administradoras ou líderes de ministérios, e ainda outras de agentes de misericórdia, generosidade e serviço aos necessitados (cf. Romanos 12.3-8).

No Capítulo 9, você lerá sobre igrejas na Índia e na África do Sul onde homens são quase inexistentes, deixando um enorme vazio. Em algumas igrejas nos Estados Unidos, mulheres de meia-idade parecem estar desaparecendo, afastando-se de uma participação ativa na vida da igreja. Muitas estão terminando seus anos de criação de filhos, passando adiante para outros tipos de trabalho e envolvimento, deixando para trás o envolvimento com a igreja. Que enorme diferença faria se tais segmentos da população eclesiástica estivessem vivos em Cristo e vitalmente ligados a seu corpo.

O investimento na igreja local requer humildade. Mais

uma vez, encontramos o nosso próprio reflexo nas palavras aos crentes de Corinto. Aqueles com dons mais visíveis podem ser tentados a pensar em si mesmos como parte de uma classe especial que é mais valiosa do que outras (1 Coríntios 12.24b-25). Jesus dá à sua Igreja dons diversos e preciosos para um propósito: fortalecer sua igreja, por meio da qual ele se dará a conhecer ao mundo. Tudo é para a glória dele – não para a nossa.

Visando encorajar o uso adequado e pleno dos dons das mulheres, podemos facilmente cair no esforço de elevar o status ou aumentar a autoimportância das mulheres. Aquilo que estamos buscando pode se tornar ligeiramente distorcido quando o objetivo de fortalecer as mulheres de alguma forma se separa do objetivo de fortalecer a igreja. Em seu comentário sobre 1 Coríntios, Charles Hodge observa:

> Quando os dons de Deus, naturais ou sobrenaturais, são pervertidos como um meio de autoexaltação ou engrandecimento, é um pecado contra o seu doador, bem como contra aqueles a quem o benefício se destinava.[3]

O ministério entre as mulheres não é um degrau para uma maior igualdade ou uma ponte para ampliar oportunidades. Vários tipos de dons são dados aos crentes com o propósito de edificar nossos irmãos e irmãs. Quando nos lembramos da graça e misericórdia imerecidas que nos foram mostradas na cruz, percebemos que é mais fácil manter nosso foco em Jesus e na beleza do Evangelho, ao invés de em nós mesmos. Isso que é usar nossos dons "para o bem comum".

ONDE NOS ENCAIXAMOS NO CONTEXTO DA IGREJA LOCAL?

Como mulheres, encontrar o nosso lugar na igreja local pode ser um desafio. Embora todo dom seja igualmente valioso dentro do corpo, o dom de Deus às mulheres se estende muito além de trocar fraldas e fazer café. Nenhum de nós no corpo deve jamais desprezar tais tarefas. Também não devemos nos esquecer de buscar entre as mulheres uma maior diversidade de dons, perspectivas, sabedoria e experiência.

No Capítulo 2 Claire Smith aborda os limites que o Senhor estabeleceu. A Bíblia é clara em afirmar que os papéis de pastor e presbítero ordenado são reservados para nossos qualificados irmãos em Cristo. Buscar preencher papéis que estejam fora do desígnio de Deus é errado. Por outro lado, lidar com os limites da Escritura com medo ou colocando cercas adicionais pode resultar em uma abordagem farisaica e igualmente errada do ministério entre as mulheres. Tal abordagem pode até mesmo excluir as mulheres de assumirem qualquer tipo de papel de tomada de decisão dentro da igreja.

O custo de negligenciar o talento das mulheres na igreja local é extenso. Não somente perderemos a beleza e a alegria de um corpo que funcione e seja saudável, mas lentamente a igreja também enfraquecerá. O corpo de Cristo está repleto de mulheres capazes que estão ansiosas para servir a Cristo no contexto da igreja local, servindo sob a autoridade da liderança da igreja. Quando essas mulheres trazem suas vozes e dons únicos para suas próprias comunidades de crentes, a igreja se torna cada vez mais eficaz.

Tanto uma jovem mãe com muitos vizinhos amigos quanto uma vereadora terão ideias valiosas para compartilhar sobre evangelização em suas comunidades. Mulheres advogadas e corretoras de imóveis podem ser um grande trunfo em uma comissão de construção da igreja. A mulher com experiência na organização de associações de bairro em áreas economicamente desafiadoras e a presidente do banco local podem oferecer sua experiência à congregação de várias maneiras. Muitas mulheres com dons de ensino serão chamadas a usar esses dons em todos os tipos de oportunidades biblicamente apropriadas. Uma mulher membro da equipe da igreja pode ser um modelo inestimável de instrução bíblica e serviço, bem como fornecer um importante elo entre as mulheres e a liderança da igreja.

Assim como as mulheres têm a responsabilidade de usar seus dons na igreja local, também os líderes da igreja têm a responsabilidade de acolher suas irmãs em áreas de serviço dentro da igreja onde seus dons possam ser bem utilizados. Quando a liderança é proativa para encontrar maneiras de incorporar as mulheres em vários papéis, mais dos ricos recursos da igreja serão empregados para sua obra. Nossas igrejas são fortalecidas quando as mulheres são bem-vindas para servir de forma proveitosa e eficaz em qualquer área que não esteja restrita nas Escrituras.

E ENTÃO?

À medida que crentes capacitados pelo Espírito humildemente colocam suas vidas à disposição da igreja local com o objetivo de edificação do corpo de Cristo, uma incrível transformação começa a acontecer. As peculiaridades de alguns de nossos irmãos e irmãs que antes nos enlouqueciam começam a desaparecer à medida que nossa visão de servir e fazer crescer o corpo de Cristo assume definição e foco. Trabalhamos em direção a um objetivo comum de adoração e serviço ao nosso Pai, conforme seu Espírito opera entre nós. Parceiros companheiros no ministério que amam a Palavra de Deus e o povo de Deus tornam-se amigos estimados. Experimentamos a alegria de compartilhar o ministério em meio aos altos e baixos de nossas vidas. Admirados, assistimos às necessidades sendo atendidas de um modo que nunca poderíamos atender por nós mesmos.

À medida que essa transformação ocorre (nunca perfeitamente, mas gradualmente), a igreja local oferece ao mundo uma demonstração viva do amor de Cristo – uma imagem do evangelho. O corpo de Cristo é composto de pessoas que são igualmente indignas e extremamente diversificadas, aprendendo a perdoar e dar graças, a amar e cuidar umas das outras – tudo sob a cruz de Jesus que as ama, morreu por elas e oferece-lhes vida de ressurreição.

Assim é um corpo de crentes saudável e com bom funcionamento. Mas como podemos fazer isso? Como integrar ministérios, e especificamente o ministério entre as mulheres, na vida da igreja? Em geral, a criação de uma bonita e equilibrada comunidade local cresce a partir do nosso compromisso em comum com a *Palavra de Deus* e *uns com os outros*. Vamos primeiro considerar a importância do compromisso em comum com a Palavra de Deus.

O COMPROMISSO COMPARTILHADO COM A PALAVRA DE DEUS ENCORAJA A PRESTAÇÃO DE CONTAS

O ministério entre as mulheres é fortalecido por meio da igreja local quando líderes da igreja incentivam a sã doutrina, a teologia e o foco no ensino e estudo da Bíblia. No Capítulo 1, Kathleen Nielson destaca o valor do ministério centrado na Palavra. Isso parece básico e, no entanto, o nosso mundo atual – mesmo o mundo cristão – apresenta inúmeras idas em outras direções. Estar firmemente ligado a uma igreja local fundamentada na Bíblia fornece uma útil prestação de contas que nos protege da tentação de nos afastarmos da sólida base do evangelho como ensinado na Palavra de Deus.

Em sua carta à igreja na Galácia, Paulo adverte os primeiros crentes sobre os perigos de se afastar do evangelho de Cristo. Ele condena repetidamente os falsos pregadores que lhes seduzem: "Como já dissemos, e agora repito, se alguém vos prega evangelho que vá além daquele que recebestes, seja anátema" (Gálatas 1.9). Essas são palavras fortes! Tenho certeza de que os crentes da Galácia não se propuseram a seguir um evangelho diferente do que Paulo ensinava. Mas as pressões da vida ao redor deles gradualmente desviaram-nos do curso e distanciaram-nos do ensino de Paulo. No momento em que receberam sua carta, eles estavam caminhando na direção errada.

Uma igreja local saudável é fundamentada nas verdades vitais do evangelho de Jesus Cristo, com líderes que garantem que essas verdades permeiem todas as áreas de ministério dentro da igreja. Conforme as verdades da Escritura são proclamadas semana após semana do púlpito, a Palavra de Deus é elevada. Os ministérios em toda a igreja começam a refletir naturalmente essa mesma prioridade. Corações que foram envolvidos pelas verdades do evangelho tornam-se cada vez mais caracterizados pelo tipo de graça e misericórdia que experimentaram. Esse fundamento vital permite que os ministérios da igreja reflitam as prioridades da liderança da igreja.

É fácil se distrair mesmo em ministérios que crescem a partir de um foco centrado no evangelho. Tive a oportunidade de trabalhar com um ministério para vítimas de tráfico sexual na região de Chicago. As carências físicas e emocionais dessas jovens mulheres podem ser esmagadoras e, ao abordá-las, pode ser fácil perder de vista as suas necessidades mais profundas: o amor e a graça de Jesus Cristo que curam, como ensinado nas Escrituras. No entanto, por existir firmemente sob a autoridade da igreja local, esse ministério reflete as prioridades da igreja; ele compartilha o mesmo DNA. O compromisso da igreja com o Evangelho ajuda a garantir que o evangelho continuará sendo central na vida desse ministério.

O COMPROMISSO COMPARTILHADO COM A PALAVRA DE DEUS ENCORAJA O CRESCIMENTO BÍBLICO CONTÍNUO

Marge era uma amiga querida e parceira no ministério. Esposa, mãe e avó dedicada, ela dividia sua interminável energia ao longo dos anos entre estudo bíblico, família, amigos, viagens missionárias, política, atletismo ao ar livre e arte. Ela era apaixonada por sua arte. Desde entalhes em um minúsculo ovo *Fabergé* a exuberantes pratos para um banquete medieval em um castelo escocês, Marge era capaz de criar beleza em múltiplas categorias e em quase qualquer escala. Marge aplicou fielmente seus dons artísticos na igreja por meio de majestosos banners, arranjos florais impressionantes e cultos de Páscoa cuidadosamente coreografados. Seu trabalho era detalhista e profissional, e sempre carregava uma mensagem poderosa.

Como líder em nosso estudo bíblico de mulheres, Marge trouxe uma abordagem nova e honesta às nossas reuniões semanais. Ela amava o Senhor e sua Palavra e nunca tinha medo de fazer perguntas difíceis sobre como a Escritura se relaciona à vida cotidiana. Seus conhecimentos aprofundaram a nossa fé. Semana após semana ela mergulhava profundamente nas verdades da Bíblia. Os tesouros que ela descobria durante nossos momentos juntos tiveram um enorme impacto sobre o restante de nós e sobre todo o restante de sua vida e obra.

Enquanto Marge contribuiu com seus dons e talentos, ela acrescentou uma dimensão à nossa congregação que ninguém mais poderia – uma dimensão que vemos ainda mais claramente agora que Marge está em casa com o Senhor. Nossa igreja é mais colorida, mais atenciosa, mais ornada e bela em seu projeto por causa da vida dela entre nós.

Conforme mulheres como Marge (e mulheres aprendendo com mulheres como Marge) se reúnem em torno da Palavra de Deus, a estrutura da igreja local é fortalecida. A Palavra de Deus penetra corações e vidas. Cada vez mais mulheres aprendem a falar e ensinar a Palavra. Verdades descobertas juntas começam a se espalhar por todo o corpo da Igreja. Mulheres começam a desafiar umas às outras e a ser responsáveis umas pelas outras, crescendo juntas como irmãs em Cristo. Elas aprendem o que significa serem amigas, esposas, mães, chefes e funcionárias piedosas. Elas vivem Tito 2.3-5. Famílias ficam mais fortes. Amizades profundas são desenvolvidas no contexto do ministério. Mulheres tornam-se ávidas para investir na vida da igreja e promover a obra do evangelho. Conforme as mulheres mergulham profundamente na Palavra de Deus em conjunto, as riquezas que elas descobrem fortalecem a igreja local.

Quando as mulheres ouvem as verdades da Palavra de Deus comunicadas através das vozes de outras mulheres – reunidas em torno da Escritura para estudar e orar umas pelas outras – fortes conexões e amizades são construídas. Embora o crescimento deva ocorrer também na comunidade mais ampla da igreja, há uma liberdade maior em compartilhar os aspectos da vida que são exclusivos às mulheres no contexto de um ministério especificamente para mulheres. Quando mulheres se reúnem em torno da Palavra de Deus, elas encontram não só um momento de prestação de contas pessoal, mas também o crescimento bíblico profundamente contínuo compartilhado.

O COMPROMISSO COMPARTILHADO DE UM PARA COM O OUTRO ENCORAJA UM MINISTÉRIO AUTÊNTICO

A partir do compromisso comum com a Palavra de Deus cresce o compromisso comum de um para com o outro dentro do corpo de Cristo. A imagem de Lucas em Atos 2 sobre a igreja primitiva oferece um exemplo notável do compromisso mútuo entre os crentes que caracteriza uma igreja saudável, com os crentes tendo "tudo em comum", adorando, partilhando e crescendo juntos "com alegria e singeleza de coração" (cf. Atos 2.44-47).

A igreja está em contraste gritante com a nossa cultura transitória, na qual as pessoas estão reticentes em mergulhar de cabeça em alguma coisa. Em um mundo onde as pessoas querem deixar todas as opções em aberto e onde os relacionamentos são dissolvidos por que um amigo ou cônjuge deixa de "satisfazer as minhas necessidades", o corpo de Cristo oferece um lugar de estabilidade por causa de nosso compromisso comum e imutável com Jesus. Entre as pessoas salvas pela graça, a graça não deixará de fluir. Especialmente quando jovens cristãos estão aprendendo as lições contraculturais sobre o casamento como um compromisso para toda a vida, ou de perseverança em um trabalho desafiador, o exemplo do cuidado incessante dos membros da igreja uns para com os outros oferece uma educação muito necessária em compromisso – compromisso alimentado pela graça de Deus.

À medida que uma comunidade de crentes cheios da graça se reúne em uma igreja local, uma ligação poderosa acontece. Irmãos e irmãs em Cristo cheios do mesmo Espírito unem-se sob a mesma teologia, governo da igreja e compromisso com o outro. Apesar de nossas diferentes personalidades, gostos, idades, posições econômicas, e assim por diante, reunimo-nos pela graça de Deus e por meio do poder do seu Espírito para adorar nosso Deus, para edificar nossos irmãos e irmãs, e para mostrar o amor de Jesus ao mundo. É claro que nunca paramos de aprender, de nos arrepender e de crescer em nosso compromisso com esse corpo diverso, mas quanto mais compreendemos a realidade da misericórdia e da graça de Deus em nossas próprias vidas, mais o nosso compromisso com o outro transcende nossas inúmeras diferenças.

Conforme esse tipo de compromisso se aprofunda, passamos a apreciar cada vez mais a diversidade que caracteriza o corpo de Cristo. A igreja não é um clube exclusivo aonde vamos para conhecer pessoas iguais a nós mesmos.

Quando o ministério de mulheres está enraizado no contexto da igreja local, o compromisso entre os crentes que permeia a igreja dará sabor ao ministério entre as mulheres. (É claro que os efeitos fluem nos dois sentidos: o ministério das mulheres pode ajudar a dar sabor a toda igreja!) O sabor do compromisso comum com o outro, com todas as nossas diferenças, é doce e bom. Em grupos de mulheres diversificados, como aconteceu com Nayana, por exemplo, temos vislumbres pessoais da fidelidade de Deus em vidas que são amplamente diferentes das nossas. Ouvimos novas percepções sobre a Palavra de Deus. Podemos aprender a partir das lutas comuns à vida entre mulheres em contextos estranhos às nossas experiências e talvez aprendamos maneiras de ajudar e sermos ajudadas. Conforme ouvimos as vozes de irmãs diferentes de nós, vemos a grandeza do Deus que servimos.

Os relacionamentos formados em meio ao corpo local de crentes são, muitas vezes, os mais profundos e mais ricos de nossas vidas. Um seminário em outra cidade ou um estudo bíblico do outro lado da cidade têm benefícios distintos, mas muitas vezes não oferecem a mesma profundidade de conexão pessoal como a vida na igreja local, onde temos que viver a Palavra que estamos estudando enquanto trabalhamos juntas em projetos de longo prazo, resolvemos dificuldades entre nós, vemos as vidas e relações umas das outras se desdobrarem, sentimos vida e morte como um só corpo, e recebemos orientação e orações dos nossos pastores e presbíteros – e não apenas para hoje ou amanhã, mas até quando o Senhor permitir que fiquemos juntos.

Conforme esse compromisso profundo de uma para com a outra molda os corações e mentes de mulheres, o ministério se torna cada vez mais livre de fingimentos. A autenticidade cresce. Quem consegue manter uma fachada por toda uma vida? Quem iria querer isso de qualquer maneira? Visto que estaremos vivendo a vida um com o outro até que o Senhor volte ou nos mude para outro lugar, o compromisso entre o corpo local de crentes dá às mulheres a liberdade de formar relacionamentos fortes e autênticos construídos em torno das verdades da Palavra de Deus. Ron Bentz descreve bem essa realidade: "Uma igreja saudável em seu coração é um grupo de seguidores redimidos de Cristo – reconhecendo o lugar de cada um na inacabada igreja de Deus – vivendo em uma comunidade autêntica, honesta, perdoadora e doadora de graça". [4]

O compromisso de um com o outro dentro da igreja local oferece uma base para o ministério autêntico entre mulheres que se desenvolve a partir das verdades da Palavra de Deus.

O COMPROMISSO COMPARTILHADO DE UM PARA COM O OUTRO ENCORAJA A EVANGELIZAÇÃO

É esse tipo de comunidade comprometida que está melhor preparada para espalhar o evangelho, tanto ensinando as verdades da Palavra quanto vivendo-as juntas como um testemunho de amor. À medida que mulheres, em particular, investem nas vidas de outras mulheres, essas relações naturalmente proporcionam uma rampa de acesso à vida da igreja, uma via por meio da qual as mulheres podem encontrar Jesus e ser recebidas no corpo local de Cristo.

A igreja primitiva era caracterizada por aprender a Palavra de Deus juntos, orar juntos, compartilhar seus recursos e viver a vida um com o outro. Que comunidade única e emocionante na qual se viver! Conforme eles investiam nas vidas uns dos outros, Lucas nos diz que "acrescentava-lhes o Senhor, dia a dia, os que iam sendo salvos" (Atos 2.47b).

Um ministério próspero de mulheres oferece vislumbres da comunidade amorosa pela qual as mulheres (e todos os seres humanos) anseiam. Mulheres que estão aprendendo a Palavra, orando juntas, desfrutando de calorosa comunhão e cuidando das necessidades dos que as rodeiam, criam uma comunidade convidativa. Visitantes do nosso estudo bíblico de mulheres são regularmente atraídas à nossa comunidade eclesiástica. Conforme elas chegam ao conhecimento de Jesus, começam a compartilhar avidamente as verdades do evangelho dentro de seus próprios contextos de vida. Seu entusiasmo pelo evangelho ensina e inspira o restante de nós. A família dos crentes é multiplicada, e o corpo de Cristo fortalecido. Minha amiga Nayana é apenas um exemplo entre muitas que abençoaram nossa congregação quando Deus as atraiu para nossa igreja local por meio de nosso ministério entre as mulheres. E as mulheres normalmente saem de nosso meio melhor fundamentadas e preparadas para compartilhar a boa nova da Palavra de Deus com aqueles que Deus coloca em seus caminhos.

O COMPROMISSO COMPARTILHADO DE UM PARA COM O OUTRO ENCORAJA O APOIO PROVEITOSO

O ministério organizado entre mulheres na igreja local oferece à liderança da igreja (e a toda congregação) um contexto por meio do qual podem afirmar o quanto valorizam e se importam com suas irmãs em Cristo. Quando a liderança investe no ministério das mulheres, a igreja comunica às mulheres que suas vozes são valorizadas e necessárias. O propósito e a importância de seu trabalho são afirmados, e a igreja local é fortalecida.

Esse fortalecimento acontece quando a liderança da igreja apoia ativamente ministério de e em meio às mulheres. Transmitir uma atitude de não intervenção, por meio da qual as mulheres são incentivadas a "fazer suas próprias coisas", não ajuda nem fortalece as mulheres, mas as deixa isoladas dentro da igreja, talvez até excluídas (e incapazes de contribuir) da visão e da dinâmica da igreja. Cada ministério, incluindo o ministério de mulheres, é fortalecido quando pastores e presbíteros estão envolvidos, interessados e prontos para orientar quando necessário, sem serem arrogantes. Essa mentalidade deve ter sido a que Pedro visualizou em sua carta:

> Rogo, pois, aos presbíteros que há entre vós, eu, presbítero como eles, e testemunha dos sofrimentos de Cristo, e ainda coparticipante da glória que há de ser revelada: pastoreai o rebanho de Deus que há entre vós, não por constrangimento, mas espontaneamente, como Deus quer; nem por sórdida ganância, mas de boa vontade; nem como dominadores dos que vos foram confiados, antes, tornando-vos modelos do rebanho. (1 Pedro 5.1-3)

Existem inúmeras maneiras de como pastores e presbíteros podem pastorear e apoiar suas irmãs em Cristo envolvidas em ministérios na congregação. Muitas formas de apoio não exigem grande quantidade de tempo, energia ou estardalhaço. Simplesmente expressar entusiasmo do púlpito pelo estudo bíblico de mulheres ou pelo retiro de mulheres, ou enviar um breve e-mail antes e depois de um evento, ou estar disposto a dar uma aula ou dar aconselhamento quando necessário, ou perguntar como os presbíteros podem orar, transmite apoio ao que está acontecendo e mostra suporte aos envolvidos.

Por causa do grande número de mulheres que frequenta o nosso estudo bíblico na quarta-feira de manhã, estacionar é sempre um desafio. (O estudo das noites de quarta-feira não é tão lotado e difícil de chegar). Ambos os estudos incluem mulheres em todas as fases da vida, mas o da manhã parece trazer uma abundância de jovens mães que chegam carregando bebês, Bíblias, sacolas com fraldas, bolsas e, às vezes, comida para compartilhar com seus grupos. Elas atravessam as portas junto com todo o fluxo de mulheres, algumas ajudando as que estão sobrecarregadas, algumas apoiadas em bengalas ou sendo empurradas em cadeiras de rodas. É um fluxo de pessoas encantador, mas, por vezes, avassalador.

Nossos pastores e equipe da igreja perceberam os desafios que essas mulheres enfrentam apenas para entrar no prédio a cada semana. Eles, silenciosamente, decidiram estacionar em lugares um pouco mais distantes nas manhãs de quarta-feira, deixando o estacionamento da igreja mais aberto para as mulheres que frequentam o estudo bíblico. Este simples gesto transmite muito sobre o comprometimento da Igreja para com o ministério de mulheres.

Claro que outros tipos de apoio mais substanciais falam alto também. Muitas igrejas estão investindo em vários tipos de treinamento para mulheres professoras da Bíblia, quer seja oferecendo aulas de treinamento disponíveis para homens e mulheres, ou enviando professoras/líderes a workshops ou conferências, ou pagando por cursos online, ou dando suporte às mulheres nos estudos em seminários. O número de mulheres obreiras remuneradas está crescendo lentamente em fortes igrejas evangélicas. Se temos clareza sobre as poucas coisas que Deus não chamou as mulheres para fazer, o povo de Deus pode buscar sinceramente o apoio e o encorajamento para as coisas incontáveis que as mulheres podem fazer.

Mas e se não houver nenhum ministério de mulheres em nossa igreja local? Ou se essa forte ligação entre a liderança da igreja e o ministério de mulheres não for uma realidade? Como a Palavra de Deus diz que deve ser a nossa abordagem do ministério nesse cenário? O autor de Hebreus aborda a relação entre os líderes da igreja e aqueles sob seus cuidados:

> Obedecei aos vossos guias e sede submissos para com eles; pois velam por vossa alma, como quem deve prestar contas, para que façam isto com alegria e não gemendo; porque isto não aproveita a vós outros. (Hebreus 13.17)

Nossos pastores e presbíteros assumem uma enorme responsabilidade perante o Senhor. Como membros sob seus cuidados, somos chamados a orar por eles e nos submetermos à sua liderança de forma que eles façam isso com alegria e não "gemendo".

Isso não significa que nós, mulheres, não devemos nos aproximar de nossos pastores e/ou presbíteros com nossas preocupações ou com nossas visões relacionadas ao ministério entre mulheres dentro da igreja. Essa é a nossa responsabilidade! Mas as palavras de Hebreus precisam definir a nossa atitude. Nossa abordagem do ministério de mulheres deve ser caracterizada por humildade e respeito pelo papel que o Senhor deu àqueles que têm autoridade sobre nós.

Podemos começar por analisar cuidadosamente a visão que a liderança da igreja estabeleceu para o nosso próprio corpo local de crentes. Podemos fazer perguntas como: "Como a nossa visão para as mulheres pode apoiar e promover os objetivos de nossa igreja local"? Podemos iniciar conversas com a liderança buscando saber qual a melhor forma de encaixar os ministérios de mulheres em nosso próprio contexto da igreja. Podemos, de forma respeitosa, procurar transmitir aos nossos líderes de que maneira o ministério entre mulheres poderia servir como uma extensão de seus cuidados pelo povo de Deus.

Acima de tudo, precisamos estar sempre em oração, esperando que o Senhor torne o caminho livre. Flexibilidade e paciência certamente serão necessárias à medida que recebermos respostas e cronogramas que talvez não estejam de acordo com nossa visão inicial. Podemos confiar no Senhor para cumprir seus propósitos por meio de nossos esforços, fazendo um trabalho que é diferente e, no fim das contas, ainda mais eficaz do que os nossos planos originais. A Igreja pertence ao Senhor, e ele será fiel.

Pela graça de Deus, o ministério de mulheres vibrante em uma congregação local comprometida com a Palavra de Deus e uns com os outros fortalecerá não apenas as mulheres dentro dessa comunidade da igreja, mas todo o corpo da igreja, bem como, e, em última instância, toda a Igreja.

UM INVESTIMENTO QUE VALE A PENA

Então, realmente vale a pena o esforço significativo para fundamentar, de forma clara e segura, o ministério de mulheres dentro do contexto da igreja local? Absolutamente. Isso trará desafios que gostaríamos de evitar? Certamente. Isso significará trabalhar ao lado de mulheres que são completamente diferentes de nós? Muito provavelmente. Isso significará submeter nossas ideias e nossos sonhos à autoridade de nossa liderança da Igreja? Sim. Isso será desconfortável? Às vezes.

Mas também significa investir os dons que recebemos de Deus, enquanto mulheres, no contexto em que nosso Pai intencionou que fossem usados. Isso significa entregar nossas vidas pelos nossos irmãos e irmãs que amam a Jesus. Significa amá-los e apreciá-los cada vez mais pelo que são em Cristo e por quem estão se tornando à medida que crescem na Palavra. Ministrar como mulheres na igreja local significa aprender juntas a espalhar a boa nova do evangelho. Significa amar ativamente o crescente corpo de Cristo – a própria comunidade que Cristo ama – a noiva pela qual ele deu sua vida.

No fim dos tempos, quando celebrarmos a grande festa de casamento do Cordeiro, descobriremos que o nosso investimento na noiva de Cristo valeu cada interação dolorosa, cada noite sem dormir e cada serviço feito que passou despercebido. E, juntamente com todos os nossos irmãos e irmãs, passaremos a eternidade em louvor e adoração àquele que deu sua vida por nós.

Capítulo 5

O Mundo ao nosso Redor

Praticando o Evangelismo

Gloria Furman

Meu alvo com esse capítulo é demonstrar por que o ministério de mulheres que está fundamentado no estudo da Bíblia cumpre efetivamente a Grande Comissão. A primeira explicação que vem à mente é que eu, pessoalmente, devo minha eterna gratidão a Deus por esse tipo de ministério.

QUERO ALCANÇAR OS PERDIDOS. QUANDO APLICAR O ESTUDO BÍBLICO?

Jamie lançou a rede bem aberta naquela tarde no campus universitário. Sendo ela própria uma aluna universitária, aproximou-se de um grupo de calouras e perguntou se eram cristãs. Eu me identifiquei como tal. Eu achava que, como havia sido criada em um país cristão, não adorava nenhum deus estranho, havia frequentado a igreja com meus pais quando era criança e acreditava que Deus era real, então isso tudo fazia de mim uma cristã. Jamie convidou a mim e meus amigos para um evento muito divertido organizado pelo ministério de trabalho com universitários de uma igreja local. Havia música, comida e muito café. Naquela noite conheci algumas alunas mais velhas que me convidaram para me juntar ao estudo bíblico das calouras. No mar revolto das faces desconhecidas de um campus universitário, fiquei muito feliz por ter sido encontrada por pessoas tão maravilhosas e genuínas! Nas semanas seguintes, participei fielmente do estudo bíblico e completei as tarefas que me foram dadas no evangelho de João. Foi lá, por meio do meu cuidadoso estudo bíblico no contexto da comunidade, que descobri que, *na verdade, eu estava perdida*. Minha líder de estudo bíblico teve o cuidado e a preocupação de desafiar a suposição que eu fazia de mim mesma como cristã e me ajudou a compreender que minha criação e minha cultura não tinham nada a ver com o ser nascido de novo em Jesus Cristo. Passagens de nosso estudo bíblico em João, como a interação de Jesus com Nicodemos e a mulher no poço, de repente passaram a fazer todo o sentido para mim. Minha amiga compartilhou comigo as boas novas do sacrifício expiatório de Cristo na cruz em meu lugar, e pela graça de Deus, eu cri.

Ainda que meu testemunho não seja raro sob qualquer ótica, entendo que muitas mulheres possuem reservas com relação a convidar incrédulas para estudar a Bíblia com elas.

Alguns conceitos equivocados que já ouvi e que colocam em dúvida a efetividade de um estudo bíblico evangelístico foram:

- O melhor (ou único) material para tratar com incrédulos é a apologética específica para o seu contexto cultural ou religioso.
- Doutrinas confusas ou controversas precisam ser diluídas (ou banidas) se você estudar a Bíblia com um incrédulo, a fim de mostrar apenas o melhor lado do cristianismo.
- Crentes maduros não podem crescer espiritualmente em estudos bíblicos com a participação de incrédulos.
- Estudo bíblico indutivo é muito difícil para incrédulos compreenderem, de forma que, tratar de suas necessidades percebidas durante diálogos em algum tema ou métodos de aprendizagem passiva são as melhores formas de começar.
- As boas novas são mais difíceis de discernir em certos livros (ou gêneros) da Bíblia, então é melhor convidar os incrédulos aos estudos bíblicos somente se algum dos evangelhos estiver sendo estudado.
- O que torna um estudo bíblico evangelístico é que os professores compartilham o evangelho ao fim de cada sessão.
- Incrédulos têm muitos problemas com o pecado (vícios, imoralidade, incredulidade etc.) que precisam ser tratados antes que eles possam apropriadamente receber a Palavra de Deus por meio de um estudo bíblico.

- A Bíblia não gera real interesse nos incrédulos, então por que estamos tendo essa discussão?

Mas talvez o conceito equivocado que ganhe o prêmio de mais absurdo de todos seja este: "As mulheres são emocionais, não racionais, então, estudar a Bíblia é inútil para elas, especialmente se forem mulheres incrédulas, que não têm a mente de Cristo".

Com todos esses conceitos equivocados sobre o estudo bíblico e evangelismo (e sobre mulheres!) ao nosso redor, será que é apropriado que nos sintamos confiantes de que o estudo bíblico é uma bênção para as mulheres incrédulas em nossas vidas? Se nos atrevermos a mergulhar nessas águas ambíguas, como poderemos ter a segurança de que o estudo bíblico é digno de confiança para o evangelismo e nos levará à terra firme? Será que o estudo bíblico não é designado primeiramente para aqueles que já são crentes? Será que existe um ponto ideal de onde se iniciar o estudo bíblico quando se espera atrair incrédulos? Como o estudo bíblico pode ser relevante às situações desesperadoras nas quais nossos amigos incrédulos se encontram? Será que um simples exercício intelectual como o estudo bíblico não abafa o entusiasmo evangelístico? O estudo bíblico parece uma ferramenta meio inútil no cinto de utilidades do ministério quando pensamos em mulheres que estão machucadas. Será que podemos confiar que o estudo bíblico é um meio claro e compreensível para compartilhar o evangelho com essas mulheres? Será que o mesmo é verdade para estudos bíblicos indutivos, versículo por versículo? E se estivermos estudando 2 Reis 2.24 naquele dia? Será que os incrédulos estão de alguma forma interessados no estudo bíblico, ou será apenas uma discussão sobre o sexo dos anjos?

Nossos conceitos equivocados precisam ser esclarecidos, e nossas perguntas precisam de respostas. Creio que seja um tremendo encorajamento considerar que, mesmo à luz de diversas soluções pragmáticas, não precisamos olhar além da Palavra de Deus para os esclarecimentos e respostas que buscamos.

A principal pergunta que farei nesse capítulo é: *O que o estudo bíblico tem a ver com nossa missão de alcançar mulheres para Cristo?* A resposta que defenderei é um abrangente: "Tudo!" Para que os leitores não temam nunca chegar ao fim desse capítulo, limitei meu argumento a alguns pontos específicos. Para o propósito desse livro também limitei minha discussão ao contexto do estudo bíblico entre mulheres, embora certamente esses efeitos do estudo bíblico estejam atuantes em diversos outros contextos.

1. O estudo bíblico alimenta nosso zelo evangelístico.
2. O estudo bíblico equipa embaixadores saudáveis.
3. O estudo bíblico marca o território para todos nós: Você está aqui!
4. O estudo bíblico nos mostra Deus.
5. O estudo bíblico transforma visitantes em anfitriões.

O ESTUDO BÍBLICO ALIMENTA NOSSO ZELO EVANGELÍSTICO

Como podemos obter uma paixão por ganhar almas? Antes de respondermos positivamente a essa pergunta, penso ser útil compreender o que não irá inflamar nossos corações pelo evangelismo. Não nos sentimos inclinados a convidar outras pessoas ao nosso banquete se estivermos em pé em um canto do salão bebericando um copo de água choca. Quando não estamos sendo nutridos pela Palavra de Deus que nos dá a vida, percebemos que temos muito pouco entusiasmo em compartilhar sua Palavra com outros.

Mas o que acontece quando nos sentimos como o salmista? "Consumida está a minha alma por desejar, incessantemente, os teus juízos [decretos]" (Salmo 119.20). O que acontece quando estamos famintos pelo pão que Jesus afirma que nos satisfará para sempre (João 6.51–58)? Ansiamos pelo pão da vida que nos satisfará para sempre. Aprendemos sobre ele em sua Palavra. "Abro a boca e aspiro, porque anelo os teus mandamentos" (Salmo 119.131). Espalhar a adoração do Cristo ressurreto por meio do evangelismo é um reflexo de ter experimentado e visto sua bondade na Palavra de Deus. Quando o Espírito Santo aviva nossos corações para a doce satisfação de tudo que Jesus é para nós e em nós, então se torna impossível parar de falar dele!

Contrário a todos os conceitos equivocados, as mulheres que se engajam no estudo bíblico estão, na verdade, *sendo equipadas* para a boa obra do evangelismo e das missões, e não sendo afastadas delas. Deus inspirou sua Palavra a fim de nos fazer completos para essas coisas e não ter falta de ensino, repreensão, correção e instrução que precisamos para obedecer à Grande Comissão (Mateus 28.18-20; 2 Timóteo 3.16-17).

Além de todo o aprendizado que precisamos para alcançar os perdidos, a própria Bíblia inflama nosso zelo em ver o nome de Deus adorado entre as nações. Tenho o privilégio de ver isso acontecer entre as mulheres em minha igreja local que, na providência de Deus, é um local de encontro de pessoas de muitas nações. O evangelismo das mulheres flui naturalmente por meio de seus estudos bíblicos umas com as outras, conforme elas instintivamente convidam mulheres incrédulas presentes em suas vidas para compartilhar o tesouro que encontraram. Isso acontece em encontros informais em suas salas, com seus filhos pequenos andando tropegamente em volta de seus pés, enquanto falam das Escrituras com suas vizinhas, e também em estudos mais organizados em grupos que se reúnem por um tempo determinado para estudar um livro específico. Essas mulheres são como a mulher samaritana no poço que testificou: "Vinde e vede" (João 4.29).

Já ouvi mulheres lamentando que gostariam de compartilhar sua fé com outras mais vezes. Podemos nos sentir desapontadas em nossa falta de paixão por ganhar almas. Talvez nosso desencorajamento em compartilhar o evangelho cresça por conta das acusações do inimigo quanto à nossa integridade. De fato, muitas de nós perdemos nosso próprio senso de encantamento diante do fato de que somos conhecidas por

Deus. Nosso Pai celestial conhece e compreende a fragilidade de nossos corações, e Jesus se compadece da nossa fraqueza, tendo ele mesmo sido revestido de carne humana para sempre. Uma das maravilhas de compartilhar as boas novas é que Deus é fiel em inflamar nossos corações com afeições por ele que são maiores que qualquer outra coisa que possamos desejar nesse mundo. O pastor escocês Thomas Chalmers se refere a isso como "o poder exclusivo de uma nova afeição".[1] Em outras palavras, quando nosso prazer está no Senhor, ele se torna o desejo de nossos corações. Nossos corações tímidos não têm motivo para temer que nosso Deus gracioso possa se manter indiferente àqueles que buscam sua face dia e noite.

Isso é verdade para nós que fomos adotados em sua família para todo o sempre e também para aquelas ovelhas perdidas a quem Jesus está buscando. Certamente ele tanto deseja quanto é capaz de satisfazer os anseios daqueles que querem experimentar e ver sua bondade. Quando nos engajamos no estudo bíblico, encontramo-nos mergulhados na alegria de ter encontrado a "única coisa" que não pode ser tirada de nós.

> Confia no SENHOR e faze o bem; habita na terra e alimenta-te da verdade.
> Agrada-te do SENHOR, e ele satisfará os desejos do teu coração. (Salmo 37.3 - 4)

Deus criou a nós e aos nossos próximos para sermos criaturas dependentes de comida, de forma que pudéssemos ter uma ideia do que Jesus quis dizer quando falou, "Eu sou o pão vivo que desceu do céu; se alguém dele comer, viverá eternamente; e o pão que eu darei pela vida do mundo é a minha carne" (João 6.51). A simplicidade e prioridade de se levar a Palavra de Deus aos incrédulos, sejam nossos amigos, vizinhos ou mesmo povos ainda não alcançados, tanto próximos quanto distantes, são claras. Jesus almeja nos satisfazer consigo mesmo para sempre, e é por meio de sua Palavra viva e ativa que ele oferece a revelação de si mesmo que nos torna "sábio para a salvação pela fé em Cristo Jesus" (2 Timóteo 3.15).

Quando a ideia de abrir a Palavra de Deus com amigas incrédulas é intimidadora para mim por qualquer razão, tenho sido pessoalmente encorajada pela ideia de que sou simplesmente uma mulher faminta dizendo a outra mulher faminta onde encontrar o pão da vida. Mais de uma pessoa é servida de mais formas que apenas uma. Sim, minhas amigas incrédulas têm a oportunidade de ouvir o Deus vivo por meio de sua Palavra quando abro a Bíblia com elas, mas eu também sou duplamente abençoada. Ao invés de ser consumida pelos meus próprios desejos, necessidades e problemas em meu estudo da Bíblia, compartilhar a Palavra de Deus com outras mulheres serve para reorientar o foco para fora de mim mesma em adoração a Deus e em serviço ao próximo. Também passo a viver com a prioridade de alimentar a mim mesma antes de tentar alimentar os outros – assim como as comissárias de bordo lembram os passageiros de colocar primeiramente suas próprias máscaras de oxigênio.

"É como um redemoinho de vento; ele simplesmente te suga para dentro!" Uma missionária falou sobre a alegria de ver o que acontece quando ela leva os seus a lerem a Palavra de Deus por conta própria. Em uma ocasião em particular, ela aconselhou sua amiga a iniciar a leitura pelo evangelho de Lucas, mas, quando se encontraram novamente, sua amiga começou a atirar perguntas baseadas no que havia lido no livro de Atos. "Perdoe-me por ter me explicado mal", a missionária se desculpou. "Deveria ter marcado a página em Lucas para você. Suas perguntas são sobre Atos, um outro livro". Sua amiga respondeu, "Sim, eu li Lucas, mas não consegui parar de ler". A Palavra de Deus viva e ativa falou àquela mulher, e ela se sentiu compelida a ler mais e mais — e a missionária se sentiu encorajada a compartilhar a Palavra com ainda mais audácia. Não sei dizer se aquela mulher se tornou cristã, mas sua história nos lembra de que a Bíblia não é uma coleção estática de histórias sobre Deus. A Palavra de Deus é o próprio Deus falando. Não ousemos tratar o estudo bíblico ou a leitura da Escritura meramente como uma ferramenta em nossa caixa de ferramentas de evangelismo. A Palavra de Deus não está simplesmente *no centro daquilo* que queremos dizer às nossas amigas e vizinhas incrédulas, mas é aquilo que elas precisam saber e que nós podemos nos entusiasmar para oferecer. Sua história também demonstra o absurdo da suposição de que as mulheres são categoricamente desinteressadas e incapacitadas para o rigor do estudo bíblico.

O estudo bíblico mantém nosso zelo fundamentado na verdade não ajustável contida no evangelho. Mesmo na pluralidade de contextos de se viver de forma missionária ao redor do mundo, a mensagem que proclamamos precisa permanecer a mesma. Talvez a maior (e a mais destrutiva) tentação em relação a missões esteja em presumir ou mesmo distorcer a mensagem do evangelho. Lemos em Romanos 1.1-6 que a mensagem é o evangelho de Deus: *Deus decide as boas novas das quais precisamos*. Esse evangelho trata da pessoa e obra de seu Filho, Jesus: *Deus define o conteúdo da mensagem*. O objetivo do evangelho de Deus é levar obediência em fé por amor de seu nome para todas as nações: *Deus determina o resultado de suas boas novas ao serem cridas*. Pela graça de Deus, nosso comprometimento em proclamar o único evangelho que dá vida jamais pode vacilar. Pela graça de Deus, nosso desejo de sermos usados por ele para sua missão também deveria ser influenciável e sensível ao seu Espírito. Onde mais podemos compreender essas coisas senão no estudo de sua Palavra eterna?

Na Palavra de Deus podemos compreender que Cristo subiu aos céus enquanto ainda estava em carne, e que sua encarnação dura para sempre. Compelidas pelo amor desse Cristo, igrejas locais andam no poder de seu Espírito em todos os nossos esforços evangelísticos. Ao resistir ao desejo de nos reunirmos somente com mulheres que se parecem conosco, que moram em casas como as nossas, consomem os mesmos produtos e vestem as mesmas marcas que nós, podemos compartilhar livremente o evangelho com qualquer uma sem exceção, preconceito ou inveja. Na Palavra de Deus, lemos sobre como o Filho eterno se agradou em revestir-se de carne humana, e vemos como é apropriado que, como escolhidos de Deus, tenhamos corações compassivos em relação a todos os homens e mulheres (Colossenses 3.12). Nosso zelo por evangelismo é alimentado pela compreensão dessas verdades em nossos corações conforme o Espírito Santo atiça o fogo de nossas afeições por Cristo e sua Palavra.

EMBAIXADORES SAUDÁVEIS PRECISAM DE ESTUDO BÍBLICO

Jesus disse: "Paz seja convosco! Assim como o Pai me enviou, eu também vos envio" (João 20.21). Ele nos comissionou como seus enviados, embaixadores que levam o anúncio de que Deus garantiu anistia a todos aqueles que se apegam a ele em fé. O transbordamento evangelístico de nossos estudos bíblicos com mulheres terá uma cara diferente em cada lugar do mundo. A "obra da Palavra" capacitada pelo Espírito está acontecendo entre os discípulos de Jesus em todo lugar — entre aldeãs em Cidade Quezon, parteiras em Lagos, gerentes de hotéis em São Paulo e avós em Chapel Hill. Temos todos os motivos para nos regozijarmos na diversidade de nossos ministérios entre mulheres por todo o mundo porque o Espírito Santo que habita em nós distribui os dons a cada uma de acordo com sua vontade (Hebreus 2.4). Você verá uma amostra de testemunhos sobre esse aspecto do ministério entre mulheres no capítulo sobre dons (ver Capítulo 9).

Uma vez que a comissão de Cristo para nós assume que seu corpo viverá junto em missão, é preciso que seu Espírito nos capacite em nossos esforços para trabalharmos em equipe à medida que flexionamos os músculos do discipulado cristão. A triunidade do Deus que nos deu vida eterna, que nos comissionou e nos preparou para o ministério, é uma imensa razão para colocarmos de lado nosso ceticismo baseado em diferenças superficiais com relação a outras mulheres. Fomos chamados para estarmos juntos, fortalecendo-nos e preparados para que possamos ser espalhados para todos os cantos da terra, levando sua mensagem de boas novas. Penso no reflexo, de certa forma involuntário, das igrejas internacionais cheias de "forasteiros" (1 Pedro 1.1), crentes expatriados que se acharam transplantados para novas cidades por todo o mundo por alguns anos por conta da natureza de seu trabalho. Eles são levados a um novo lugar e (se Deus quiser) inseridos em uma igreja local onde são discipulados e discipulam outros — particularmente por meio do estudo bíblico, tão fundamental para a formação espiritual no contexto da comunidade. Então, tão logo se acostumam com uma cidade, são levados para outra, levando o evangelho com eles. É um ritmo que alunos universitários conhecem bem, visto que se estabelecem em um lugar apenas para logo serem enviados para outro.

Mulheres possuem contribuições únicas para dar a esse tipo de trabalho transcultural simplesmente por serem mulheres. A forma como as mulheres são vistas em diferentes regiões ao redor do mundo varia muito. Que oportunidade incrível as mulheres têm para falar a verdade em amor a outras mulheres que nunca ouviram falar que Deus as criou à sua imagem e que ele as considera preciosas e valiosas! Estou pensando particularmente nos muitos contextos culturais em que é apropriado *somente* às mulheres fazerem amizade com outras mulheres. Especialmente quando colocadas em tais contextos, não lamentamos a falta de oportunidade de alcançar os homens, mas, em vez disso, focamo-nos na responsabilidade que o Senhor nos deu (uma grande responsabilidade) de alcançar mulheres, prontas para espalhar a semente da Palavra plantada em nós.

A forma orgânica como o povo de Cristo vai e é enviado a todo lugar e em todas as fases da vida é facilitada pelo Espírito que habita em nós, que nos guia e direciona. Pessoalmente, tenho em grande conta muitas ocasiões nas quais outras mulheres me visitaram em minha casa para me trazer refeições quando meus bebês nasceram. Além de me ajudarem no provimento físico da minha família crescente, essas mulheres oravam comigo e compartilhavam momentos de amizade, às vezes sobre o que perdi no estudo bíblico ou no sermão daquela semana na igreja. Como resultado, agora estou mais preparada para levar a Palavra a outras, onde quer que eu seja colocada. Mulheres cheias da Palavra ministram umas às outras em todos os nossos contextos porque estamos andando pelo Espírito, que inspirou aquela Palavra em primeiro lugar. Levamos conosco a mensagem que nos foi dada, que é a Palavra de Deus — amada, crida, obedecida e meditada dia e noite.

A mensagem de esperança às nações, a força do ministério e o conforto nas dificuldades ao longo do caminho pertencem a *todas* nós no corpo de Cristo. Que privilégio glorioso temos ao passar adiante essas verdades como mulheres cheias pelo Espírito, unicamente criadas e capacitadas por Deus para o louvor de sua glória.

O ESTUDO BÍBLICO MARCA O TERRITÓRIO PARA NÓS: VOCÊ ESTÁ AQUI!

Existe algum outro caminho no ministério onde com mais frequência vemos almas reavivadas e corações fortalecidos? É algo notável estar em um estudo bíblico como testemunha ocular quando alguém percebe a história de sua própria vida — a vida *dela* — é na verdade uma parte da Maior de Todas as Histórias. Pensamos que nossas vidas possuem viradas de trama e surpresas, e imaginamos conosco mesmas, "Será que esse momento foi o clímax? Ou será que foi aquele?" Essa é uma pergunta justa a se fazer, e uma que a Bíblia deixa muito clara. Quando tomamos o cuidado de incorporar teologia bíblica em nosso estudo da Bíblia, a centralidade do evangelho emerge em cada página. Que choque é para nós quando vemos nas Escrituras que o clímax de nossas vidas na verdade já aconteceu — na cruz e no túmulo vazio! E que perspectiva incrível é quando nos damos conta das implicações eternas de nosso destino em Jesus Cristo. Essa é a grande história que faz todas as outras pequenas histórias terem sentido.

A partir dos sessenta e seis livros da Bíblia emerge uma única narrativa sobre a missão de Deus de estabelecer um reino para seu Filho, onde ele reinará para sempre com a noiva que ele comprou e purificou para si mesmo. Quando ajudamos outras pessoas a seguirem o enredo da Bíblia, com Jesus Cristo brilhando como a personagem principal do início ao fim, então, o evangelho é lindamente esclarecido por meio de todos os diversos gêneros literários que o Senhor nos deu em sua Palavra compreensível. Todas as promessas de Deus, temas e tipologias nas Escrituras lançam luz sobre o palco onde se desenrola a história para revelar o Senhor da glória crucificado, ressurreto e ascendido como o centro de todas as coisas.

Considere o templo de Deus como apenas um exemplo, uma vertente do enredo que se estende por toda a Bíblia e nos faz ansiar pelo lugar da presença de Deus. Deus criou o jardim do Éden para Adão e Eva habitarem nele, e caminhou ali com eles. No entanto, por conta do pecado deles, Deus expulsou Adão e Eva de sua santa presença e colocou um anjo com uma espada flamejante para guardar a entrada do jardim. Mais adiante na Bíblia, lemos sobre o tabernáculo, um local temporário prescrito por Deus para ser sua habitação em meio ao seu povo. Então, uma vez que Israel ocupou a Terra Prometida, o Senhor veio em uma nuvem de glória para habitar no Santo dos Santos no templo em Jerusalém (1 Reis 8.10–11). Sua presença entre eles foi tornada possível por sua provisão do sistema sacrificial: sacerdotes ofereciam sacrifícios diariamente em nome do povo pecador. O templo foi destruído quando a monarquia caiu e, ao longo de cativeiros e exílios, o povo de Deus lamentou (e algumas vezes esqueceu) que o Senhor não mais habitava entre eles em seu santo templo.

Mas a história não havia acabado. Os que retornaram do exílio reconstruíram o templo e aguardaram. E Deus veio — mas dessa vez não em uma nuvem. Jesus Cristo veio, entrou no templo e fez uma declaração que deixou todo mundo doido: "Destruí este santuário, e em três dias o reconstruirei" (João 2.19). Aqueles que o escutavam assumiram que ele estava fazendo uma afirmação audaciosa sobre o prédio, mas ele estava se referindo ao seu corpo (João 2.21). Jesus é Deus em carne; ele "tabernaculou" entre nós — viveu, morreu na cruz como o sacrifício perfeito e ressuscitou. Por meio da fé em Jesus, o povo de Deus é reunido no "corpo de Cristo", que é o templo do Espírito Santo (1 Coríntios 3.16-17; Efésios 2.19–22). Outra ideia que deixou o povo doido (e ainda deixa em certas partes do mundo) é de que as mulheres estejam incluídas nesse santo ajuntamento do povo de Deus. Por meio do Espírito Santo que habita em nós, Jesus habita igualmente em nós e em nosso meio, de forma que ele possa dizer: "Eis que estou convosco todos os dias até à consumação dos séculos" (Mateus 28.20). A Bíblia nos leva a ansiar pelo fim dos tempos, quando haverá uma cidade jardim não feita por mãos humanas e, naquele lugar estará o trono de Deus e o Cordeiro, e seus servos o adorarão (Apocalipse 22.1-5). Não haverá templo lá, pois "o seu santuário é o Senhor, o Deus Todo-Poderoso, e o Cordeiro" (Apocalipse 21.22). Nós — tanto homens quanto mulheres

— veremos a face de Deus porque ele habitará entre nós para todo o sempre. Do Gênesis ao Apocalipse, da criação à recriação, a história forma uma unidade.

O autor da História graciosamente interveio em nossas vidas quando ainda éramos pecadores e morreu por nós na cruz (Romanos 5.8). Esse é o clímax da história. A crucificação do Filho de Deus — o ponto de virada da história da humanidade — também é o nosso ponto de virada. O plano de resgate que foi idealizado no santíssimo conselho da trindade foi colocado em ação antes mesmo de qualquer um de nós ter nascido. Agora, nosso Deus gracioso ordena a todos, em todos os lugares, que se arrependam, porque ele fixou um dia quando julgará o mundo com justiça por meio de um homem que ele designou; e disso ele deu garantia a todos ao levantá-lo dos mortos (Atos 17.30-31). O cuidadoso estudo da Escritura permite aos nossos amigos incrédulos verem o quadro completo e compreenderem onde eles estão à luz da história do Deus da redenção.

Pense na contínua avalanche de mensagens que o mundo manda às mulheres sobre quem elas são, o que elas fazem e como podem se sentir satisfeitas. E pense no vasto acervo de sabedoria na Palavra de Deus que aguarda as mulheres que estão famintas por conhecerem os bons e eternos propósitos de Deus para elas, para lhes dar, juntamente com todo o povo de Deus, esperança, futuro e dignidade. E apenas pense em como essa nova visão de mundo que contempla a eternidade nos livra dos minúsculos mundos nos quais temos nos escondido. Esse mesmo abrir dos olhos por meio da Palavra também acontecerá com nossas irmãs que ainda ouvirão e responderão ao evangelho.

Como mudaria a forma como nossas amigas incrédulas enxergam a Bíblia, se elas compreendessem que são parte *da* história? Você consegue imaginar o deleite delas ao perceber que a narrativa que Deus escreveu para as mulheres é diametralmente inversa à desse mundo, que é passageira? O que elas entenderiam sobre a relevância das Escrituras às suas vidas cotidianas (e eternas)? Como essa nova perspectiva mudaria a forma como elas enxergam sua sexualidade, ou sua maternidade, ou sua vida como solteiras, ou o processo de envelhecimento? Onde o Espírito de Deus poderia enviá-las com essa mensagem de reconciliação com Deus — ao apartamento vizinho, ao arranha-céu do outro lado do mundo, ao escritório ali do lado, aos seus próprios lares?

Precisamos permitir que nossas amigas enxerguem o quadro completo da teologia bíblica. A claridade irrompe com brilhante esplendor para fora da nebulosa confusão quando ensinamos que as chamadas histórias aleatórias da Bíblia, na verdade servem para, coletivamente, nos apontar para a maior de todas as (e única) histórias. Tenho uma amiga de um país oriental que disse que é um costume em sua cultura enviar condolências para as novas mães que deram à luz uma menina. Essa anedota pode soar dramática aos ouvidos ocidentais, mas considere as implicações do dito irônico aos novos pais de meninas: "Melhor comprar uma espingarda pros futuros pretendentes". Em todas as partes do mundo, as mulheres desesperadamente precisam ouvir como uma cosmovisão bíblica molda a forma como elas se enxergam. Que lugar melhor para aprender essa mentalidade radicalmente diferente e fazer perguntas em um ambiente seguro do que em um estudo bíblico entre outras mulheres?

A teologia bíblica revela a Maior de Todas as Histórias e toda a sua grandeza em alta definição. De uma só vez você quer apenas relaxar e enxergar tudo enquanto simultaneamente está obcecado com cada um dos minúsculos pixels que conseguir enxergar. Aspectos de nossa personalidade costurados no próprio tecido de quem somos, tais como o fato de que Deus nos criou como portadores de sua imagem com um gênero sexual vêm à mente. Pela graça de Deus, podemos ajudar nossos amigos e familiares incrédulos a se enxergarem na história de Deus por meio do estudo de sua Palavra. Quando elas começarem a enxergar com os olhos do coração o Deus que disse: "Das trevas resplandecerá a luz", brilhará em seus corações para trazer a luz do conhecimento de sua glória na face de Jesus Cristo (2 Coríntios 4.6).

O ESTUDO BÍBLICO NOS MOSTRA DEUS

A temível santidade de Deus é bela àqueles que já se esconderam em Jesus Cristo, o único mediador entre Deus e os homens (1 Timóteo 2.5). Mas àqueles que estão fora de Cristo, espiritualmente mortos, ainda que vivos, a santidade de Deus é um horror inconcebível. Precisamos reconhecer e utilizar a natureza evangelística do estudo bíblico porque nossas amigas perdidas precisam ver Deus e viver. Mas enquanto elas permanecerem fora de Cristo, não podem ver Deus e viver. Todos nós temos o mesmo problema: nosso pecado nos separa de nosso santo criador, Deus, que declarou, "Homem nenhum verá a minha face e viverá" (Êxodo 33.20). A sensação de queda que nos dá aquele frio no estômago por termos tido nosso pecado descoberto por outro ser humano pecador não é nada senão uma fração do terror que os seres humanos sentirão quando perceberem que foram contemplados pela glória do Deus vivo.[2] Nosso pecado nos separa de Deus e traz o justo julgamento de Deus e sua punição eterna.

Confessar aquele pecado em um lugar onde elas estejam confiantes (ou ao menos esperançosas) de encontrar ouvidos empáticos é de grande valor para muitas mulheres. Quantas vezes eu já não estive em estudos bíblicos com outras mulheres que tomaram aquelas ocasiões como oportunidades para confessar seus pecados na presença de crentes que poderiam levá-las ao Salvador. Essas conversas foram facilitadas pela Palavra de Deus, que brilha sua luz na escuridão de nossos corações. O Espírito de Deus usa a Palavra como seu instrumento de convicção, edificação, correção, instrução e repreensão, o que, em última análise, leva à vida abundante e geração de frutos. Mulheres cheias da Palavra possuem um dom especial de ajudar outras mulheres que estão vendo Deus em sua Palavra e vendo a si mesmas à luz dessa Palavra, lutando com o problema do pecado e batalhando contra as tentações.

Nossas vizinhas, colegas de trabalho, parentes e outras pessoas queridas um dia se encontrarão face a face com o Santo de Israel, e sabemos onde elas podem encontrar o livre acesso à sala do trono no céu do qual precisarão naquele dia. Temos o privilégio de levar as boas novas de Deus a respeito de seu Filho. Podemos responder ao seu chamado e entregar nossas vidas a fim de fazer essa declaração:

> "Tu, ó Sião, que anuncias boas-novas, sobe a um monte alto! Tu, que anuncias boas-novas a Jerusalém, ergue a tua voz fortemente; levanta-a, não temas e dize às cidades de Judá: Eis aí está o vosso Deus!"
> (Isaías 40.9)

Como é possível que homens e mulheres pecadores possam contemplar a Deus e viver? Jesus disse em seu Sermão do Monte, "Bem-aventurados os limpos de coração, porque verão a Deus" (Mateus 5.8). Mas nenhum de nós é justo, *nem um sequer* (Salmo 14.10; Romanos 3.10–12). Mesmo as mulheres mais modestas e gentis, as mulheres mais religiosas e piedosas, e as mulheres mais bem-sucedidas que olham a todos como se não precisassem de nada, todas elas precisam disto se desejam ver Deus e viver: graça. E de onde essa graça vem? Ela vem do evangelho – o evangelho que é proclamado, explicado e no qual nos regozijamos em nosso estudo da Bíblia. De acordo com sua Palavra, o próprio Deus estabeleceu uma forma para que nós e todos que são parte de seu povo vejamos sua face e vivamos, e a forma exclusiva para que possamos experimentar essa alegria indescritível é por meio de Jesus Cristo e sua obra expiatória na cruz.

> Porque Deus, que disse: Das trevas resplandecerá a luz, ele mesmo resplandeceu em nosso coração, para iluminação do conhecimento da glória de Deus, na face de Cristo. (2 Coríntios 4.6)

A própria visão da glória de Cristo na cruz nos transforma (2 Coríntios 3.18), e essa é a obra do Espírito Santo de Deus. Em nossos estudos bíblicos temos oportunidade após oportunidade de ver como o Deus trino tem destruído cada impedimento, cada obstáculo e cada ameaça à nossa felicidade nele. O Antigo Testamento antecipa essa libertação. Nos evangelhos, Jesus anuncia que ele é o Messias que veio para libertar os cativos. Em Atos e nas Epístolas vemos como essa liberdade é vivida no poder do Espírito que habita em nós. A visão apocalíptica de João em Apocalipse nos mostra que por causa do que Jesus fez por nós na cruz, podemos ansiar pelo dia em que Cristo voltará e nos levará para a eternidade com Deus onde a promessa é cumprida: "Contemplarão a sua face". (Apocalipse 22.4).

Podemos e devemos convidar outras pessoas para ver o que vemos na Palavra de Deus, a fim de tornar nossa alegria completa (1 João 1.1–4). Em nossos estudos bíblicos nos reunimos para nos alimentarmos, mas lembremo-nos de que ser alimentado também significa alimentar outros.

> Conheçamos e prossigamos em conhecer ao SE-
> NHOR; como a alva, a sua vinda é certa; e ele desce-
> rá sobre nós como a chuva, como chuva serôdia que
> rega a terra. (Oséias 6.3)

Quando essa alva surgir, e o dia da eternidade começar, estaremos ao lado de gerações de homens, mulheres e crianças, desde vizinhos até pessoas do outro lado do mundo, todas cantando louvores à sua graça gloriosa:

> Ao nosso Deus, que se assenta no trono, e ao Cordeiro,
> pertence a salvação. (Apocalipse 7.10)

Amo pensar a respeito das mulheres que Deus soberanamente trouxe à minha esfera de influência e orar por cada uma delas, pedindo a Deus por oportunidades de compartilhar essas palavras que trazem vida. E as mulheres que *você* conhece? Olhe do outro lado da rua, da sua sala de estar, da sua baia no escritório e imagine *quem* pode ser sua esperança, ou alegria, ou coroa para regozijar-se diante de nosso Senhor Jesus em sua vinda (1 Tessalonicenses 2.19)? Pela graça de Deus, que seja a mulher que acabou de vir à sua mente.

O ESTUDO BÍBLICO TRANSFORMA VISITANTES EM ANFITRIÕES

Não há necessidade de se sentir nervosa ou insegura ao convidar incrédulas para seu grupo e estudo da Bíblia.

Precisamos nos afastar da nossa culpa de consumidor no que se refere ao banquete da Palavra de Deus e comunhão com seu corpo. A razão para isso é que a ansiedade boa que sentimos quando nos reunimos para um tempo de comunhão ao redor da Palavra de Deus nos diz algumas coisas verdadeiras sobre o próprio Deus. Diz que ele é o nosso Bom Pastor e, sob os seus cuidados, não temos com o que nos preocupar. Diz que ele nos guia a pastos verdejantes que restauram nossas almas. Diz que temos uma necessidade da sua liderança nos caminhos da justiça e de seu conforto no vale da sombra da morte. Diz que sua presença desfaz nossos medos, e sua disciplina paternal nos corrige. Diz que não há ninguém que possa nos satisfazer, e nos dá a garantia de que estamos seguros para sempre em seu amor. Não há lugar para a falsa culpa de consumo porque não podemos adicionar nada a Deus e sua Palavra; só podemos receber deles.

Ao compreendermos a satisfação que humildemente recebemos da pessoa de Cristo e sua Palavra, que é nosso alimento, passa a fazer completo sentido que convidemos qualquer um e todo mundo para vir e ter seus cálices cheios até transbordar. Nenhum de nós pode viver somente de pão, mas todos temos a necessidade de provar e ver que Jesus, o pão da vida (João 6.48), é bom. "Porque o pão de Deus é o que desce do céu e dá vida ao mundo" (João 6.33). Que lugar melhor pode existir para alguém que está curioso ou até mesmo cético para puxar uma cadeira e se juntar ao banquete do que na companhia dos convidados da festa que já sabem o quão boa está a comida? Quando as pessoas encontram algo bom, elas contam aos outros a respeito disso.

PENSAMENTOS FINAIS

O estudo bíblico não deveria ser visto como algo opcional, uma forma periférica de alcançar mulheres com o evangelho. O estudo bíblico é tão central para se ganhar almas quanto o sistema digestivo é para a alimentação do corpo. Quanto mais profundamente investigamos o significado da Palavra de Deus, mais proximamente podemos seguir a Deus e nos aproximarmos daquele que se revelou a nós como "o caminho". Por meio do cuidadoso estudo bíblico podemos chegar ao conhecimento da verdade que aponta para aquele que se revelou a nós como "a verdade". Como consequência, em nosso diligente estudo da Bíblia, recebemos sustento da Palavra, que se revelou a nós como "a vida" (João 14.6).

No estudo bíblico de mulheres da universidade onde me tornei cristã, eu fui introduzida à *vida*, apresentada ao *caminho* e ensinada sobre sua *verdade*. Conforme mergulhava no banquete colocado diante de mim na Palavra de Deus, ele me transformava de uma convidada agnóstica em uma anfitriã entusiasmada, convidando mais e mais mulheres a virem provar e ver a bondade de Deus.

Nós, cristãos, afirmamos que a Bíblia deve ser recebida como a Palavra autoritativa de Deus, e negamos que a Escritura recebe sua autoridade da igreja, tradição ou qualquer outra fonte humana.[3] Visto que a Bíblia não é apenas uma coleção de palavras sobre Deus, mas a própria Palavra autorrevelada de Deus, não podemos simplesmente subestimar seu valor em nossos esforços pessoais de conhecer Deus e apresentá-lo àqueles que ainda não o conhecem. Uma vez que a fé vem pelo ouvir, e ouvir a palavra de Cristo (Romanos 10.17), podemos ter uma confiança única em instar outros a se juntarem a nós em expectativa e oração para que muitos venham à fé em Cristo conforme estudamos sua Palavra juntos.

Milhões e milhões de pessoas no mundo ainda não aproveitaram (ou foram legalmente proibidas de aproveitar) dos benefícios dados a nós pelos reformadores, alguns dos quais deram suas vidas para que pudéssemos ter acesso à Palavra de Deus. Enquanto tivermos vida e fôlego, é nosso alegre dever nos doarmos ao discipulado da Grande Comissão, que inclui ajudar as Escrituras a se tornarem mais acessíveis e compreensíveis a todos. O que o Espírito poderia fazer por meio de mulheres cheias da Palavra cuja firme segurança está no Deus que nos deu sua Palavra? Nosso ministério de reconciliação (2 Coríntios 5.18) abarcaria todos os aspectos de nosso ministério entre mulheres.

Firmados na Palavra de Deus e no transbordar de alegria por termos sido reconciliados com Deus em Cristo, apelamos aos pecadores que se arrependam e creiam no evangelho: "Amigo, o que você fará a respeito de seu pecado? 'Mas quem poderá suportar o dia da sua vinda? E quem poderá subsistir quando ele aparecer?' (Malaquias 3.2). Onde você encontrará a esperança e paz verdadeiras que duram para sempre? Quero que você venha à cruz comigo. Como precisamos desesperadamente dele! 'Porque o fim da lei é Cristo, para justiça de todo aquele que crê' (Romanos 10.4). 'O Espírito e a noiva dizem:

Vem! Aquele que ouve, diga: Vem! Aquele que tem sede venha, e quem quiser receba de graça a água da vida' (Apocalipse 22.17). Reconcilie-se com Deus por meio de Cristo. Não há outro caminho para o Pai. Você não virá comigo para Jesus?"

Fomos feitos para viver pela Palavra de Deus e para viver para sempre! Tanto quanto estiver ao nosso alcance, precisamos levar a Palavra de Deus tão a sério quanto ela própria se leva quando formos estudá-la umas com as outras e também com nossas amigas incrédulas. Devemos fazê-lo com expectativa, porque quando o Espírito de Deus ilumina a Escritura e dá às pessoas ouvidos para ouvir, então as águas da vida eterna jorram no deserto. Jesus disse, "Se alguém tem sede, venha a mim e beba. Quem crer em mim, como diz a Escritura, do seu interior fluirão rios de água viva" (João 7.37–38). Sedentos por Jesus, bebemos de sua Palavra que nos sustenta a vida. Quando nossa sede for aplacada, não poderemos fazer outra coisa senão nos virarmos àqueles ao nosso redor e convidá-los a vir ver o homem (João 4.29). Quando isso acontecer, que nossos diversos ministérios entre mulheres possam estar preparados para mergulhar imediatamente.

Capítulo 6

Os Confins da Terra

Pensando em Nível Global

Keri Folmar

Que tipo de ministério ajuda mães soropositivas que estão vivendo na pobreza? Como o evangelismo pode ser encorajado em um país onde o proselitismo é ilegal e a conversão é punível com a morte? Como uma igreja com membros de diversos países cultiva a unidade entre mulheres de culturas contrastantes?

As questões que surgem nas igrejas ao redor do mundo são tão variadas quanto as culturas nas quais elas surgem. E as formas como as mulheres ministram umas às outras são tão diversas quanto as diferentes culturas onde ministram. As questões e os métodos cotidianos diferirão, de fato, de um país para o outro, mas os ministérios mais frutíferos entre mulheres ao redor de todo o mundo têm três coisas em comum: *saturação da Palavra de Deus, clareza sobre o evangelho, e ligação com a igreja local.*

Um ministério frutífero surge quando as mulheres se impregnam da Palavra de Deus, sabendo que a Bíblia fala em cada cultura e fase da vida. Isso acontece quando as mulheres são apanhadas na glória do evangelho, e essa mensagem clara motiva e informa suas vidas e ministério. Isso acontece quando as mulheres estão totalmente engajadas na vida de uma igreja crente na Bíblia e que prega o evangelho, trazendo as suas necessidades e usando seus dons para o bem do corpo local de Cristo. Nesse capítulo exploraremos esses componentes de um ministério saudável de mulheres e ouviremos as vozes internacionais daquelas que estão servindo ao Senhor com alegria e frutos.

SATURAÇÃO DA PALAVRA DE DEUS

A Bíblia foi escrita a partir de uma antiga cultura do Oriente Médio, mas longe de estarem atadas a um povo em particular durante um período particular da História, suas palavras falam em cada cultura em cada período de tempo. Isso porque, embora haja muitos autores humanos das Escrituras, há somente um autor divino. "Homens [santos] falaram da parte de Deus, movidos pelo Espírito Santo" (2 Pedro 1.21). Deus se revelou em sua Palavra e, nela, nos deu tudo que precisamos para viver nossas vidas para ele. "Toda a Escritura é inspirada por Deus e útil para o ensino, para a repreensão, para a correção, para a educação na justiça, a fim de que o homem [ou mulher] de Deus seja perfeito e perfeitamente habilitado para toda boa obra" (2 Timóteo 3.16-17). Essa Palavra viva e eficaz fala à variedade de questões enfrentadas por mulheres em igrejas no Norte, Sul, Leste e Oeste. É importante para cada um de nós, em nossas pequenas partes do mundo – e é emocionante também – ver a Palavra de Deus em ação nas mulheres e por meio delas em todo o mundo. Ouça o que Yuri Ayliffe do Japão tem a dizer sobre a Palavra de Deus em ação em sua igreja:

> Venho de uma família sem antecedentes cristãos no Japão. Não cresci num ambiente em que a cosmovisão cristã era a norma. Então, quando cheguei à fé, com a idade de vinte e três anos, havia tanta coisa que eu não entendia sobre a Bíblia, a coesão dos textos dentro dela, como ela me ajudava a entender Deus, o homem e a vontade de Deus para mim. O Senhor graciosamente me levou a uma igreja onde a Palavra de Deus era fielmente ensinada em todas as ocasiões possíveis. Frequentei o estudo bíblico das senhoras que era feito de forma indutiva através dos livros da Bíblia. Isso me ajudou a entender o que a palavra significa, e também a ver como fazer isso em casa. Eu brigava com muitas partes da Bíblia que não entendia, no entanto, é como todas aquelas vezes em que as peças de um quebra-cabeça se encaixam, uma por uma, e eu me encho de surpresa

em ver quão verdadeiramente bela é a Palavra de Deus. Quão perfeita e impecável.

Reunir-me com outras irmãs semanalmente também me ajudou a ser responsável por aquilo que estou aprendendo e dizendo. Isso me mostrou como a Igreja desempenha um papel importante na minha caminhada cristã. Desafiamos umas às outras conforme refletimos juntas sobre a Palavra de Deus em fervorosa oração e com corações sedentos. Vi nossas vidas mudando constantemente, crescendo em sua graça. Nossa fundação era a Palavra de Deus, e somente ela, pelo poder do seu Espírito. Conforme descobrimos a verdade em conjunto, aprendemos como precisamos do evangelho diariamente. Vi humildade em mulheres maduras e percebi que andar com Deus é um esforço contínuo e alegre. Vi muitas mulheres usando seus dons em diversas funções, algumas em público, algumas em casa e outras na igreja. Nosso amor umas pelas outras crescia junto com o nosso amor pelo Salvador. A Palavra de Deus é, de fato, o pão do céu para nossas almas. Precisamos desse alimento fresco todos os dias.

Alguns dizem que as culturas asiáticas são voltadas para a contação de histórias e não se conectam com o ensino bíblico direto, mas Yuri floresceu sob o ministério saturado da Bíblia, pelo poder do Espírito Santo. E como é maravilhoso que a Escritura esteja cheia de narrativas, histórias por meio das quais Deus se revela! Independentemente de onde as mulheres crescem e ministram, devemos manter a Palavra como nossa fundação firme. Mulheres ouvem mensagens ímpias do mundo durante toda a semana. Não importa em que país vivemos, a maioria de nós está, muitas vezes, rodeada por propagandas sedutoras, letras musicais que não edificam e discursos nocivos. Precisamos ter nossas semanas interrompidas pela Palavra de Deus. Precisamos ouvir boa pregação da Palavra, e precisamos ouvir o ensino e proclamação da Palavra. Bons ministérios de mulheres – onde quer que estejam – objetivam trazer uma mensagem que quebre a caótica poluição sonora do dia. Como 2 Timóteo 3.16-17 nos diz, mulheres são habilitadas pela Palavra de Deus; portanto, nosso estudo bíblico, discipulado, hospitalidade e evangelismo devem estar saturados dela.

Estudo Bíblico

Dizer que os estudos bíblicos de mulheres devem estar saturados da Palavra de Deus soa dolorosamente óbvio. Mas, infelizmente, os estudos bíblicos podem ser distraídos por outras coisas – até mesmo coisas boas. Eles podem se tornar clubes sociais, onde a comunhão é o principal objetivo, e o foco está na comida servida em vez de no pão da vida. Eles podem se tornar sessões de aconselhamento para as quais mulheres com problemas vêm para sentir suas necessidades sendo atendidas. Ou podem ser lugares onde mulheres são entretidas por vídeos de professores entusiásticos e bem-intencionados que, em um esforço para serem relevantes, perdem o ponto do texto que está sendo estudado. Comunhão, aconselhamento e atendimento às necessidades sentidas são alguns dos frutos de um bom estudo da Bíblia à medida que mulheres aprofundam-se em suas relações umas com as outras e conformam suas vidas à Palavra. E os líderes professores de estudo da Bíblia devem estar entusiasmados e alegres pela Palavra de tal forma que transborde para a vida dos outros. No entanto, essas coisas nunca deveriam suplantar um estudo focado e profundo da Bíblia, porque são as Escrituras que têm o poder de mudar vidas (Salmo 119.129).

Martha Makuku, da Reformed Presbyterian Church de Kiberano, Quênia, chama a Palavra de Deus de "vital". Essa igreja realiza estudo bíblico de mulheres toda quarta-feira para mulheres de todas as idades, a maioria delas não casadas, chefes de família, embora algumas sejam segundas ou terceiras esposas. Essas mulheres vivem em pobreza extrema, vivendo, muitas vezes sem comida e itens básicos de vida. Cerca da metade delas é soropositiva. Martha diz:

> A cultura no meu contexto é muito complicada, porque a comunidade é constituída por mulheres de diferentes tribos, e cada tribo tem sua própria cultura. O que poderia não funcionar com uma tribo poderia ser uma força em outra cultura. Uma cultura pode ser matriarcal e outra patriarcal. A harmonia é encontrada

somente nas Escrituras, e o nosso objetivo no estudo da Bíblia é fomentar uma cultura bíblica que nos dê uma nova identidade em Cristo, enquanto rejeitamos o pecado.

Esse foco nas Escrituras tem cultivado um forte senso de comunidade entre as mulheres na igreja, apesar da sua diversidade intertribal. Elas cuidam umas das outras e atendem a necessidades mútuas quando bebês nascem ou alguém fica doente. Martha cita este cuidado como um dos frutos do estudo bíblico das mulheres.

Reconciliação, amor e evangelismo também são frutos do estudo da Bíblia. Duas vizinhas quenianas eram inimigas. Uma dessas senhoras, que flertava tanto com o cristianismo quanto o islamismo, começou a vir para o estudo bíblico da igreja. Sua vida foi transformada pela Palavra. Ela foi à procura de sua vizinha e pediu desculpas por não ser boa para ela. Agora, ambas são cristãs e frequentam o estudo bíblico juntas. Esse é apenas um exemplo do poder transformador de um estudo bíblico focado na verdade da Palavra.

Discipulado

Como as mulheres em Kibera sabem, aqueles que são muito diferentes podem encontrar unidade em torno da Palavra de Deus. Imagine duas mulheres em uma igreja de língua inglesa no Oriente Médio, uma americana e outra japonesa. Kim é uma mulher mais velha, com quatro filhos, e Yuri é uma mulher mais jovem, recém-casada. Por fora, elas tinham muito pouco em comum, mas começaram a compartilhar suas alegrias e tristezas e a aconselhar uma à outra a partir da Palavra de Deus. Oraram juntas, confessaram seus pecados uma à outra e edificaram-se na fé. À medida que cresciam, elas começaram a conduzir um estudo bíblico em pequenos grupos juntas, e ambas começaram a discipular outras mulheres. Seu amor por Cristo e uma pela outra tocou as vidas de muitas mulheres e serviu como um catalisador para que muitas outras se reunissem para oração e prestação de contas. Que multiplicação do ministério!

Mesmo mulheres com a mesma língua materna e cor de pele vêm de diferentes origens familiares, têm diferentes necessidades para serem supridas e lidam com diferentes circunstâncias na vida. Aplicar a verdade universal da Palavra de Deus a nossas diferentes fases e circunstâncias da vida traz união e crescimento espiritual.

Hospitalidade Bíblica

O contexto bíblico do antigo Oriente Próximo enfatizava fortemente a hospitalidade. Uma das qualificações dos presbíteros, dos líderes da igreja, é ser hospitaleiro (1 Timóteo 3.2; Tito 1.8). Paulo, Pedro e o autor de Hebreus ordenam a hospitalidade (Romanos 12.13; Hebreus 13.2; 1 Pedro 4.9). Pedro dá uma visão completa do objetivo e resultado da hospitalidade: "Acima de tudo, porém, tende amor intenso uns para com os outros, porque o amor cobre multidão de pecados. Sede, mutuamente, hospitaleiros, sem murmuração. Servi uns aos outros, cada um conforme o dom que recebeu, como bons despenseiros da multiforme graça de Deus... para que, em todas as coisas, seja Deus glorificado, por meio de Jesus Cristo" (1 Pedro 4.8-11). Nesses versículos, Pedro descreve a igreja como um organismo vivo, cujos membros amam e servem uns aos outros de maneiras espirituais e práticas que magnificam Jesus Cristo e mostram a graça de Deus como o doador de todos os dons. Hospitalidade na igreja traz vida, amor e relacionamento aos membros e é o veículo perfeito para semear as sementes da Palavra de Deus, tanto dentro quanto pelas culturas do mundo.

Dubai, uma cidade nos Emirados Árabes Unidos, onde eu moro, é um refúgio internacional no Oriente Médio. A maioria dos habitantes daqui vem de algum outro lugar. Nossa igreja é composta por expatriados de todo o mundo, então, a hospitalidade é crucial. Gostamos de nos reunir nas casas uns dos outros, desfrutar de uma refeição mensal com toda a igreja junta, preparar refeições para membros que estão doentes ou mudando de residência ou tendo bebês, e desfrutar da comunhão com os piqueniques bianuais da igreja. Nossa diversidade é destacada em nossos encontros ao redor da comida. O cheiro dos grãos de café torrados do Adiam da Etiópia flutua pelo ar, enquanto o saboroso *biryani* de Darly é servido, e Etienne serve seu *braai* sul-africano. Em todas essas situações, empenhamo-nos em falar de Cristo e fornecer mel a partir da Palavra, bem como de nossas cozinhas.

A hospitalidade flui entre toda a congregação, é claro, mas nos encontros das mulheres cria uma intimidade e oportunidade únicas de compartilhar a vida e, eventualmente, famílias que, à parte de Cristo, talvez nunca se misturassem. Uma das coisas mais agradáveis que fazemos é ser anfitriões de casamentos e chás de bebê de nossos membros. Bethany, uma americana que cresceu em Djibouti, faz um trabalho espetacular ao decorar uma sala no edifício da igreja e organizar as bebidas. Uma das mulheres mais velhas na igreja dirige um devocional bíblico. Dessa forma, a nossa comunhão e amor umas pelas outras não se trata apenas da emoção de um casamento ou nascimento prestes a acontecer, mas de uma ocasião para nos alegrarmos juntas na Palavra e celebrar a ocasião à luz da sua verdade.

Ao nos alimentarmos e darmos descanso umas às outras, podemos nos alimentar da Palavra juntas. Podemos semear sementes que crescem e edificar a igreja em encorajamento, criando mais vida e mais amor que magnificam Jesus Cristo, porque ele nos amou primeiro. Ele é a manifestação suprema de hospitalidade. Ele nos convidou, quando éramos ainda pecadores, seus inimigos. Estávamos mortos em nossos delitos e pecados, mas ele nos alimentou com o pão da vida – seu corpo que foi partido por nós – e nos trouxe à vida. Ele nos manda descansar nele ao mostrarmos agora hospitalidade autossacrificial aos outros.

Evangelismo Centrado na Palavra

Satanás se infiltrou em todas as culturas e cegou o mundo para a verdade do Evangelho (2 Coríntios 4.4). Ele enganosamente forjou falsas religiões e modos de vida para fazer oposição a Deus. Nenhum deles é neutro. Cada religião falsa envolve uma visão de mundo que trabalha ativamente contra o evangelho, convencendo os descrentes de sua capacidade de agradar a força final no universo (no caso de um ateu, ele pode pensar que é ele mesmo). Essas cosmovisões estão profundas nas culturas, aprisionando e escravizando adeptos. Em culturas orientais, e cada vez mais nas culturas ocidentais, uma breve apresentação de quem Jesus é e o que ele fez normalmente não são suficientes para desfazer uma vida moldada por uma cosmovisão falsa.

Devemos levar as mulheres às Escrituras para que vejam por si mesmas quem Jesus verdadeiramente é. Paulo as chamou de "as sagradas letras, que podem tornar-te sábio para a salvação pela fé em Cristo Jesus" (2 Timóteo 3.15). Becky Valdez testifica o poder das Escrituras para mudar toda a sua cosmovisão:

> Fui criada como católica no México. Era óbvio para mim que nós éramos cristãos, e outras formas de cristianismo eram seitas; pelo menos isso foi o que as freiras na escola nos ensinaram. Quando cresci, senti que algo estava faltando. Em meio a todos aqueles rituais religiosos, percebi que eu não tinha Jesus em minha vida. Então, fui convidada para um estudo bíblico que uma amiga cristã estava conduzindo. Decidi dar uma chance. Senti um forte desejo de conhecer melhor a

Deus e me aproximar dele. Foi então, quando comecei a ler a Bíblia, que tudo se tornou muito claro para mim – quem Deus era e quem eu realmente era – e isso me trouxe à cruz de Jesus e ao seu poder salvador. Entendi por que Jesus teve que morrer por meus pecados, e experimentei o perdão e o amor de Deus, na pessoa de Cristo. Pela primeira vez, eu tinha um relacionamento profundo e íntimo com o Salvador que eu nunca havia tido antes, e senti um amor por ele que nunca havia conhecido antes. Esse foi o início de uma transformação de vida que ainda hoje continua.

Becky, que agora ensina a Bíblia para outras mulheres, anteriormente estava cega pelo ritual, mas as escamas caíram quando ela começou a ler a Bíblia. Os rituais e a observância das leis também cegam os seguidores do Islã. O Islã é uma religião criada em oposição direta a Cristo. O livro sagrado muçulmano, o Corão, ensina que Deus não tem um filho. O Islã insiste que Jesus não morreu na cruz, mas que foi retirado dela e ascendido até o céu, enquanto seu corpo foi substituído pelo de um criminoso. É preciso desfazer muitas ideias para explicar o evangelho a um muçulmano. Mas não temos que ser especialistas em Islã para compartilhar o evangelho com nossos amigos islâmicos. Precisamos fazê-los ler a Bíblia.

Uma mulher muçulmana, Salima, interessou-se pelo cristianismo. O tabu de sua cultura contra a leitura da Bíblia a intrigou, então, ela pediu a duas amigas que haviam falado abertamente sobre sua fé cristã para ensiná-la sobre o cristianismo. Essas duas amigas lhe deram uma Bíblia e começaram a ler o Evangelho de Marcos com ela, encorajando-a a ler por conta própria também. Quando ela leu sobre Jesus acalmando o vento e as ondas, ela disse: "Bem, é claro, ele criou o vento e as ondas, então ele podia acalmá-los". A Palavra viva começou a abrir os olhos de Salima à verdade sobre Jesus, e ela viu o seu chamado em sua vida. A família do pai de Salima era de muçulmanos devotos do Iêmen. Quando criança, Salima teve sua mandíbula quebrada por um tio por fazer uma pergunta sobre o Islã. No entanto, quando ela leu Marcos 8.35, "Quem quiser, pois, salvar a sua vida perdê-la-á; e quem perder a vida por causa de mim e do evangelho salvá-la-á", ela compreendeu a aplicação para sua vida. Salima disse: "Talvez eu tenha que dar a minha vida para seguir Jesus, mas valerá a pena, porque eu terei paz com Deus".

Não importa qual sejam as nossas origens, precisamos ser trazidos às Escrituras. Jenny, esposa de um pastor no Oriente Médio, começou a se reunir com uma mulher que estava frequentando sua igreja há pouco tempo, uma mulher de negócios bem sucedida das Filipinas que havia crescido indo à igreja. Ela insistia que era uma pessoa boa e não tinha necessidade de se arrepender dos seus pecados; ela estava fazendo um ótimo trabalho em trilhar o seu próprio caminho para Deus. Por meio de conversa paciente facilitada pela leitura das Escrituras, Jenny observou quando os olhos daquela mulher se abriram para a rebelião pecaminosa de seu coração contra

Deus. A mulher veio a perceber que não havia feito nada para merecer o favor de Deus, mas, em vez disso, era merecedora de punição e morte. Ela se arrependeu e creu. O Espírito Santo e a Palavra fizeram o trabalho, e Jenny pode assistir enquanto Deus atraía essa mulher preciosa para si.

Satanás tem trabalhado ativamente para impedir que as pessoas em todo o mundo "não resplandeça a luz do evangelho da glória de Cristo, o qual é a imagem de Deus" (2 Coríntios 4.4). Mas, "pela manifestação da verdade" (2 Coríntios 4.2), que é a Palavra de Deus, nós, mulheres, podemos proclamar que Jesus Cristo é Senhor e ver os olhos de nossas amigas abrirem-se "para iluminação do conhecimento da glória de Deus, na face de Cristo" (2 Coríntios 4.6). A beleza do evangelho é que ele é universal. Independentemente de origem, língua ou cultura, somos todos pecadores necessitados de um Salvador. E a mesma incrível mensagem oferece a salvação a todos.

Que privilégio é ministrar entre as mulheres! Podemos ter confiança na Palavra de Deus e sermos ousadas para convidar mulheres por meio de ministérios que são saturados da Bíblia – ministérios como o da Kabwata Baptist Church, em Lusaka, na Zâmbia. As mulheres de Kabwata são engajadas no estudo da Bíblia, hospitalidade, evangelismo e aconselhamento. Com uma variedade de mulheres de diferentes idades e fases de vida, o ministério prospera sob a Palavra de Deus. A esposa do pastor, Felistas, diz: "Os presbíteros treinam os líderes por meio da palavra pregada e estudos bíblicos. As mulheres mais velhas têm uma cautelosa política de treinamento das mais jovens e de oração em conjunto pelos líderes. A Palavra de Deus é compartilhada para a salvação e santificação das moças. A Palavra de Deus é compartilhada onde quer que tenhamos atividades de mulheres, de forma que elas sejam regidas pela Palavra de Deus". O vigor, a confiança e a intencionalidade dessa voz de uma irmã da Zâmbia podem desafiar todos nós, onde quer que ministremos.

CLAREZA SOBRE O EVANGELHO GLORIOSO DE DEUS

Em 1 Coríntios 15.3-4, Paulo escreve: "Antes de tudo, vos entreguei o que também recebi: que Cristo morreu pelos nossos pecados, segundo as Escrituras, e que foi sepultado e ressuscitou ao terceiro dia, segundo as Escrituras". Esse é o evangelho, um assunto de primeira importância. Mulheres engajadas no ministério que glorifica a Deus são envolvidas pela mensagem do evangelho, e essa mensagem motiva e molda suas vidas e ministério. É o evangelho que nos salva, e é o evangelho que nos sustenta. Naomi, do Quênia, compartilha como um conhecimento mais profundo do evangelho transformou sua vida:

> Tornei-me crente em uma pequena igreja carismática no norte de Jacarta, na Indonésia, poucos meses depois de termos chegado lá. Deus me chamou (não que eu soubesse dessa verdade naquele momento – apenas pensei que eu houvesse decidido que era hora) em meio a um turbilhão emocional que pode acontecer com uma mudança

para uma nova cultura. Cresci na igreja e, naquela época, entendia o pecado como algo ruim que às vezes eu fazia. Eu não sabia que a minha natureza era pecaminosa, amarrada e acorrentada sem esperança à parte de Cristo. E assim, como uma jovem crente, essa verdade nebulosa tinha um grande papel em como eu tentava viver a minha nova vida – sendo boa. E eu era frustrada a maior parte do tempo. Sentia como se estivesse me esforçando, sem ter certeza de quando meus esforços falhariam. Eu tinha medo de não ser capaz de segurar a minha salvação até o fim. Mas eu amei a Palavra, e a igreja em Jacarta nos incentivava a ler a Palavra.

Nós nos mudamos de novo e começamos a frequentar uma igreja centrada no evangelho. Devo dizer que, mesmo nessa época, eu não havia realmente compreendido o que a salvação pela graça significava de verdade. E, ao longo dos anos na minha igreja, conforme toda a verdade foi sendo fielmente exposta (palavra, versículo, capítulo e livro por livro), a majestosa verdade e unidade da história redentora na Bíblia tornou-se clara – Gênesis faz sentido em Apocalipse e vice-versa (como é o caso com todos os outros livros). Pois como pode alguém entender João 3.16 sem entender Gênesis 3 e daí em diante? O evangelho é o ponto principal, não o ponto de vista de alguém. E quando o evangelho está no centro da igreja, corações são despertados para a única verdade que liberta a humanidade.

É sabendo dessa verdade que agora posso dizer ousadamente a qualquer um sobre a esperança que tenho em Cristo. Não estou mais me esforçando, mas estou viva porque sei que Cristo me sustenta por seu nome. Sou capaz de amar outros no corpo (não perfeitamente) porque ele amou o indigno de ser amado e me incluiu nesse corpo, a igreja pela qual ele morreu. É por causa desse ensino bom e sadio que eu sou capaz de discernir a doutrina e o ensino doentios.

E os efeitos não vêm apenas sobre mim, mas essa verdade reverbera em meio a outros santos na igreja também. Conforme observo as moças no estudo bíblico das mulheres amarem umas às outras, fico maravilhada ao vê-las tendo conversas honestas e verdadeiras sobre a Palavra, ensinando e admoestando umas às outras. Tenho sido muito beneficiada com isso. Fico maravilhada pelas conversas centradas no evangelho que ouço muitas horas após o estudo e como essas conversas me fazem sentir encorajada para o bom combate. Isso é o que o verdadeiro evangelho gera.

Naomi adquiriu uma compreensão mais completa da majestade e unidade da história redentora da Bíblia, e isso a capacitou para lutar contra o pecado, amar os outros e compartilhar o evangelho com ousadia. Esse é um fruto maravilhoso de um ministério centrado no evangelho.

Como as mulheres no ministério podem manter o evangelho em destaque? Temos de ser intencionais. Ao ensinarmos, devemos sempre explicar a mensagem do evangelho e como ela se relaciona com a passagem que está sendo ensinada. Localizamos cada passagem em seu contexto bíblico geral. Não desprezamos a doutrina – especialmente as doutrinas da graça que sustentam Jesus Cristo como tendo recebido a ira de Deus no lugar de pecadores sem esperança. Dependemos do Espírito do Cristo ressurreto para guiar nossa compreensão de sua Palavra. Quando nos responsabilizamos e oramos uns pelos outros mantemos em mente que somos grandes pecadores, mas temos um Deus maior. Quando nos aconselhamos mutuamente em meio aos tempos difíceis, lembramos uns aos outros da glória que nos espera em Cristo Jesus. O evangelho é proclamado em eventos sociais, e as mulheres são encorajadas a compartilhar o evangelho com familiares, vizinhos e amigos. Todo o ministério deve reverberar com a mensagem de que Deus salva pecadores imerecidos por meio de seu Filho, Jesus.

Padmini conduz um estudo bíblico de mulheres indianas em sua igreja e descreve seu ministério como "encorajando e apoiando o crescimento espiritual das mulheres e levando-as a manter a mensagem do evangelho no centro de suas vidas diárias". Ela e as outras mulheres em sua igreja são intencionais sobre a centralidade do evangelho. E há também a Sheena, outro grande exemplo de uma mulher centrada no evangelho. Sheena lidera o ministério de mulheres em sua igreja no país de Oman, onde há muitas restrições do governo. Elas não podem realizar reuniões em casas ou convidar os muçulmanos à igreja, e o proselitismo é ilegal. Isso torna o seu foco no evangelho ainda mais vital para o ministério. Sheena insiste: "Deus não é limitado por restrições do governo. Ensinamos regularmente [as mulheres] a como compartilhar o evangelho de uma forma simples e clara. Nós as encorajamos a formar relacionamentos com outras mulheres por meio de amigos de seus filhos, com as professoras que os ensinam, empregados domésticos, vizinhas e pessoas com as quais se encontram por meio de atividades semanais como esportes, academia etc.".

Como um ministério pode perder o foco no evangelho? Normalmente isso ocorre quando os líderes o diluem para torná-lo mais palatável em um esforço para trazer mais pessoas. Eles não guardam o bom depósito (2 Timóteo 1.14). Eles deixam que outras ideias, talvez aparentemente mais positivas, ou práticas, ou reconfortantes tenham precedência sobre o Cristo crucificado conforme trabalham para atender às necessidades das pessoas. Infelizmente essa diminuição do evangelho é evidente em todo o mundo. Igrejas na Índia praticam o sincretismo com o hinduísmo e o islamismo. O falso evangelho da prosperidade dominou muitas igrejas na África e no Extremo Oriente. E o evangelho é praticamente inexistente, sendo encontrado apenas ocasionalmente na liturgia, em grandes igrejas porto da a Europa. Assim como todo ministério na igreja, os ministérios de mulheres devem guardar o bom depósito e manter o evangelho como questão de primeira importância. O evangelho deve ser o brilhante fio vermelho que atravessa todo ensino, hospitalidade e comunhão. Esse fio não deve apenas se destacar e decorar todas as atividades e boas obras da igreja, mas deve manter tudo junto. Sem ele o ministério desmorona e torna-se infrutífero. Para manter o fio do evangelho atravessando todo o ministério, devemos celebrar o verdadeiro evangelho, e temos que protegê-lo contra as seguintes substituições.

O que o Evangelho não é

Em primeiro lugar, o Evangelho não é apenas falar sobre Deus e sobre o que ele fez em nossas vidas. Devemos ter prazer em falar sobre o quanto Deus tem feito por nós, e nossos testemunhos podem encorajar outros e semear sementes no coração de incrédulos. No entanto, eles podem deixar nossos amigos pensando: "Estou contente por ela ter encontrado algo que funcione para ela, mas isso não tem nada a ver com a minha vida". Testemunhos sobre a obra de Deus em nossas vidas não são suficientes. Somente o evangelho – a verdade objetiva sobre Deus enviando o seu único Filho Jesus, para pagar a pena pelo pecado daquele que se arrepende e crê nele – salva.

Em segundo lugar, o Evangelho não é apenas falar sobre o quanto nós gostamos de Jesus. Muçulmanos e hindus também gostam de Jesus. Miriam, uma muçulmana dos Emirados, insiste que os muçulmanos têm Jesus em alta estima e creem que ele voltará para terminar a sua obra de julgamento. Os muçulmanos consideram Jesus como um grande profeta, mas não como Deus. Priya, uma ex-hindu da Índia, lidera o estudo de um livro com as mulheres de sua igreja. Ela diz: "Os hindus ficam felizes por adicionar Jesus a seu panteão de deuses. Encorajo nossas mulheres a irem um pouco além ao compartilharem o evangelho e falar sobre a exclusividade de Cristo". Há muitos ateus gostam de Jesus e acham que ele era um bom homem. De modo geral, nem o religioso nem o não religioso têm algum problema com Jesus. O problema que eles têm é com a visão bíblica de Jesus sendo o único caminho para um relacionamento correto com Deus. Jesus disse: "Eu sou o caminho, e a verdade, e a vida; ninguém vem ao Pai senão por mim" (João 14.6). Jesus é o Filho único de Deus, o único que pode livrar as pessoas do julgamento. Devemos sustentar essa exclusividade para explicar quem Jesus realmente é e o que ele fez. Caso contrário, não estaremos dizendo às pessoas o caminho para serem salvas. Não estaremos realmente lhes falando do evangelho.

Em terceiro lugar, o evangelho não é um meio para viver a boa vida. Muitas igrejas e até mesmo missionários sustentam essa visão do cristianismo porque é atraente para um mundo ferido. "Torne-se cristão, e você será abençoado materialmente: você será saudável, rico e feliz em seus relacionamentos com os outros". É triste quando o evangelho da prosperidade é pregado nas ricas América e Europa, mas é trágico vê-lo se espalhando em meio à população mais pobre da África, Irã e China.

Mary, uma missionária escocesa, estava se reunindo com um grupo de mulheres iranianas. Algumas haviam sido convertidas ao cristianismo e se juntado à igreja iraniana da qual ela participava, e algumas outras eram muçulmanas. Para o horror de Mary, as cristãs estavam tentando convencer as muçulmanas que suas vidas ficariam melhores se elas se tornassem seguidoras de Jesus – conseguiriam melhores empregos, teriam casamentos melhores e uma saúde melhor. Uma das mulheres muçulmanas respondeu: "Talvez a minha vida fosse melhor por um tempo. Mas e quando as coisas dessem errado, como acontece na vida de todos às vezes? O que eu faço com Jesus então?" Essa mulher muçulmana era sábia. Ela olhou através do evangelho da prosperidade para a realidade de um mundo caído. Felizmente Mary foi capaz de construir um relacionamento com essa mulher e compartilhar o verdadeiro evangelho com ela.

Mesmo que não creiamos que Jesus veio simplesmente para nos tornar saudáveis e ricos em um mundo que está se desvanecendo, às vezes damos a entender isso em nosso evangelismo ou aconselhamento com outras mulheres. Aconselhamos mulheres feridas a orar por milagres que as tirarão de suas situações difíceis, ou lhes damos a esperança de um Deus que nos consola em meio às provações e que nunca nos deixará ou abandonará? Encorajamos mulheres a ter fé de que Deus resolverá os seus problemas e aliviará sua dor, ou dizemos às mulheres que Deus usará até mesmo os seus problemas e dores para lhes fazer bem e trazer glória para si mesmo? Podemos usar a dificuldade na vida das mulheres para apontá-las para Jesus, não como a solução para as suas necessidades imediatas, mas como quem satisfaz a sua necessidade mais profunda – reconciliação com um Deus santo.

Isso é especialmente importante ao chegar a um contexto muçulmano. Devemos alertar mulheres muçulmanas a avaliar o custo antes de seguir Cristo. Elas serão perseguidas. Elas provavelmente perderão família, segurança e, possivelmente, até mesmo suas vidas. Uma amiga muçulmana da Somália me disse: "Os ocidentais não compreendem como é para nós em países muçulmanos. O governo não tem que nos executar se formos convertidos. Nossas famílias nos matarão enquanto o governo olha para outro lado". Isso aconteceu recentemente na Arábia Saudita, onde o pai de uma menina de dezesseis anos de idade cortou a sua língua e a matou por se tornar cristã. Não, o evangelho não é um meio para viver a boa vida nesse mundo caído. É muito maior e mais duradouro do que isso. E vale a desistência de nossas vidas terrenas. Devemos aconselhar claramente as mulheres a avaliar o custo e lhes ensinar que esse mundo não é nosso lar.

É importante saber o que o evangelho não é. Não é apenas falar de Deus. Não é apenas gostar de Jesus. Não é sobre como viver a boa vida materialmente. O evangelho é muito mais. É a mensagem de que pecadores, por meio de Jesus Cristo, podem ser reconciliados com um Deus santo, habilitados a conhecê-lo e glorificá-lo ao desfrutar dele para sempre. "Pois todos pecaram e carecem da glória de Deus, sendo justificados gratuitamente, por sua graça, mediante a redenção que há em Cristo Jesus, a quem Deus propôs, no seu sangue, como propiciação, mediante a fé" (Romanos 3.23-25).

LIGAÇÃO COM A IGREJA LOCAL

De todos os povos do mundo, Deus está reunindo uma "raça eleita, sacerdócio real, nação santa, povo de propriedade exclusiva de Deus" (1 Pedro 2.9). Essas pessoas compõem a igreja descrita em Apocalipse como "a cidade santa, a nova Jerusalém, que descia do céu, da parte de Deus, ataviada como noiva adornada para o seu esposo" (Apocalipse 21.2). Que belas imagens da igreja! Uma noiva radiante em branco puro. Uma cidade adornada onde sua luz nunca se apaga e suas portas nunca se fecham. Até o dia em que a cidade descer do céu, as igrejas locais serão postos avançados da mesma cidade, colônias do céu. É por isso que Paulo diz à igreja local em Corinto, "Procurai progredir, para a edificação da igreja" (1 Coríntios 14.12).

Certamente há um lugar para organizações paraeclesiásticas. Na Península Arábica uma irmandade universitária está fazendo um forte trabalho entre os estudantes. Muitas pessoas de diferentes origens religiosas vieram a conhecer Cristo, e aqueles que já seguem Cristo são edificados na fé e estimulados a evangelizar seus colegas incrédulos. Embora essa irmandade seja paraeclesiástica, os alunos são encorajados a serem membros de igrejas locais. Esses estudantes trazem energia para suas igrejas, e suas igrejas servem-nos e encorajam-nos durante esse momento crucial da vida.

Infelizmente algumas organizações paraeclesiásticas subestimam a importância da igreja e isso pode ser verdade em ministérios de mulheres conduzidos à parte da igreja.

Um pastor na Malásia lamentou que seus membros que frequentam um estudo bíblico indutivo de fora da igreja parecessem não ter tempo ou interesse em investir na igreja. Ele apreciava que eles estivessem estudando a Bíblia, mas muitas vezes eles estavam ocupados demais com a atividade paraeclesiástica para se envolver na igreja local. Cada um de nós tem uma quantidade limitada de tempo para dividir entre família, igreja, trabalho e relacionamentos. Faríamos bem a nós mesmos em nos fazer perguntas desafiadoras, tais como: Com quem eu estou comprometido primariamente? Como os meus recursos de tempo e talento poderiam ser utilizados de forma mais eficaz na igreja? Estou cultivando o conhecimento sobre a Bíblia mais individualmente do que no contexto de relacionamentos, adoração e família? Estou vivendo uma vida orientada para a igreja, centrada em Deus, ou apenas faço o estudo da Bíblia ocasionalmente?

Uma igreja saudável é solo fértil para o ministério frutífero de mulheres, como o Capítulo 4 mostrou em profundidade. Em qualquer lugar do mundo, faz sentido que as mulheres em uma igreja local, que ouvem a mesma pregação, estudem a Bíblia juntas. Elas já estão se tornando informadas e unidas em sua teologia. Quando uma questão difícil surge, elas a abordam a partir da mesma base e podem verificar suas conclusões com pastores e presbíteros. Esses presbíteros também podem fornecer supervisão e aconselhamento sobre materiais e liderança, uma vez que são responsáveis perante Deus por pastorear as almas das mulheres e homens em sua congregação.

Além do crescimento espiritual individual, o ministério de mulheres com base na igreja edifica toda a igreja conforme as mulheres passam a conhecer umas as outras intimamente e formar laços de amizade duradouros que se estendem para relacionamentos entre as famílias. Esta é Mônica, líder e professora do estudo bíblico de mulheres da África do Sul:

> O Senhor usou sua Palavra por meio de pregadores e professores talentosos para me ensinar mais sobre o seu caráter, e isso levou a um aumento do meu amor por Deus e sua igreja. Acho que a maior lição que aprendi é a importância da igreja como um testemunho da verdade de Deus. Ser parte de uma comunidade de crentes que se esforça para viver as verdades da Palavra tem sido para mim a melhor parte da minha vida. Minha maior alegria tem sido ser parte do ministério de mulheres. Ensinar e estudar a Palavra de Deus com outras mulheres é como construímos a comunidade. Estudamos e oramos juntas, rimos juntas e, às vezes, choramos juntas, mas a Palavra do Senhor é a cola que mantém o ministério unido. Foi por meio do estudo da Palavra de Deus que aprendi a amar a Igreja.

Mônica experimentou uma alegria na comunidade que não pode ser encontrada em nenhum outro lugar no mundo. Conforme ela investiu seu tempo e mente no estudo da Palavra de Deus em sua igreja local, tanto ela quanto a igreja foram edificados.

O compromisso com a igreja local também pode aumentar o evangelismo. Quando os incrédulos veem o funcionamento do corpo da igreja, eles são atraídos para a beleza disso. A igreja não é apenas um grupo na mesma fase de vida e do mesmo sexo, mas é composta de homens e mulheres de todas as idades, em todas as fases, de variados grupos socioeconômicos, que se unem para adorar o Senhor do universo. Quando os incrédulos veem essa unidade baseada apenas em Cristo, eles veem a glória daquele que é o cabeça sobre todas as coisas e que foi dado "à igreja, a qual é o seu corpo, a plenitude daquele que a tudo enche em todas as coisas" (Efésios 1.22-23).

Em um dos chás de bebês que oferecemos em nossa igreja em Dubai, a gestante chamada Omolade, da Nigéria, trouxe uma amiga muçulmana com ela. Nossa devocional era sobre Deuteronômio 6. Discutimos a bondade dos mandamentos do Senhor e o fato de que realmente não temos esperança de cumpri-los perfeitamente – e o fato mais importante de que Jesus morreu por pecadores, de modo que, mesmo quando falhamos em ensinar bem nossos filhos, temos grande esperança nele. Quando a amiga de Omolade deixou o chá de bebê, ela expressou sua surpresa sobre o quanto nós, na igreja, cuidamos umas das outras, apesar de virmos de tantas origens culturais e econômicas diferentes. Ela quis saber mais sobre Jesus, aquele que nos une. Ela havia ouvido o evangelho e o viu sendo vivido pelas senhoras de nossa igreja.

Na noite antes de ir para a cruz, Jesus ora para que os futuros crentes "sejam um... para que o mundo creia que tu me enviaste" (João 17.20-21). Ele continua a declarar a seu pai que a glória dada a ele (Jesus) foi dada aos crentes, "para que sejam um, como nós o somos" (v. 22). Há algo de excepcionalmente poderoso na unidade exibida entre os crentes na igreja local. Se você quiser ver o evangelismo crescer, e se você quiser ver um crescimento espiritual exponencial entre as mulheres, ministre sob a autoridade de uma igreja local. Lembre-se, as igrejas são postos avançados do céu. Há tanta coisa para fazer em uma igreja local: estudo bíblico, discipulado, ensino, hospitalidade, serviço, evangelismo. Que lugar melhor para gastar nosso tempo, nossos talentos e dons, nossos recursos e nossas vidas do que com a verdadeira família nesse posto avançado do nosso lar definitivo?

PESSOAS DE TODA TRIBO, LÍNGUA E NAÇÃO

Dubai, nos Emirados Árabes Unidos, não é muito longe de onde Jesus comissionou seus discípulos para serem suas testemunhas "até aos confins da terra" (Atos 1.8). Em muitos sentidos, Dubai parece o fim da terra. Situada no meio do mundo muçulmano, é uma meca (trocadilho intencional) para grupos de pessoas não alcançados de todo o mundo. Embora existam mesquitas em cada esquina, muitos hindus, *sikhs* e budistas, bem como agnósticos comuns, chamam Dubai de casa.

Sim, Dubai é extraordinariamente diversificada, com mais de duzentos grupos de pessoas convergindo para a cidade, mas está longe de ser um caldeirão cultural. Vá a uma cafeteria local e você verá emiradenses, indianos, europeus, africanos e asiáticos do Oriente. Mas, em vez de se misturar, eles se agrupam de acordo com a raça e nação. No balcão de um café Starbucks, em pé ao lado uma da outra, estão duas mulheres, uma europeia e a outra uma emiradense local. A mulher europeia está vestindo shorts e um top com alças finas. Ela está usando um cinto que dá duas voltas em sua barriga nua e um salto alto de doze centímetros. A emiradense veste, naturalmente, a tradicional *abaya*, um manto negro que cobre todo o seu corpo, incluindo braços e pernas, e uma *shayla*, um lenço de cabeça preto que cobre cada fio de seu cabelo. Essas mulheres falam línguas diferentes e vêm de dois continentes diferentes e de culturas amplamente diversas. Seus caminhos se cruzam em Dubai, mas apenas por um momento. As mulheres pegam o seu café, saem e voltam para suas mesas: uma cheia de mulheres dos Emirados, e outra com dois homens europeus.

A cafeteria é um retrato de Dubai – muitas nações vivendo no mesmo lugar, porém isoladas umas das outras. Mas a igreja em Dubai apresenta uma imagem diferente. Japoneses tomam café com persas. Filipinos mostram hospitalidade aos indianos. Ganenses oram com americanos. Os estudos bíblicos são compostos por grupos mistos de pessoas de todos os continentes habitados. Meu próprio pequeno grupo tem mulheres da Nigéria, Japão, Suíça, Turquia, Austrália, Eritreia, Irlanda, Inglaterra, Alemanha e Estados Unidos. A igreja em Dubai é um retrato do que Deus está fazendo em todo o mundo. O evangelho, pelo poder do

Espírito Santo, está indo até aos confins da terra, criando um povo para Deus de toda tribo, língua e nação para espalhar sua glória e gozá-lo para sempre. No fim, esses povos não permanecerão isolados, mas adorarão juntos a Deus como seu tesouro mais precioso na ceia das bodas do Cordeiro (Apocalipse 19.6-10). Até esse dia, as mulheres têm um papel emocionante para exercer conforme participam no ministério saturado da Palavra de Deus, firme na glória do evangelho e engajado na vida da igreja local.

Parte 3

Questões no Ministério de Mulheres

Capítulo 7

Mais Velhas e Mais Jovens

Levando Tito a Sério

Susan Hunt e Kristie Anyabwile

Para este capítulo, nós (Gloria e Kathleen) não queríamos simplesmente teorizar sobre a importância de mulheres mais velhas na igreja ensinarem e instruírem as mulheres mais jovens, conforme prescrito em Tito 2. Queríamos escutar parte da conversa. Por isso convidamos duas mulheres que participam ativamente no ministério para conduzirem um tipo de diálogo público. Susan Hunt, que passou boa parte de sua vida incentivando o discipulado de Tito 2, escreve primeiro uma carta à geração mais jovem. Kristie Anyabwile, representando a geração mais jovem, segue com uma carta às mulheres mais velhas. Mas isso não é tudo. O capítulo termina com uma resposta pessoal de uma para a outra: Susan para Kristie e, finalmente, Kristie para Susan. É um belo e instigante diálogo sobre relacionamentos de discipulado de mulher-mais-velha-para-mulher-mais-jovem. Devemos esclarecer que tais relacionamentos não equivalem ao estudo bíblico e tampouco o substitui – embora certamente envolvam o estudo das Escrituras em conjunto no processo de compartilhamento de nossas vidas como mulheres. Esses relacionamentos, muitas vezes, se combinam ou crescem naturalmente a partir do processo de estudo da Bíblia. Susan os chama de "discipulado de Tito 2"; Kristie os chama de "relacionamentos de mentoria"; mas independente de como os chamemos, devemos considerar o chamado para tornar tais relações parte de nossas vidas como mulheres cristãs que vivem em obediência à Palavra. Que esse capítulo possa encorajar muitos outros diálogos entre gerações de mulheres na igreja.

UMA CARTA ÀS MULHERES MAIS JOVENS DA IGREJA, POR SUSAN HUNT

Gostaria que pudéssemos sentar na minha varanda com um copo de chá gelado e ter essa conversa sobre Tito. Há tantas coisas que quero compartilhar com você, coisas que eu gostaria de ter conhecido na sua idade. Hoje vamos falar sobre *por que* devemos levar o mandato de Tito a sério. Vamos começar com Tito 2.3-5:

> Quanto às mulheres idosas, semelhantemente, que sejam sérias em seu proceder, não caluniadoras, não escravizadas a muito vinho; sejam mestras do bem, a fim de instruírem as jovens recém-casadas a amarem ao marido e a seus filhos, a serem sensatas, honestas, boas donas de casa, bondosas, sujeitas ao marido, para que a palavra de Deus não seja difamada.

Eu estava com meus quarenta e poucos anos quando percebi a maravilha e a beleza desse imperativo bíblico. Como esposa de um jovem pastor, minha arrogância espiritual me impediu de valorizar as mulheres mais velhas em minha vida. Julguei a espiritualidade delas pelos meus padrões e falhei em reconhecer a sua obediência de décadas, constante e tranquila através de momentos de choro e alegria. Não levei Tito 2 a sério e perdi uma das ricas provisões de Deus para o meu crescimento na graça. Meu pesar por causa do meu pecado e perda é ofuscado pela admiração da paciência de Deus e amor para com sua filha orgulhosa.

É um belo presente que agora, em meus setenta e poucos anos, eu tenha sido convidada para compartilhar minha aventura de Tito com você. Nunca foi uma jornada solitária. Minhas convicções e compromissos de Tito 2 foram formuladas no contexto de uma igreja que prega a sã doutrina. O Senhor usou o meu marido e outros líderes piedosos em nossa igreja, muitas mulheres, e dois eventos de vida para moldar a trajetória dessa jornada.

O primeiro evento foi há quase 30 anos, quando me tornei diretora do ministério das mulheres pela Igreja Presbiteriana na América (PCA). Rapidamente percebi que havia poucos recursos para nos ajudar a caminhar em meio à confusão de sobre o que o ministério de mulheres deveria ser e fazer num contexto complementarista, então fui à Palavra de Deus e parei em Tito 2.3-5.

Lentamente a ideia de Tito cativou minha mente, mas no começo eu tinha uma perspectiva minimalista dela. Eu estava ansiosa para desenvolver um plano para reunir mulheres mais velhas e mais jovens e riscar essa tarefa da minha lista, mas conforme eu orava ao longo dessa passagem, comecei a olhar o capítulo inteiro, e então, toda a carta, e, em seguida, toda a Bíblia. O Catecismo Maior de Westminster explica: "Demonstra-se que as Escrituras são a Palavra de Deus... pela harmonia de todas as suas partes, e pelo propósito do seu conjunto, que é dar toda a glória a Deus".[1] Ver o "propósito do seu conjunto" me ajudou a ver essa parte específica da Palavra de Deus com mais clareza. Minha paixão por Tito 2 se intensificou, e minha visão se expandiu quando vi essa responsabilidade da família da aliança como parte da grande história da redenção. (Veja o Capítulo 1 desse livro).

A história da redenção começou antes do início, quando Deus nos escolheu em Cristo para sermos seus e refletirmos a sua glória (Efésios 1.4,6). Então, ele criou o homem à sua imagem: "homem e mulher os criou" (Gênesis 1.27). (Consulte o Capítulo 2 para uma discussão mais completa).

A primeira mulher era perfeitamente feliz sendo a auxiliadora que ela foi criada para ser, até Satanás inverter a ordem da criação e ir até ela, tentando-a a questionar e desobedecer à ordem de Deus. Quando ela e, em seguida, seu marido comeram do fruto proibido, eles se tornaram transgressores da aliança. No entanto, antes da criação, o Pai, o Filho e o Espírito Santo fizeram um pacto para redimir um povo, e o Deus trino é o guardião da aliança. Ele não os abandonou em seu pecado e miséria. Ele prometeu que a descendência da mulher derrotaria Satanás (Gênesis 3.15). Em resposta a essa primeira revelação do pacto da graça,[2] Adão "deu o nome de Eva à sua mulher, por ser a mãe de todos os seres humanos" (v. 20).

Eva significa "doadora da vida". Não penso que esse chamado redentivo para ser uma doadora de vida seja apenas biológico. A vida de Cristo em nós permite que as mulheres deem vida ao invés de tomarem vida, em todos os relacionamentos, circunstâncias e períodos da vida. A graça de Deus nos capacita para nutrir a vida pactual – vida baseada nas promessas infalíveis de Deus para nós em Cristo – em nossas casas, igrejas, vizinhanças e locais de trabalho.

A beleza singular da vida pactual entre o povo de Deus é descrita na Confissão de Fé de Westminster, na qual somos ensinados que, se estamos unidos a Cristo, estamos "unidos uns aos outros em amor, [participamos] dos mesmos dons e graças, e [estamos] obrigados ao cumprimento dos deveres públicos e particulares que contribuem para o [nosso] mútuo proveito, tanto no homem interior como no exterior".[3]

Mesmo quando homens e mulheres encontram redenção em Cristo dentro de um mundo decaído, nosso propósito na criação de viver para a glória de Deus, e nosso chamado redentivo para viver pactualmente são contraintuitivos e contraculturais. Como Caim, perguntamos: "Sou eu tutor de meu irmão?" (Gênesis 4.9). Precisamos ser discipulados na Palavra de Deus, que é exatamente o que Jesus comissionou sua igreja a fazer (Mateus 28.18-20). Tito 2.3-5 torna essa comissão evangelística específica de gênero. Alguns discipulados – não todos, mas alguns – devem ser de mulher para mulher, porque uma de "todas as coisas" que devemos ensinar é que Deus planejou a distinção de gênero e atribuiu funções a cada gênero especificamente. Tito 2 é muito mais do que um sistema de camaradagem que une mulheres mais jovens e mais velhas. Tito 2 é sobre sermos tutoras de nossa irmã e discipulá-la a viver para a glória de Deus de acordo com sua Palavra. Tito 2 é uma parte da obediência da Igreja à Grande Comissão. Tito 2 é sobre sermos doadoras de vida. Ao renovar a minha mente para que eu visse a magnitude desse magnífico mandato, o Senhor me preparou para o passo seguinte nessa jornada.

O segundo evento de vida que influenciou a minha história com Tito foi o chamado do meu marido para servir uma igreja com uma rica mistura de gerações de pessoas piedosas. A influência teológica de Tito 2 em mim tornou-se intensamente pessoal e prática. Ensinei em um estudo bíblico às mulheres mais velhas e mais jovens do que eu, e me perguntei: "Sou uma mulher mais velha ou mais nova"? A minha paixão pela ideia de Tito ecoava em tudo o que eu ensinava, e começamos a discutir as implicações do DT2 (discipulado de Tito 2).

Ao invés de ficar desapontada quando as mulheres mais velhas não assumiram a liderança, eu as ouvi. Pedimos para que elas compartilhassem suas histórias, para nos dizer o que elas gostariam de ter sabido na nossa idade, e nos falar sobre seus versículos e hinos favoritos. Logo as mulheres mais velhas e as mais jovens estavam começando a conhecer, amar e aprender umas com as outras, conforme discutíamos a aplicação da Palavra de Deus e orávamos juntas. Chegamos à maravilhosa percepção de que cada uma de nós era uma mulher mais jovem e uma mulher mais velha; havia uma mutualidade vibrante ao aprendermos em conjunto e alimentarmos a fé umas das outras.

Tito 2 começa assim: "Tu, porém, fala o que convém à sã doutrina". Paulo escreveu isso a Tito, o pastor. A diretiva para mulheres discipularem mulheres é dada aos líderes da igreja. Tal ministério deve acontecer sob a supervisão deles e no contexto da sã doutrina e da vida comunitária pactual, isto é, onde o princípio pactual de uma geração proclamando os atos poderosos de Deus à geração seguinte é praticado (Deuteronômio 6.1-9; Salmos 145.4; 78.1-7). A descrição de Paulo sobre esse tipo de discipulado é profundo e atemporal:

> Todavia, nos tornamos carinhosos entre vós, qual ama que acaricia os próprios filhos; assim, querendo-vos muito, estávamos prontos a oferecer-vos não somente o evangelho de Deus, mas, igualmente, a própria vida; por isso que vos tornastes muito amados de nós.
> (1 Tessalonicenses 2.7-8)

O discipulado pactual é educacional, relacional e transformacional. Mulheres precisam de mulheres maduras e piedosas para lhes *instruir* o que é bom, de acordo com a Palavra de Deus. As mulheres precisam aprender a base teológica de nosso projeto de criação, os nossos papéis no lar e na igreja, e nosso chamado para sermos doadoras de vida em cada função e fase da vida. As mulheres precisam de mulheres que *compartilhem suas vidas* para instruí-las em como aplicar a Palavra em todas as áreas da vida – como amar os outros, cuidar de suas famílias, cultivar o senso de comunidade, trabalhar produtivamente e ter compaixão de acordo com a Palavra de Deus. Elas precisam de mulheres piedosas que, em oração e de forma contínua, orientem-nas para a suficiência das Escrituras em *transformá-las* de pessoas que tomam vida em pessoas que dão vida.

Tito 2.3-5 é um ministério de cuidados maternais. Isso acontece "quando uma mulher que possui fé e maturidade espiritual entra em um relacionamento de cuidado para com uma mulher mais jovem, a fim de encorajá-la e equipá-la para viver para a glória de Deus".[4] Uma mulher não precisa ser uma mãe biológica para ser uma mãe espiritual. Algumas das mães mais extraordinárias que conheci em Israel são mulheres solteiras que nunca deram à luz uma criança. O chamado à maternidade espiritual lhes dá grande alegria e conforto.

Quanto mais as mulheres em nosso estudo bíblico compartilhavam suas vidas umas com as outras, mais percebíamos que o chamado ao discipulado vida-a-vida é dispendioso. A maternidade física é sacrificial. Assim também é a maternidade espiritual. Começamos fazendo a pergunta pela motivação: *Por que* uma mulher deve fazer esse investimento? Quer queiramos *ser* ou *ter* uma mãe espiritual, se estivermos motivadas pela culpa, autorrealização ou animação por um novo programa em nosso ministério de mulheres, falharemos quando o relacionamento nos desapontar. Paulo apresenta um único motivo razoável para obedecer a tal chamado autossacrificial:

> Porquanto a graça de Deus se manifestou salvadora a todos os homens,... [pois estamos] aguardando a bendita esperança e a manifestação da glória do nosso grande Deus e Salvador Cristo Jesus (Tito 2.11-13)

O evangelho é o único motivo que nos incentivará à obediência por toda vida – Jesus apareceu em graça e ele aparecerá em glória. Entre suas duas aparições nós devemos fazer discípulos.

Paulo também é rápido em nos assegurar que é o poder do evangelho, não o nosso poder de persuasão que salvará e santificará as mulheres que discipulamos. A passagem continua:

> ... nosso grande Deus e Salvador Cristo Jesus, o qual a si mesmo se deu por nós, a fim de remir-nos de toda iniquidade e purificar, para si mesmo, um povo exclusivamente seu, zeloso de boas obras. (v. 13-14)

Jesus está redimindo e purificando o seu povo. A pressão está desligada. Quando e como uma mulher responderá ao meu cuidado é obra da graça de Deus. Mas quer ela responda ou não, Deus fará suas obras redentoras e purificadoras em mim à medida que eu compartilhar o evangelho e minha vida com os outros.

Essa não é a minha história; é a história da graça de Deus. Minha resposta tardia a Tito 2 foi parte de seu plano soberano para mim, talvez para ascender em mim uma paixão e instigar *você* a não perder nenhuma oportunidade para se tornar uma mulher envolvida em relacionamentos de discipulado com outras mulheres.

Minha jovem amiga, posso não conhecer o seu rosto ou saber o seu nome, mas se você confiar em Cristo para a sua salvação, você é minha filha espiritual, porque Deus nos adotou em sua família. As palavras de Paulo aos Filipenses expressam os meus pensamentos sobre você: "Dou graças ao meu Deus por tudo que recordo de vós... pela vossa cooperação no evangelho... Estou plenamente certo de que aquele que começou boa obra em vós há de completá-la até ao Dia de Cristo Jesus. Aliás, é justo que eu assim pense de todos vós, porque vos trago no coração, seja nas minhas algemas, seja na defesa e confirmação do evangelho, pois todos sois participantes da graça comigo" (Filipenses 1.3-7).

Susan

UMA CARTA ÀS MULHERES MAIS VELHAS DA IGREJA, POR KRISTIE ANYABWILE

Começo essa carta para você com uma história triste. As duas primeiras mulheres mais velhas que pedi para que me orientassem disseram não. Fiquei arrasada. Eu conhecia as duas mulheres muito bem. Servíamos juntas na mesma igreja e desfrutávamos da doce comunhão como irmãs em Cristo, e elas eram mulheres a quem todas se referiam como "Tia Mary" e "Vovó Gracie". Quando você lia Tito 2.3-5, seus nomes estavam escritos ali como modelos de mulheres que eram reverentes, autocontroladas, amantes de seus maridos e filhos, e assim por diante. Muitas mulheres estavam aprendendo a partir de seus modos de vida piedosos e forte fé, portanto, eu estava animada com a oportunidade de gastar um tempo individualmente com elas. Talvez você pergunte: "Se você já estava aprendendo com elas, o que mais você estava procurando"? Tendo sido cristã por apenas dois anos, eu estava à procura de uma mulher mais velha com quem a minha vida pudesse ser um livro aberto. Desejava alguém para segurar minha mão conforme eu caminhava na fé e em meu chamado como jovem esposa e mãe. Eu precisava de uma mãe espiritual, alguém que pudesse me ensinar e instruir a viver para a glória de Deus em todas as áreas da vida.

Quando fiz o meu primeiro pedido, Vovó Gracie e eu nos encontramos em um restaurante local. Embora eu soubesse o que pediria para o café da manhã, li nervosamente o cardápio, ganhando tempo e orando por ousadia e pelas palavras certas para expressar meus desejos. Eu havia orado por sabedoria a Deus para saber a quem perguntar, e acreditava que essa mulher poderia encorajar a minha fé como uma jovem crente em Cristo e equipar-me para andar de modo digno do Senhor. Finalmente pedi minha comida, fechei o cardápio, respirei fundo e disse algo como: "Vovó Gracie, obrigada por ter vindo tomar café comigo. Eu tenho sido tão encorajada por sua fé e tenho aprendido muito com você observando-a ensinar as crianças na escola dominical, cuidar de seus filhos e netos e cuidar de seu marido. Você tem sido um modelo para mim de muitas maneiras. Mas sei que há muito mais que preciso aprender. Tenho orado por uma mentora e creio que o Senhor me direcionou até você para lhe perguntar se você consideraria ser minha discipuladora ajudando-me a crescer em minha caminhada com o Senhor".

Silêncio. Pausa constrangedora. Vovó Gracie respirou fundo e disse algo como: "Querida [ela chama todas de "querida"], estou honrada que você faça tal pedido a mim, mas agora eu vou ter que dizer não. Tenho os meus netos me mantendo ocupada, e o trabalho". Pausa. "Não acho que eu tenha tempo agora". Envergonhada, magoada e tentando parecer bem e deixá-la escapar, respondi: "Bem, tudo bem. Eu entendo [eu não entendia]. Se a sua agenda mudar no futuro, você pode me avisar".

"Certamente, minha criança" (ela chama a todos de "minha criança").

Terminei o café da manhã o mais rapidamente possível e voltei para casa em lágrimas. Naquele momento, fiz uma promessa a Deus que, pela sua graça, eu tenho guardado por mais de vinte anos. Prometi a Deus que se alguma mulher na minha igreja local alguma vez me pedisse para mentoreá-la, eu nunca diria que não. Eu encontraria algum tempo de qualidade que pudéssemos gastar juntas em um relacionamento de discipulado a sós, quer uma vez por mês ou uma vez por semana, quer por algumas semanas, meses ou anos.

Alguns anos mais tarde eu estava conversando com Vovó Gracie sobre a necessidade de discipulado entre as mulheres mais jovens. Vovó Gracie ficou muito quieta, e depois de um momento de reflexão me disse: "Sabe, eu me lembro de quando você me pediu para discipular você. Honestamente, nunca haviam me feito essa pergunta antes, e eu não sabia como responder. Eu não estava muito ocupada para você. Estava com medo porque eu não achava que conseguiria fazer o que você estava me pedindo. Querida, eu sinto muito por como respondi a você naquele dia". Essa conversa me deixou pensando e orando muito sobre como as mulheres mais velhas poderiam ser encorajadas a abraçar o seu chamado para treinar as mulheres mais jovens, de acordo com as instruções de Tito 2.

Mas quem são as mulheres mais velhas? Existem pelo menos três propostas na definição de quem deve ser considerada "mais velha". Alguns dizem que a maturidade cristã marca a mulher mais velha. Outros dizem que todas somos mais velhas do que alguém, por isso, em certo sentido, todas nós podemos ser consideradas mulheres mais velhas. Alguns dizem que há uma exigência de idade, embora ninguém se atreva a sugerir um número!

Sabemos pelas Escrituras que aos cinquenta anos os deveres sacerdotais dos levitas no tabernáculo mudavam do trabalho manual para o apoio aos homens mais jovens que assumissem essas funções do dia-a-dia (Números 8.25-26). Sabemos que Naomi tinha idade suficiente para ter filhos crescidos (Rute 1.1-4) e estava, aparentemente, além da idade e capacidade de voltar a se casar e ter outros filhos (v. 12) ou de fazer trabalho físico, visto que Rute foi sozinha apanhar espigas nos campos de Boaz (2.2). A Bíblia elogia cabelos grisalhos e idade avançada (Provérbios 16.31; 20.29; Isaías 46.4). Isabel estava em idade avançada quando concebeu e, embora estivesse grávida ao mesmo tempo em que Maria, ela assumiu o papel de encorajadora da jovem (Lucas 1.36, 39-45, 56). Sabemos também que as mulheres não podiam receber auxílio da igreja até que tivessem mais de sessenta anos de idade (1 Timóteo 5.9-10).

Essas breves passagens me levam a endereçar essa carta às mulheres experientes nafé, aquelas que estão além dos anos normais de casamento e gravidez, que são elegíveis para a aposentadoria do trabalho diário, e que podem ter mais liberdade para apoiar e instruir as mulheres mais jovens. Quero dizer três coisas a essas mulheres mais velhas: (1) Não se deixem desanimar por expectativas muito altas. (2) Precisamos de mais do que instrução prática. (3) Tenha a expectativa de receber mais do que vocês darão.

Ao escrever para você, minha querida irmã mais velha em Cristo, primeiramente quero lhe assegurar que as nossas expectativas são altas. Não digo isso para assustá-la.

Pelo contrário, perceba que você tem sabedoria e experiência que podem falar diretamente às necessidades, mágoas e desejos das mulheres mais jovens. Mulheres mais velhas muitas vezes expressam a preocupação de que não atenderão às altas expectativas que algumas mulheres mais jovens têm. Muitas vezes podemos ter expectativas irrealistas, não bíblicas, inflexíveis e autocentradas sobre as mulheres mais velhas. Mas é precisamente por isso que precisamos de você! Precisamos aprender a enraizar nossas amizades, nossos conselhos, nosso conhecimento e nossa feminilidade na obra consumada de Cristo em nosso favor. Cristo fez o que nunca poderíamos fazer por nós mesmos. Nossos esforços não nos podem garantir nenhum mérito diante dele. Você pode adicionar o equilíbrio às nossas expectativas, apontando-nos a Cristo e lembrando-nos de que a nossa esperança está nele.

Deixe-me sugerir quatro maneiras como os nossos desejos podem se desequilibrar e como você pode ajudar a influenciar o resultado em outra direção:

Figura da mãe. Algumas de nós percebem o quão drasticamente as vozes culturais que nos rodeiam têm deformado a nossa compreensão do que significa ser mulher. Algumas de nós não tiveram a influência piedosa e espiritual de nossas mães ou daqueles que nos criaram. Nunca recebemos orientação prática sobre feminilidade. Precisamos aprender com vocês sobre o perdão, a feminilidade bíblica, e como nutrir as crianças em nossas vidas.

Teólogo residente. Algumas de nós querem uma mulher mais velha para responder a todas as nossas perguntas difíceis, para nos educarem em teologia, para serem o nosso dicionário e concordância bíblicos ambulantes. Precisamos aprender com vocês a como buscar a Deus por nós mesmas, e a como cavar fundo na Palavra de Deus em busca de conhecimento que alimente a nossa fé e dependência de Cristo.

Conselheira pro bono/ad hoc Espírito Santo. Algumas de nós estão à procura de uma mulher mais velha que resolva todos os nossos problemas, que derrame sobre nós seus anos de experiência e sabedoria, e que nos diga como reagir a cada obstáculo que enfrentamos como cristãs. Precisamos aprender com vocês a confiar no Espírito Santo como nosso conselheiro e a buscar a Deus em oração e em sua Palavra por sabedoria sobre como lidar com as dificuldades da vida.

Amiga/companheira social. Algumas de nós apenas querem uma amiga. Queremos alguém com quem conversar, cozinhar, fazer compras e simplesmente sair. Precisamos aprender com você que há um amigo que é mais chegado do que um irmão (ou irmã). Precisamos entender como nos divertir para a glória de Deus e como viver de forma prática e sábia em um mundo caído.

Em segundo lugar, precisamos de mais do que instrução prática. Muitas vezes, quando lemos Tito 2.1-5, vemos esses versos como instruções muito práticas que o Senhor transmite de um pastor para mulheres mais velhas, e então para mulheres mais jovens. É verdade que o modo como vivemos diante de Deus e dos homens tem importância, a forma como aquelas de nós que são esposas e mães tratam seus maridos e filhos é crucial para o amor, alegria e paz que compartilhamos em casa. Paulo ensina que a fidelidade nessas questões práticas faz com que a Palavra de Deus seja atraente e honrada – servindo como evidência da graça de Deus agindo em nós, que somos salvos pelo evangelho de Cristo. Uma sábia mulher mais velha disse: "O evangelho nos capacita e nos compele a viver o nosso propósito, e o evangelho fornece o contexto em que o propósito de uma auxiliadora faz sentido".

No entanto, se nos contentarmos em cuidar das questões práticas, focando exclusivamente em nossos papéis e conduta, deixaremos de compreender o propósito redentor maior em nossa prática. Deixaremos de enraizar nossos esforços no evangelho. Deixaremos de ter o nosso caráter moldado pelo Espírito em todas as áreas da vida. Diminuiremos, portanto, o nosso chamado como mulheres redimidas de Deus.

Conforme vocês nos ajudam a viver Tito 2.3-5, reconhecemos que nossa maior questão não é se as mulheres devem trabalhar fora de casa, por exemplo, mas se as mulheres estão demonstrando santidade em seu trabalho dentro ou fora da casa. O que mais importa é que o fruto do Espírito esteja sendo mostrado – amor, autocontrole, pureza, diligência, bondade, submissão, reverência. Esse foco na santidade demonstrado pelo fruto do Espírito permite que qualquer mulher – casada ou solteira – dê e receba esse ensino e treinamento. Limitamos a passagem de uma maneira antibíblica quando a tornamos exclusivamente sobre a vida doméstica. Tito 2 não é apenas sobre domesticidade. Trata-se da santidade que adorna o evangelho.

Finalmente, gostaria de encorajar as mulheres mais velhas aterem a expectativa de receber mais do que darão. Como mulheres mais jovens, queremos aprender com você. Queremos ser encorajadas por você, equipadas por você e corrigidas por você (na maioria das vezes ☺). Queremos estar crescendo cada vez mais na fé. Mas eu gostaria de pedir que você também procurasse ver o que o Senhor quer que você ganhe com o seu investimento em nossas vidas. Acredito que através de nossos momentos juntas, o Senhor continuará a encorajá-la e habilitá-la para viver para a sua glória, assim como você nos encoraja e instrui.

Por meio da minha própria experiência limitada em ser a mentora de mulheres mais jovens do que eu, o Senhor me ensinou muitas lições valiosas que eu talvez não tivesse aprendido fora dessas relações. Às vezes me sinto bastante inadequada em minhas tentativas de ministrar a elas. O Senhor me lembra de que sou de fato inadequada! Ele me dá coragem para permitir que as mulheres mais jovens vejam não só as minhas provações e pecados, mas também como eu respondo quando Deus me leva a estar entre elas. É através desse tipo de vulnerabilidade que aprendo a fazer da minha vida um livro aberto para as mulheres que discipulo. Aprendo a confiar nos bons propósitos de Deus para as minhas próprias lutas e a receber o seu conforto, de forma que eu possa, então, consolar outras.

Costumo refletir sobre meus pedidos de mentoria para estas mulheres piedosas mais velhas. Embora eu estivesse decepcionada com o seu não, nunca pensei que fossem menos piedosas. Reconheço que muitas mulheres mais velhas têm a necessidade e o desejo de um treinamento intencional sobre maternidade espiritual, pois elas não tiveram isso. Grande parte desse treinamento vem do ensino regular da sã doutrina na igreja local por pastores e presbíteros fiéis. Poderia ser feito mais em assembleias locais para ajudar as mulheres mais velhas a articularem a sabedoria que adquiriram através de anos vivendo como mulheres que seguem a Cristo, de modo a passá-la para a próxima geração. Se isso não acontecer, as mulheres mais jovens podem continuar aprendendo com as mulheres mais velhas à distância. Talvez você não tenha todo o treinamento e ferramentas, mas tem uma vida que podemos observar e imitar. Deus estava trabalhando no meu coração por meio do não. Que ele esteja trabalhando em seu coração para dizer sim.

Kristie

RESPOSTA DE SUSAN À CARTA DE KRISTIE

Querida Kristie,

Seu desejo por mulheres mais velhas em sua vida é uma evidência da graça de Deus em você. É um desejo santo. Sou grata por sua clareza e honestidade em nos ajudar a entender o que as mulheres mais jovens precisam e esperam de mulheres mais velhas. Estou contente por podermos ter essa conversa enquanto nossas amigas leitoras nos ouvem.

Em minha carta anterior falei sobre *por que* devemos levar Tito 2 a sério; agora gostaria que pensássemos sobre *como* podemos obedecer a essa ordem em nossas igrejas. A explicação de Vovó Gracie sobre por que ela recusou o seu pedido de discipulá-la – "Estava com medo, porque eu não achava que conseguiria fazer o que você estava me pedindo" – confirma a minha convicção de que a hesitação das mulheres mais velhas não é devido a desinteresse ou desobediência intencional. Normalmente elas têm medo porque não foram habilitadas para o chamado de ensinar e treinar as mulheres mais jovens.

Uma mulher se aproximou de mim em uma conferência e disse: "Seis meses atrás pedi a uma mulher em minha igreja para me discipular. Ela ansiosamente concordou, mas não ouvi mais nada dela. Estou desesperada e decepcionada". Minha resposta: "Sinto muito, mas suspeito fortemente de que esta mulher esteja mais desesperada do que você. Ela concordou porque ela quer discipular você, mas ela não tem ideia do que fazer. Cada dia mais ela se sente inadequada e culpada".

Muitas igrejas estão cheias de mulheres que querem se conectar com outras gerações, mas não sabem como. Algumas mulheres se detêm à sã doutrina básica, mas pensam de formas não bíblicas em relação à sua feminilidade. Talvez pensem que ter independência é ter poder e, por isso, não admitam a sua necessidade de uma mãe espiritual, mesmo para si. E há mulheres mais velhas que não se sentem qualificadas para falar às vidas de mulheres mais jovens. As igrejas locais devem refletir em oração sobre o desenvolvimento de uma estratégia para ensinar a razão do discipulado bíblico de Tito 2, e preparar as mulheres para este chamado, ajudando-as a se conectarem umas com as outras.

A necessidade desse tipo de discipulado se fez ainda mais nítida para mim quando uma colega perguntou: "Como posso pensar biblicamente sobre a minha feminilidade quando constantemente me é dito que ter independência é ter poder, que eu determino o meu próprio destino, e que o gênero é apenas uma construção social"? Eu a lembrei de Tito 2 e a encorajei a pedir mulheres piedosas em sua igreja que a discipulassem em princípios bíblicos da feminilidade como um contraponto à visão de gênero mundana. Mas a pergunta dela me desencorajou porque me perguntei se sua igreja estaria habilitando as mulheres para esse chamado.

Não estou sugerindo que a feminilidade seja o único tópico que mulheres mais velhas precisam ensinar às mulheres mais jovens, mas estou dizendo que *não* ensinar a bondade de gênero deixa as mulheres vulneráveis a alguns dos ataques mais potentes à Palavra de Deus na cultura de hoje.

Kristie, por um longo tempo eu fui mãe espiritual de muitas mulheres, mas não era frutífera em habilitar outras mulheres para fazerem o mesmo. Ouvir minhas histórias sobre o que eu havia feito simplesmente não ativava nada em suas vidas. Então, quando o imperativo de Tito criou raízes nas mentes e corações de mulheres em nosso estudo bíblico, o ministério de mulheres quis estender esse alcance para além do estudo bíblico. Desenvolvemos um modelo de discipulado de Tito 2 em um pequeno grupo,[5] e, após algum tempo, uma grande percentagem de mulheres estava envolvida. A vida pactual tornou-se forte e doce entre as mulheres e transbordou para toda a igreja. O discipulado se tornou um modo de vida para as mulheres. Aqui estão alguns dos benefícios que descobrimos:

- Quando recrutamos mulheres para serem mães espirituais, e não professoras, e prometemos treinamento e apoio contínuo, não temos falta de voluntárias.

- A líder não tem que ser a mulher mais velha do grupo, mas pedimos às mulheres mais velhas para participarem e fazerem parte de um grupo. As líderes são treinadas para extrair a sabedoria dessas mulheres, para que possamos colher as bênçãos de suas experiências de vida.

- Há prestação de contas embutida. As líderes são aprovadas pelos presbíteros, treinadas, recebem um currículo aprovado e são apoiadas por meio de e-mail e encontros ocasionais em que elas compartilham ideias e desafios.

- O ministério é sustentável. Um comitê de coordenação faz ajustes necessários caso a líder ou membros de um grupo tenham que sair.

- Esse modelo é adaptável, por isso, é facilmente transferível para outras igrejas.

- Há mais espontaneidade, os relacionamentos individuais se desenvolvem, porque as mulheres sabem ser mães espirituais.

À medida que mais mulheres passavam pelo ministério DT2, ele se espalhava para nossas adolescentes e jovens moças. Algumas mulheres agora discipulam meninas adolescentes,[6] e algumas ensinam meninas ainda no ensino fundamental sobre o planejamento da criação de Deus e o chamado redentivo. *Mãe espiritual*, *auxiliadora* e *doadora de vida* são palavras que fazem parte da linguagem da nossa igreja.

É claro que esse modelo de pequenos grupos não se originou conosco. Foi a forma como Jesus discipulou seus discípulos.

Não existe uma fórmula para o ministério de discipulado de mulheres. Os relacionamentos de Tito 2 podem ser formais ou informais, ocasionais ou agendados, mas a menos que haja um esforço intencional para fazer de Tito 2 uma estrutura filosófica para discipular mulheres, é improvável que ele se torne parte da cultura de uma igreja.

A mãe de uma jovem em nossa igreja participou de um dos eventos do ministério de nossas mulheres e observou: "Em minha igreja as mulheres são separadas por idades. Aqui, as mulheres mais velhas e as mais jovens, até mesmo as adolescentes, parecem conhecer e amar umas as outras.

Como isso acontece"? A filha sorriu e disse: "Isso não aconteceu por acaso. Foi intencional. Levamos Tito 2 a sério".

Kristie, eu oro para que a nossa conversa inspire as igrejas a habilitarem as mulheres mais velhas e mais jovens para o grandioso chamado de viver e transmitir o legado da feminilidade redimida. Muito está em jogo – quando as mulheres obedecem a Tito 2, a Palavra de Deus não é "difamada" (v. 5). Amo você, Kristie, e amo a sua geração. As minhas expectativas para você são altas porque Deus "é poderoso para fazer infinitamente mais do que tudo quanto pedimos ou pensamos, conforme o seu poder que opera em nós" (Efésios 3.20). Que possamos conhecer a bem-aventurança da bênção de Paulo: "a ele seja a glória, na igreja e em Cristo Jesus, por todas as gerações, para todo o sempre. Amém!" (Efésios 3.21).

Susan

RESPOSTA DE KRISTIE À CARTA DE SUSAN

Querida Susan,

Enquanto lia a sua carta o meu coração gritava 'sim!' e 'amém!' para tudo o que você dizia. Os seus anos de imersão na Palavra de Deus, pensando profundamente e apaixonadamente sobre a feminilidade bíblica e o discipulado de Tito 2 demonstram o fruto de ter sido ensinada a sã doutrina por pastores fiéis que investiram em sua vida espiritual de modo que você pudesse ajudar a passá-la para a geração seguinte.

Como uma mulher mais jovem em transição para a posição de mulher mais velha, eu estou cada vez mais convicta de que preciso mergulhar continuamente na Palavra de Deus se quiser alguma vez ministrar ao meu próprio coração ou ao coração de outras. Meu medo da teologia era, na verdade, um medo da Palavra de Deus, prova de que eu não tinha confiança na suficiência da Palavra para todos os aspectos da minha vida. Entendo o medo e a ansiedade que algumas mulheres mais velhas experimentam no discipulado pessoal. Percebo a minha própria inadequação, mas o Senhor me lembra de que, quando sou fraca, então é que sou forte por sua força.

Preciso ser discipulada. Sei que o pecado desfigurou o bom planejamento de Deus da feminilidade, solteirice, casamento, criação de filhos, e todas as situações com as quais somos confrontadas enquanto mulheres. Com frequência as nossas vidas estão mais conformadas ao mundo do que à imagem de Cristo. Devemos apresentar nossos corpos como sacrifício vivo, não perfeito, mas aperfeiçoado por meio do sangue de Cristo, para que possamos ser transformados pela renovação das nossas mentes, para discernir a boa e perfeita vontade de Deus (Romanos 12.1-2). Muitas das lutas que enfrentei no início da minha vida cristã foram ocasiões para louvar a Deus por sua fidelidade, por seu terno cuidado e misericórdia e por seu caráter confiável.

Apreciei os seus comentários sobre os benefícios pessoais do discipulado de Tito 2. Gostaria de observar também que o discipulado de Tito 2 é *pessoal*, *corporativo* e *global*. É pessoal em nossa maternidade espiritual de uma para com a outra. É corporativo como uma exteriorização do mandato bíblico para a igreja local, chamando-nos a ensinar e admoestar umas às outras com toda a sabedoria (Colossenses 3.16), de modo que todo o corpo seja edificado. E também é *global*, uma vez que transmite o evangelho ao mundo não cristão.

Primeiro, o discipulado de Tito 2 é pessoal. Para a mulher mais velha há a alegria de nutrir e moldar uma mulher mais jovem e ver a sua fé e maturidade florescerem pela graça de Deus por meio de seu ministério. Para a mulher mais jovem há o acesso ao encorajamento, mentoria, discipulado e prestação de contas regulares. Esses benefícios podem impactar nossas vidas pessoais por décadas. Oramos para que gerações de mulheres após nós – nossas filhas, nossas netas, as filhas delas, e todas as crianças sendo criadas em meio ao povo de Deus – experimentem a bênção desse tipo de ministério.

Corporativamente, o discipulado de Tito 2 cria uma maior sensação de confiança, intimidade e unidade entre as mulheres da igreja. A prestação de contas é ampliada. Círculos sociais se expandem dentro da igreja e minimizam a formação de panelinhas. Mulheres têm uma oportunidade maior de conhecer melhor umas as outras. Esses tipos de relações corporativas saudáveis testemunham a nossa afinidade como irmãs em Cristo (1 Tessalonicenses 4.11); fornecem um ambiente para vivermos os "uns aos outros" das Escrituras (João 13.34; Romanos12.10; Efésios 4.32; Colossenses 3.13); estabelecem um modelo para a próxima geração (1 Coríntios 11.1); encorajam o corpo (1 Tessalonicenses 5.11); produzem crescimento espiritual; (Filipenses 3.12-17) e promovem arrependimento e confissão (Tiago 5.16). Esses benefícios corporativos não estão limitados às mulheres, mas marcam o discipulado espiritual de todos os cristãos ao cuidarmos uns dos outros no corpo.

O discipulado entre as mulheres também serve como um testemunho cristão a um mundo incrédulo e observador. O mundo realmente está nos observando. Eles nos chamam de hipócritas. Eles veem conflito, divisão e tumulto entre o povo de Deus. Por que eles veem essas coisas? Porque eles não veem o amor. O discipulado acontece quando o amor entra em cena. Cristo afirma claramente que, "assim como eu vos amei, que também vos ameis uns aos outros. *Nisto conhecerão todos os que são meus discípulos: se tiverdes amor uns aos outros*" (João 13.34-35). Isso é crucial. Quando amamos uns aos outros por maternidade/mentoria/discipulado intencional, o mundo vê e é atraído para esse amor. Eles têm ansiado por isso todo esse tempo. Agora eles querem esse mesmo amor para si mesmos, e podemos oferecê-lo a eles no evangelho.

Nossos relacionamentos de discipulado são, em última análise, um catalisador de evangelismo. Somos ordenados a não apenas *ser* discípulos, mas também a *fazer* discípulos. Discípulos são feitos quando a boa nova da obra expiatória de Cristo é esclarecida, o Espírito Santo invade o coração das pessoas, e Deus as salva de seus pecados e do seu julgamento, para o seu louvor e glória eternos.

O discipulado de Tito 2 deve despertar o nosso zelo pela evangelização de diversas maneiras. Em primeiro lugar, nosso discipulado deve ser centrado no evangelho, levando-nos a ser mais focados no evangelho em todas as relações, inclusive com aqueles que ainda não são cristãos. Muitas vezes, em meu próprio discipulado, posso presumir o conhecimento do evangelho e enfraquecer a eficácia tanto do meu discipulado quanto do meu evangelismo. Nós não apenas cremos no evangelho em um determinado momento. Nós também vivemos diariamente o evangelho. O evangelho é o poder de Deus para a salvação, e o evangelho também nos ensina a viver com sobriedade e retidão enquanto esperamos pelo retorno certo e repentino de nosso Salvador. Tenho mais confiança no evangelismo quando vejo, a partir de uma experiência pessoal, o efeito do evangelho em minha própria vida e nas vidas daqueles que discipulo ou por quem sou discipulada.

Em segundo lugar, nosso discipulado deveria ser alimentado por nosso amor umas pelas outras e acender o nosso amor pelo perdido e um desejo de vê-los vir à fé em Cristo. Mais uma vez, o mundo saberá que somos verdadeiramente de Cristo pelo nosso amor uns pelos outros (João 13.34-35; 1 João 4.7-11). Matthew Henry afirma isso de forma bela: "Antes de Cristo deixar os discípulos, ele lhes daria um novo mandamento. Eles deviam amar uns aos outros por amor de Cristo, de acordo com o seu exemplo, procurando o que poderia beneficiar os outros, e promovendo a causa do evangelho, como um só corpo, animado por uma só alma"[7]

Em terceiro lugar, o discipulado bíblico vibrante deve nos inspirar a crescer na graça e no conhecimento de Cristo e encorajar-nos a falar a verdade de Deus para aqueles que ainda não se tornaram cristãos. Nosso amor por Cristo e fome pela sua Palavra e toda a verdade que ela contém devem ser aprofundados à medida que passamos tempo juntas como mães e filhas espirituais. Estamos, então, mais habilitadas para responder as perguntas, provocar pensamentos acerca de Deus e orientar os incrédulos, à medida que o Espírito os atrai à fé salvadora em Cristo.

Também gostaria que estivéssemos partilhando uma xícara de chá enquanto refletimos sobre como o Senhor tem nos feito crescer ao longo dos anos, conforme nos esforçamos para viver as instruções de Tito 2. Tenho certeza de que precisaríamos de muitas páginas para contar todas as maneiras que temos visto o Senhor usar nossos esforços, habilitadas pelo Espírito para nutrir e encorajar outras mulheres, e ainda mais páginas para contar as muitas mulheres que investiram seus corações em nossas vidas. No final da minha carta anterior, reconheci que há muitas mulheres que não tiveram o privilégio de ter uma mãe espiritual. Eu as encorajei a aprender com uma mulher mais velha à distância.

Querida Susan, é exatamente assim que você tem influenciado a minha vida ao longo dos anos. Observei a sua vida de longe por meio de seus escritos e palestras. Muito do que aprendi em relação à maternidade espiritual, ministério de mulheres e serviço como esposa de pastor, aprendi com você. E não apenas com você. Ah não! O Senhor me ensinou a amar o meu marido por meio de minha amiga Mandy. Ele me ensinou a pastorear os meus filhos por meio da Nadia. Ele me ensinou a priorizar a Palavra de Deus na minha vida por meio da Nancy. Sarah me ensinou a orar sobre tudo. Kim me ensinou como gerenciar minha casa. Eli me ensinou como ser hospitaleira. Eu poderia continuar. O ponto é que fui aprendendo continuamente a seguir o exemplo de mulheres mais velhas. Alguns desses relacionamentos foram intencionais e individuais. Outros foram bastante informais. Outros, ainda, foram por meio de livros, conferências, observação e aprendizado silenciosos do banco da igreja ou de uma classe de escola dominical.

Quando olho ao redor do local de culto a cada domingo na minha igreja, vejo muitas mães e filhas espirituais adorando lado a lado, reunindo-se em seguida para o almoço, orando e chorando juntas após o culto, agendando chás e almoços, e servindo juntas no corpo. Vejo mulheres jovens que crescem em sua fé e caminham com Cristo. Vejo mulheres mais velhas encorajadas e fortalecidas para perseverar com alegria. Oro para que aquelas que leem as nossas cartas vejam o mesmo em suas igrejas, que multipliquem várias vezes, e produzam frutos que conheceremos apenas na eternidade.

Kristie

Capítulo 8

Integridade Sexual

Afirmando a Verdade com Compaixão

Ellen Mary Dykas

Lauren e Michele[1] vieram me ver no Harvest USA por razões diferentes, mas com um clamor semelhante por ajuda: "Como posso ser livre do meu pecado sexual e dessa sensação de estar tão envergonhada e suja?". As duas professavam sincera fé em Jesus Cristo como Salvador e Senhor. Ambas estavam envolvidas em igrejas evangélicas sólidas. Lauren era estudante em um programa de pós-graduação em aconselhamento bíblico, e Michele e seu marido haviam crescido ouvindo a Bíblia ser ensinada. Infelizmente, nenhuma delas havia ouvido qualquer ensino abordando as lutas que muitas mulheres cristãs têm com o pecado sexual e a quebra relacional quase sempre associada a ele. A batalha de doze anos de

Lauren com pornografia e masturbação e a ativa vida de fantasia sexual de Michele devido a uma tentação constante por uma atração pelo mesmo sexo estavam causando estragos não apenas na relação que tinham com Deus, mas em todas as relações de suas vidas.

Lauren desejava se casar, mas não se sentia digna de nem mesmo cogitar a ideia de um namoro, visto que suas lutas secretas ofuscavam o resto de sua vida. Ela se sentia isolada, porque ninguém no estudo bíblico semanal de mulheres nunca havia mencionado nada ligeiramente ligado às lutas sexuais. Ela me disse: "De vez em quando, na igreja há sussurros abafados sobre um grupo de prestação de contas para homens que estão lidando com a lascívia, mas há silêncio total a respeito de lutas que nós [mulheres] estamos tendo"!

Michele expressava gratidão por seu marido gentil e paciente, mas seus desejos por mulheres, juntamente com as fantasias homossexuais por ela abraçadas, estavam mantendo um muro entre seu coração e o dele, não só emocionalmente, mas sexual e espiritualmente também. Ela contou o quanto ficava desmotivada quando, em mídias sociais, via mensagens de amigos cristãos promovendo o casamento gay. Sentia-se sem esperança de saber como se envolver em sua batalha contra a tentação homossexual sem destruir seu marido ou ser desviada da obediência a Deus por seus próprios irmãos e irmãs em Cristo.

Esse capítulo se destina a ajudar os leitores a entenderem mulheres como Lauren e Michele, e a encorajar, especialmente as mulheres, a seguirem os passos de Jesus Cristo, nosso redentor gracioso, para a vida de outras mulheres e lutas, trazendo a esperança e compaixão do evangelho. O evangelho está realmente no cerne de tudo o que esse capítulo tem a dizer. Abordo o contexto da igreja, onde o povo de Deus afirma pela fé e ensina sem cessar a boa nova da nossa redenção em Jesus Cristo – que morreu em nosso lugar na cruz, que ressuscitou dos mortos, vencendo a morte, e que virá novamente para julgar a todos e habitar com seu povo para sempre. Para compreender as implicações do evangelho para nossa sexualidade, temos que voltar ao início da história bíblica.

A INTENÇÃO DO CRIADOR E A DEVASTAÇÃO DA QUEDA

"Ao SENHOR pertence a terra e tudo o que nela se contém, o mundo e os que nele habitam", afirma O Salmo 24.1. Colossenses 1.16 explica ainda o Senhor da criação ao falar de Jesus: "Pois, nele, foram criadas todas as coisas... Tudo foi criado por meio dele e para ele". Nosso Deus é um criador amoroso com um bom projeto para toda a sua criação. No entanto, desde Adão e Eva, nenhum ser humano nesse mundo experimenta a vida perfeitamente de acordo com esse projeto. Como resultado da queda (Gênesis 3), o pecado trouxe a devastação para todos os detalhes da criação, incluindo a nossa sexualidade. Essa devastação se infiltra, com amplo impacto, na vida das mulheres, afetando profundamente a nossa experiência de desejos emocionais e sexuais e, na verdade, cada um de nossos relacionamentos.

Vamos considerar quatro ensinamentos principais da Escritura a respeito das intenções do Criador para a sexualidade e o impacto do pecado sobre ela.[2]

1) Deus é o Criador da Sexualidade

(Gênesis 1–2; Salmo 24.1-2; Romanos 11.36; 1 Coríntios 8.5-6; Colossenses 1.16)

A Bíblia revela Deus (Pai, Filho e Espírito) como o criador de todas as coisas. Ele é um criador amoroso e projetou tudo que diz respeito a nós – incluindo o gênero, a capacidade de interagir com os outros, cada aspecto de nossos corpos e de nossa sexualidade – para funcionar de acordo com o seu projeto. Como Criador, ele decretou *por que* o seu projeto é o que é: o objetivo final é a sua glória, que exibe o esplendor de sua santidade, amor, bondade, poder – todo o seu magnífico ser. Os seres humanos são feitos à imagem de Deus (Gênesis 1.27) para mostrar a imagem gloriosa de Deus. Nós glorificamos a Deus e experimentamos a beleza e a sanidade de seu projeto, quando seguimos a sua Palavra e, assim, vivemos de uma forma que revela a sabedoria de seu caráter – um caráter que a Bíblia revela como digno de adoração e obediência. A glória de Deus transborda em bondade para sua criação. Deus é criador *e Senhor amoroso*, assim, quando buscamos glorificá-lo com nossos corpos e através de sua expressão ordenada de nossa sexualidade, a boa dádiva de seu projeto dá bons frutos em nossas vidas. Essa é a sua maravilhosa graça revelada a nós quando nos comprometemos a nos expressar dentro das graciosas barreiras de proteção de sua intenção na criação.

2) A Sexualidade Piedosa é uma Dádiva para os Casados

(Gênesis 2.24; Efésios 5.22-35; Hebreus 13.4; Cantares de Salomão)

O contexto abençoado de Deus para toda a expressão sexual é o casamento. O casamento, criado e projetado por Deus, é uma união de compromisso por toda a vida entre um homem e uma mulher. A sexualidade piedosa dentro do casamento é uma maneira de Deus ser glorificado, à medida que marido e mulher experimentam as alegrias e prazeres de sua boa dádiva por meio de:

- Amar e servir altruistamente o cônjuge no contexto da fidelidade sexual ao longo da vida. Isso significa que toda a expressão sexual é reservada para a privacidade da relação entre marido e mulher, sem a intrusão de quaisquer influências de terceiros.

- Uma possível nova vida (bebês!) concebida como fruto da união sexual.

- Uma experiência de ligação que nutre o casal e também é um sinal da união de Cristo com seu povo, a realidade eterna que todos os crentes desfrutarão.

- Desfrute sem qualquer vergonha do prazer sexual, emocional e mental, que traz glória e louvor a Deus.

3) A Sexualidade Piedosa é uma Dádiva para o Não Casado

(1 Coríntios 7.35; Colossenses 3.5; Hebreus 13.4)

Enquanto a pessoa casada é chamada à obediência a Cristo através da fidelidade sexual a um cônjuge, a pessoa solteira é chamada à obediência a Cristo através da abstenção da expressão sexual. Apesar das inúmeras tentativas de reinterpretar as Escrituras para permitir a expressão sexual fora da aliança do casamento, em nenhum lugar da Bíblia vemos Deus abençoando qualquer tipo de atividade sexual fora do casamento.[3] A sexualidade piedosa para não casados é:

- Uma vida de abstinência da atividade sexual.

- Uma maneira de viver a devoção fiel a Jesus, uma vez que o estado de não casado permite uma exclusiva assistência e serviço a Cristo.

- Uma plataforma para uma variedade de ricas relações.

- Uma oportunidade para honrar o casamento e manter um futuro (ou potencial) leito conjugal puro. A obediência a Cristo enquanto solteira pode preparar uma mulher para a fidelidade enquanto esposa.

- Uma placa de sinalização para Jesus que o revela como suficiente para a vida abundante e digno de completa devoção.

4) Toda Mulher, Solteira ou Casada, Jovem ou Não, Precisa da Ajuda do Redentor em Sua Sexualidade.

Michele ama seu marido e *é* atraída por ele, mas sua união com ele está sendo invadida por suas fantasias com mulheres, as quais ela não sabe como dispersar – e às vezes não quer. Ela está sofrendo e se sente profundamente envergonhada, não só porque essas imagens inundam sua mente quando ela está tendo intimidade sexual com seu marido, mas também porque acha que elas sejam mentalmente reconfortantes.

Lauren conhece Jesus. Ela anseia por uma paz mais profunda em seu relacionamento com o Salvador, mas o seu pecado secreto parece intocado por todas as verdades doutrinais surpreendentes que ela está aprendendo em seu curso. Seus líderes da igreja pregam, ensinam e encorajam-na a viver uma vida centrada no evangelho, mas ela nunca compreendeu como a morte e ressurreição de Cristo podem ser aplicadas à sua luta contra a pornografia e a lascívia que alimenta o seu coração de mulher.

O que está acontecendo nos corações dessas mulheres? Por que essas filhas do Senhor estão lutando tão profundamente com sua sexualidade? Suas lutas podem fazer sentido a todos nós. Simplesmente e, no entanto, profundamente, Michele e Lauren, como todas as mulheres, estão experimentando o impacto da queda em sua sexualidade. Nossos desejos tornaram-se desordenados, e nossas mentes precisam de transformação. Nossos corações precisam de uma reorientação radical em direção a Cristo, que nos chamou para viver plenamente para ele e não para nós mesmos. Todos nós precisamos de ajuda para ligar a verdade amorosa de nosso Redentor a essas áreas tão sensíveis e pessoais de nossas vidas; precisamos tanto da *compaixão* quanto do *desafio* da Palavra de Deus e do povo de Deus.

Mulheres que enfrentam o seu pecado sexual e a consequente destruição precisam da *compaixão* da Palavra de Deus e do povo de Deus porque as lutas sexuais podem ser uma parte extensa e fatigante da batalha da fé. Padrões de pecado sexual geralmente não são abafados de um dia para o outro, e o caminho do arrependimento será um processo. Assim como fazer uma refeição em uma panela (em vez de em um micro-ondas), a mudança de padrões de sexualidade requer muitas vezes um longo e lento cozimento na graça e verdade de Deus. As Escrituras são destinadas a serem comidas totalmente e digeridas profundamente, entre o povo de Deus e ao longo do tempo, conforme o Espírito planta essas palavras em nossos corações. Tentações e desejos não costumam desaparecer; em vez disso, os filhos de Deus aprendem a lutar contra eles, pelo Espírito e pela Palavra, com a ajuda compassiva do povo de Deus.

Mulheres que lutam sexualmente precisam ter a compaixão graciosa de Cristo estendida a elas também, porque pecados sexuais foram cometidos contra muitas delas também. Em meus anos de ministério com mulheres como Lauren e Michele, e tantas outras que estão presas na armadilha em algum lugar no espectro do pecado sexual, aprendi que a maioria delas foi abusada sexualmente e usada para os desejos egoístas dos outros. Todos nós tendemos a responder pecaminosamente ao pecado cometido contra nós; mulheres que lutam com o pecado sexual não são diferentes. Esse capítulo centra-se nas muitas mulheres que lutam contra o seu próprio pecado sexual, mas é claro que as mulheres que foram sexualmente abusadas lutam de inúmeras maneiras que precisam de todos os tipos de compaixão e desafio do povo e da Palavra de Deus. Quando buscamos discipular mulheres como Lauren e Michele, em particular, que buscam libertação de sua própria escravidão do pecado sexual, a compaixão de Cristo é uma necessidade – Cristo, que esperou pacientemente com aquela mulher apanhada em adultério, enquanto todos os outros a deixaram, antes de lhe oferecer, não a condenação, mas um chamado para não mais pecar (João 8.1-11). Mulheres que lutam contra o pecado sexual oferecem ao povo de Deus uma oportunidade de compartilhar esse Senhor, Senhor Deus cheio de "benignidade" e "multidão de misericórdias" quando o invocamos para nos "lavar" e "purificar" (Salmo 51.1-2).

Mulheres que lutam contra padrões de pecado sexual também precisam do *desafio* da Palavra de Deus e do povo de Deus, porque muita coisa está em jogo! Deus, o criador amoroso das mulheres, projetou-nos para florescer à medida que nos submetemos como sacrifícios vivos ao nosso santo rei, Jesus. Deus se recusa a compartilhar sua glória com nossos ídolos (Isaías 42.8); ele é ávido por nos resgatar dos falsos deuses que buscamos, os quais nós pensamos que nos dão vida, mas que trazem desordem e morte. O Senhor Deus tem boas obras preparadas para nós para estender o seu reino e espalhar o seu amor a um mundo quebrado. *Esse desafio não tem a ver com tornar as mulheres mais felizes ou ocupadas no ministério.* O desafio é ser transformado à imagem de Cristo. Jesus nos resgata de nós mesmos e de nossos pecados, transportando-nos para o seu reino, para que possamos ser amantes sinceros de Deus, adorando somente a ele e participando de sua missão de fazer discípulos de todas as nações (Mateus 28.18-19; Efésios 5.1-2; Colossenses 1.13).

NECESSIDADE DE DISCIPULADO, NÃO APENAS DE DOUTRINA

Por onde começamos com Lauren e Michele? Devemos ter como alvo primeiramente os seus pecados ou a sua identidade em Cristo? Será que nos focamos inicialmente em fazer Lauren se alegrar em sua solteirice e em ajudar Michele a entender como a intimidade sexual conjugal deve ser? Devemos esquecer sobre a sexualidade desordenada delas e imergi-las em um estudo sobre a feminilidade bíblica? Será que realmente precisamos considerar as suas histórias e a forma como foram abusadas, ou devemos encorajá-las a esquecer o que está por trás delas e apegarem-se às promessas de Deus para hoje?

Lauren e Michele, de fato, precisam de ajuda em todas as áreas acima, mas não só nessas áreas. O que elas não têm tido e pelo que estão desesperadamente famintas é um *discipulado direcionado em relação a como a vida em Cristo se conecta às suas lutas contra o pecado sexual*. Elas precisam de ajuda para entender as questões mais profundas do coração que as compelem em direção a esses pecados específicos. Precisam aprender, a partir da Palavra e do povo de Deus, como Jesus nos dá tudo o que precisamos para a vida e piedade (2 Pedro 1.3-4).

O discipulado sábio de mulheres que estão lutando contra o pecado sexual inclui conhecê-las especificamente em suas lutas contra o pecado e, então, trazer o evangelho especificamente para suas lutas ao mesmo tempo em que as conectamos a um Salvador, que vê suas ações e seus corações, que as conhece intimamente, e que, em sua compaixão, as ama suficientemente para buscá-las incessantemente. Vamos considerar esses elementos de discipulado por meio de uma história do ministério de Jesus a uma mulher que estava sofrendo:

> Ora, ensinava Jesus no sábado numa das sinagogas. E veio ali uma mulher possessa de um espírito de enfermidade, havia já dezoito anos; andava ela encurvada, sem de modo algum poder endireitar-se. Vendo-a Jesus, chamou-a e disse-lhe: Mulher, estás livre da tua enfermidade; e, impondo-lhe as mãos, ela imediatamente se endireitou e dava glória a Deus. O chefe da sinagoga, indignado de ver que Jesus curava no sábado, disse à multidão: Seis dias há em que se deve trabalhar; vinde, pois, nesses dias para serdes curados e não no sábado. Disse-lhe, porém, o Senhor: Hipócritas, cada um de vós não desprende da manjedoura, no sábado, o seu boi ou

o seu jumento, para levá-lo a beber? Por que motivo não se devia livrar deste cativeiro, em dia de sábado, esta filha de Abraão, a quem Satanás trazia presa há dezoito anos? Tendo ele dito estas palavras, todos os seus adversários se envergonharam. Entretanto, o povo se alegrava por todos os gloriosos feitos que Jesus realizava. (Lucas 13.10-17)

Há muita coisa acontecendo nessa passagem. Jesus está buscando ilustrar o verdadeiro propósito do sábado: *a benignidade de Deus sendo experimentada por seu povo*, e especificamente aqui, por essa mulher marginalizada. Em última análise, ele está procurando mostrar quem ele é e por que veio; ele é o libertador vindo para libertar as pessoas dos laços de Satanás (v. 16).

Vamos à cena. A sinagoga era o ponto de encontro religioso, e Jesus era o professor naquele dia. Como era o costume, somente os homens eram autorizados a interagir e sentar-se perto do professor. As mulheres eram autorizadas a entrar na sinagoga, mas ficavam separadas dos homens. Essa mulher encurvada estaria ouvindo de uma sacada ou talvez de algum lugar periférico da sala, atrás de um véu ou alguma outra barreira. Ela estava escutando e observando de longe, com uma multidão de homens entre ela e o Senhor. Jesus maravilhosamente coloca a fragilidade dessa mulher sem nome em evidência ao fazer dela a peça central de sua demonstração de amor compassivo.

Lauren e Michele têm muito em comum com essa mulher encurvada. Elas não estão em um estado encurvado fisicamente, mas espiritual, emocional e sexual. Elas também sentem como se vivessem às margens de suas comunidades cristãs: desconhecidas, encurvadas sobre seu pecado secreto, envergadas sob a vergonha de suas lutas, e com barreiras nítidas entre elas e Jesus. Elas não sabem como receber a liberdade, a cura e a mudança que tão profundamente almejam.

Vamos buscar primeiro conhecer Lauren e Michele e suas lutas específicas por meio das experiências dessa preciosa mulher sem nome que Jesus amou.

CONHECENDO UMA MULHER ENCURVADA

Em primeiro lugar, *a mulher em Lucas 13 está encurvada e presa em cativeiro*. Ela havia vivido dessa maneira por dezoito anos, encurvada de dor, cambaleando por aí, provavelmente incapaz de realizar atividades diárias sem uma luta enorme. No caso dela (e esse nem sempre é o caso com doenças físicas), essa escravidão física agonizante evidenciava uma escravidão espiritual: essa mulher possuía um "espírito de enfermidade", e Jesus se refere a ela como presa por Satanás. Que vívida imagem o corpo encurvado dessa mulher fornece – uma imagem da escravidão em que toda pessoa vive quando está à parte de Cristo.

"Encurvado" indica um estado em que a retidão desejada foi perdida e precisa ser restaurada. Este é o nosso estado natural sem Cristo: presos ao pecado. E, assim, Deus enviou seu Filho para nos libertar. Como o apóstolo Paulo escreve aos Colossenses: "Ele nos libertou do império das trevas e nos transportou para o reino do Filho do seu amor, no qual temos a redenção, a remissão dos pecados" (1.13-14). No entanto, mesmo após a libertação da salvação, os crentes, por meio do poder do Espírito, devem aprender (e muitas vezes lutar) a viver retamente no sentido de manter relacionamentos saudáveis e santos, incluindo o aspecto da sexualidade. Mesmo enquanto celebrava a libertação dos Colossenses, Paulo escreveu instando-os: "Ora, como recebestes Cristo Jesus, o Senhor, assim andai nele" e "Fazei, pois, morrer a vossa natureza terrena: prostituição, impureza, paixão lasciva..." (2.6; 3.5).

Escravidão sexual é um tipo persistente de *encurvatura*. Lauren aprendeu na adolescência a usar pornografia e masturbação como maneiras rápidas para aliviar a sua dor emocional. Mas o efeito não durava muito tempo. O alívio físico e emocional logo dava lugar aos sentimentos inevitáveis de descontentamento e dor que ela havia sentido por tanto tempo. E, assim, ela tentava de novo, e os hábitos de encurvatura se enraizavam.

Em segundo lugar, *a mulher em Lucas 13 é excluída e julgada*. Os líderes religiosos na época de Cristo eram, muitas vezes, legalistas e julgadores: se você estava sofrendo, provavelmente era por causa do seu pecado. Entre as primeiras pessoas que conheci por meio do ministério Harvest USA estava uma mulher de quarenta anos de idade que veio buscar ajudar. Deus estava trabalhando poderosamente em seu coração após mais de duas décadas de promiscuidade sexual. Ela contou que, quando tinha dezenove anos de idade, era bastante ativa em sua igreja e membro fiel da equipe de louvor. Naquela época, ela havia finalmente juntado coragem para compartilhar algo com seu pastor: desde o início de sua adolescência, ela havia tido sentimentos por outras meninas e estava confusa e assustada com esses sentimentos. Ela não havia agido de acordo com seus desejos, mas precisava de conselho para saber o que fazer com eles. "Você pode me ajudar, Pastor, e orar por mim? Eu não sei o que fazer com isso". Ele respondeu: "Nós realmente não temos nada aqui para você, e você precisa se desligar imediatamente do ministério". E ela se desligou. Desligou-se e saiu – saiu da igreja diretamente para os braços abertos das pessoas que a aceitaram sem julgamento: a comunidade lésbica. O desamoroso julgamento e a rejeição de sua dor pelo pastor não a fizeram reagir da forma como reagiu, mas a resposta dele a influenciou a ir até outros que não a rejeitariam.

Antes de se casar, Michele compartilhou com o seu marido sobre os seus relacionamentos passados com mulheres. Ela compartilhou também a sua experiência de ter sido abusada sexualmente pelo filho de seu pastor e estuprada por seu chefe aos dezesseis anos. Como consequência dessas experiências traumáticas, os desejos que tinha por mulheres pareciam ainda mais atraentes. Ela pensou em dar uma chance e começar a namorar meninas. Ela havia ouvido as piadas e a dura condenação em sua igreja sobre pessoas identificadas como homossexuais, então ela aprendeu a manter a sua situação encoberta. Agora, anos mais tarde, procurando desesperadamente seguir a Cristo, ela está ainda mais confusa: enquanto que o pêndulo do julgamento antes balançava contra a homossexualidade, atualmente parece estar balançando contra aqueles que não a afirmam. Para Michele, parece que as suas fantasias com o mesmo sexo serão julgadas por alguns como o pior pecado, e outros a julgarão por não realizá-las, simplesmente seguindo seus desejos. Ela se sente muito sozinha e incompreendida.

Em terceiro lugar, *a mulher em Lucas 13 é humilhada pelos líderes religiosos*. Quando o chefe da sinagoga imediatamente protesta contra essa cura no sábado, bem na presença da mulher que foi curada, Jesus pergunta por que os líderes religiosos desamarravam e davam de beber ao seu animal no sábado, mas não libertavam de suas amarras essa sofredora "filha de Abraão". Uau! Esses líderes religiosos estavam basicamente dizendo que ela não era tão importante quanto um burro. Essa mulher encurvada foi humilhada publicamente por aqueles que tinham a responsabilidade de cuidar dela. Ao acusar os líderes, Jesus está levando-os à vergonha aqui (v. 17) e tirando a vergonha carregada por tanto tempo pela mulher.

Diferentemente da encurvatura física, que é visível, a destruição sexual permanece muitas vezes oculta, o que, na verdade, aprofunda a vergonha das mulheres que lutam dessa maneira. Quando Lauren veio encontrar-se comigo pela primeira vez, como a maioria das mulheres com quem converso, ela estava extremamente nervosa. Eu sabia que ela era uma líder cativante e extrovertida em seu campus, mas o seu segredo nunca havia sido revelado em voz alta ou compartilhado com ninguém. Como tantas mulheres que haviam confessado o seu pecado sexual para mim, lágrimas e dor transbordavam junto de suas palavras à medida que a pressão interna por manter esse segredo era finalmente aliviada. A vergonha foi dissolvida conforme o pecado era trazido à luz com uma irmã cristã. Ela chorou quando contou que nunca havia ouvido uma ilustração de sermão ou quaisquer palestras em suas aulas de aconselhamento bíblico que sequer insinuassem a possibilidade de mulheres serem viciados em pornografia também. Ela havia acreditado na mentira da vergonha: que a sua própria pessoa era suja e nojenta. Durante anos, esse senso interno de vergonha levou Lauren a decidir ainda mais firmemente por manter a sua luta como um segredo profundamente escondido. Ela estava vivendo Provérbios 28.13a: "O que encobre as suas transgressões jamais prosperará".

Em quarto lugar, *a mulher em Lucas 13 sente-se aprisionada em seu corpo*. Essa mulher era severamente limitada por seu corpo encurvado, aprisionada sem esperança de liberdade, a menos que Deus milagrosamente a curasse e libertasse do espírito de enfermidade. Seu aprisionamento ao seu corpo desordenado nos fornece uma maneira de entender a escravidão que o pecado tem sobre os nossos corações, a menos que o nosso Salvador nos salve, liberte e cure. O clamor de Paulo em Romanos 7.24, "Desventurado homem que sou! Quem me livrará do corpo desta morte?", está sendo repetido por muitas mulheres que fazem a mesma pergunta a respeito de seu pecado de natureza sexual. Elas precisam da resposta de Paulo a esse grito doloroso, encontrado em sua alegre declaração no versículo 25: "Graças a Deus por Jesus Cristo, nosso Senhor". Elas sabem que estão servindo a si mesmas e anseiam por servir a Cristo, mas elas precisam de um discipulado direcionado para ajudá-las a conectar a verdade de Romanos 7.24 com a de Romanos 7.25.

Muitas mulheres que estiveram em relacionamentos homossexuais, e até mesmo abraçaram uma identidade gay, lutam arduamente para crer que existe outra maneira de viver como uma mulher. Geralmente sua história relacional incluirá um padrão de ligações codependentes (ou coidólatras), relacionamentos emocionalmente inebriantes com mulheres. Isso é tudo o que muitas delas conheceram como forma de ligação significativa, amorosa e íntima com outros. É realmente possível libertar-se e crescer em amizades piedosas e saudáveis para se tornar *desencurvado* nessa área – talvez para viver em alegre solteirice e talvez para viver em alegre união com um homem?

Este foi o clamor do coração de Michele: "Será que algum dia serei capaz de fazer sexo com meu marido sem imagens de mulheres enchendo a minha mente? Eu me sinto tão suja e tão triste por ele que, quando ele está se abrindo comigo, e ansiando por todo meu amor em resposta, eu simplesmente não consigo lhe dar. Fico dividida e me sinto como uma aberração". Michele, assim como Lauren, sabem que estão em um estado espiritual, emocional e sexual não saudável. Ambas se sentem um pouco como a mulher em Lucas 13, vendo Jesus e ouvindo sua voz de longe. Mas como é que elas se aproximam dele? Como elas tomam as verdades cheias de graça do evangelho e as aplicam a essas áreas de encurvatura secreta? Como elas podem ver Cristo claramente através da névoa de sua dor e vergonha?

MINISTRANDO ÀS MULHERES ENCURVADAS
1) Olhando para Jesus, Deus Conosco

O primeiro e principal ingrediente do ministério com mulheres encurvadas pelo pecado sexual é o primeiro e mais importante ingrediente do ministério a qualquer um, a qualquer hora. É olhar para Jesus, Deus conosco. Nessa cena de Lucas, Jesus foi à sinagoga para ensinar. Mas Jesus é mais do que um professor que apresenta verdades sobre Deus. Jesus é o nosso templo (João 2.21), o lugar santo, onde o pecado é expiado e onde Deus e o seu povo se encontram. Jesus é a personificação do clamor do coração de Deus: "Eles serão o meu povo, e eu serei o seu Deus" (Ezequiel 11.20). Jesus é muito mais do que um professor ou um líder espiritual em uma sinagoga. O Filho de Deus veio a esse mundo pecaminoso; ele morreu, ressuscitou, vencendo o pecado e a morte, e ele subiu aos céus – mas não está distante. Por meio de seu Espírito, ele fez a sua morada em nós, seu povo.[4] O Cristo ressurreto é o Senhor que vive em nós, que se aproximou daqueles de coração despedaçado – dentro de nossos próprios corações.

Mulheres sexualmente desoladas em nossas igrejas e comunidades precisam, em primeiro lugar, ser chamadas a Jesus, que é Deus conosco. Muitas que assumem ser crentes talvez precisem realmente colocar a sua fé pela primeira vez nesse Redentor que veio a nós em nosso pecado, morreu por esse pecado, e chamou-nos da mesma forma que chamou a mulher encurvada em Lucas 13: "Mulher, estás livre" (v. 12). Muitas das que pertencem a Cristo precisam do tipo de discipulado pessoal que, com compaixão e desafio, ajude-as a aproximar-se do Salvador que se aproximou de nós. Muitas precisam nos ouvir, suas companheiras pecadoras, que se aproximaram e encontraram graça, para auxiliá-las em tempo de necessidade, contando nossas histórias da suficiência de Cristo. É do evangelho, a boa nova do que Deus fez por nós em Jesus Cristo, que todos nós precisamos continuamente.

Recebi um golpe anos atrás quando uma jovem mulher, filha de líderes de ministério, procurou-me por causa do seu próprio pecado sexual e, depois de alguns minutos, disse para mim: "Mas, Ellen, filhos de pais cristãos não devem supostamente lutar com essas coisas"! Meu coração se partiu e, honestamente, fiquei frustrada também. Acho que foi uma frustração justa – como ela havia chegado a essa conclusão, e quem havia lhe ensinado que os cristãos estão além da tentação sexual? Além do pecado sexual? Hebreus 4.16 nos lembra de forma maravilhosa que somos acolhidos no trono do Rei Jesus porque somos seus! Não há nenhuma placa na porta da sala do trono que diz: "Todos os pecadores necessitados sejam bem-vindos, exceto os pecadores sexuais".

O ministério terreno de Jesus foi ousado não apenas porque ele se colocava na presença daqueles que a sociedade marginalizava, mas também porque ele derramava seu amor sobre eles de forma extravagante. A mulher no poço em João 4 era uma mulher encurvada, sexualmente desolada. Jesus a buscou e respeitou e, então, desafiou-a a viver de forma diferente. A mulher pega em ato de adultério em João 8 era uma mulher encurvada, de coração quebrado. Não sabemos os seus motivos para dar lugar ao pecado sexual, mas sabemos isto: quão humilhada ela deve ter se sentido diante de uma multidão de curiosos hipócritas; quão aterrorizada ela deve ter ficado enquanto se abaixava no chão, esperando que pedras fossem atiradas com ódio brutal para acabar com sua vida. Jesus também estava lá: amando, falando, perdoando e chamando-a para uma nova vida.

2) Estando Presente com as Mulheres que Travam Lutas Sexuais

Seguimos os passos de Jesus ao estarmos intencionalmente presentes com as mulheres que travam essas lutas sexuais. Trazemos a presença dele até elas e chamamos a atenção delas para a presença dele. Mas como vamos encontrá-las? Como nos aproximamos delas quando elas permanecem tão escondidas, com medo de buscar ajuda? Sirvo em um ministério conhecido por fornecer ajuda a pessoas que têm lutas sexuais, assim, em certo sentido, é fácil para mim. Mas, dentro ou fora do meu escritório, busco estar cada vez mais presente com as mulheres, compartilhando as minhas próprias lutas diárias e minha necessidade de Jesus e de sua Palavra que dá vida. Aprendi que, quando permito que outros conheçam aspectos da minha própria encurvatura e como estou procurando andar pela fé diante de Deus, barreiras lentamente se desfazem nos corações das mulheres que travam essas batalhas. Quando mulheres feridas compreendem que Jesus não está distante de nós, mas, em vez disso, está presente conosco em nossas lutas e realmente falando a nós pelo Seu Espírito através da sua Palavra, elas descobrem a sua graça que persuade todos nós a segui-lo.

Esse capítulo sobre ministrar às mulheres no meio de lutas com a sexualidade deve ser lido, é claro, à luz do conteúdo dos outros capítulos desse livro dedicado ao ministério de mulheres.

A ministração da Palavra no centro de tudo isso, relacionamentos baseados em Tito 2 entre as mulheres nas igrejas e comunidades locais, juntamente com a compreensão de como Deus nos habilita para servir, serão ingredientes-chave à medida que buscamos também ser discipuladoras intencionais de mulheres em lutas de cunho sexual.[5]

3) Ensinando a Palavra de Forma Plena e Compassiva

Ministrar a mulheres desoladas sexualmente, conforme se tornam conhecidas por nós, deve envolver o ensino contínuo e específico da Palavra. Jesus estava lá para ensinar as pessoas na sinagoga naquele dia, e todos nós precisamos de ajuda para aprender, não é? Em nossa primeira conversa, Lauren me disse que as poucas vezes em que seu pastor ou as líderes de ministérios de mulheres mencionaram a ideia de pecado sexual, fizeram-no de uma maneira bastante generalizada. Houve pouco contexto específico e o tom do assunto era dolorosamente de julgamento: *Não faça isso! É errado!* Ela havia ouvido o ensino do fato de que a impureza sexual é pecado, e geralmente por que os cristãos não deveriam ter parte nisso, mas nenhum ensino ou discipulado sobre como vencê-la.

Mulheres como Lauren e Michele precisam de professoras, irmãs em Cristo de confiança que as conhecerão e as discipularão para que compreendam a natureza da tentação e o que está acontecendo em seu coração que contribui para o esse pecado. Também precisam de ajuda para compreender a riqueza do bom projeto de Deus para a sexualidade e não apenas listas do que fazer ou não. Muitas queridas irmãs cristãs que são apanhadas em pecado sexual anseiam por saber se a Bíblia realmente tem a verdade que irá se conectar com elas no nível básico da luxúria emocional, desejos sexuais e vidas com pensamentos descontrolados. Certamente um estudo fiel das Escrituras do começo ao fim apresenta uma história abrangente da criação da sexualidade por Deus como boa, da perversão da sexualidade como literalmente pecaminosa e simbolizando consistentemente rebelião contra um Deus que nos ama como um marido, e a consumação do plano redentivo de Deus retratado em termos de uma grande festa de casamento. Investigar os ensinamentos da Escritura revela não apenas verdades sobre sexualidade, mas, no processo, verdades sobre o próprio Senhor Deus – verdades pessoais que nos levam em direção a ele e para longe do pecado.

Mas não podemos apenas esperar que as mulheres venham correndo para ser ensinadas. O ministério de mulheres sexualmente desoladas envolve buscar aquelas que estão se escondendo. Amo o fato de que essa história nos diz que Jesus *viu* essa mulher, ainda que ela estivesse muito provável na parte de trás da sala, na melhor das hipóteses, e *chamou-a* para si (Lucas 13.12). As mulheres na igreja são normalmente ignoradas quando se trata de questões de luta sexual. Elas não são chamadas para Cristo por que há uma falta de ensinamento bíblico robusto e compassivo que *nomeie* lutas sexuais como uma questão feminina também. A lascívia é vista principalmente como um problema de homens – como se mulheres não tivessem uma libido. Quando pastores e líderes cristãos reconhecem que as mulheres são tão humanas e desoladas quanto os homens na área da sexualidade, então a liderança na igreja abordará essas áreas como um aspecto de nossa humanidade decaída para as quais todos nós precisamos do evangelho. Como a mulher que foi ao seu pastor aos dezenove anos de idade, muitas tiveram encontros com líderes cristãos que realmente não queriam (ou talvez não se sentissem habilitados) aplicar a verdade do evangelho em áreas de pecado sexual.

Em Lucas 13, Jesus mostra seu amor e compaixão extraordinários. Ele se move suavemente em direção à mulher incapacitada, cuja encurvatura está à mostra para todo mundo ver. Ele a percebe, chama-a para si e espera pacientemente que ela chegue até ele. Podemos apenas imaginar o que ela pensava que a multidão de homens entre ela e Jesus pudesse dizer ou fazer. Não sabemos se havia outras mulheres sentadas ao seu lado que talvez tenham sorrido e a encorajado a ir até esse professor Jesus, porque ele era conhecido por acolher pessoas machucadas em sua presença. Mas sabemos isto: ela respondeu ao seu chamado e chegou à sua presença como uma mulher necessitada. E Jesus a acolheu. Não mais escondida, não mais vivendo à margem da sociedade, ela veio para aquele que a nomeou como uma filha honrada de Abraão e que tocou o seu corpo destruído e a curou.

Quando as mulheres vêm me ver em meu escritório, o fato de elas estarem realmente ali me diz muito. É assustador falar com alguém e compartilhar seus mais profundos segredos e sentimentos de vergonha. A coragem e a humildade de mulheres ao longo dos anos a esse respeito têm me impulsionado em minha caminhada de fé. Realmente acredito que quando pedimos a Deus que nos ajude a ver as pessoas da forma como ele faz, aprendemos cada vez mais a como recebê-las de uma forma que as ajude a se sentirem seguras para vir e se abrir.

Precisamos perguntar a nós mesmos e a outros em nossas vidas: Como faço para me deparar com outras mulheres? Aparento ter a mente sã? As mulheres se sentem seguras para compartilhar a "mais fina porcelana"[6] de suas almas comigo? Ser uma pessoa segura não significa que precisamos jogar ao vento todos os nossos segredos ou usar as oportunidades de ensino público como um momento de confissão do pecado pessoal. Todavia, significa várias coisas:

- Estar disposta a ser modelo de arrependimento. Compartilhar nossas experiências pessoais de 1 Tessalonicenses 1.9-10 (sendo mulheres que diariamente precisam de ajuda para voltar para Jesus Cristo dos ídolos que seduzem nossos corações) é uma das maneiras de vivermos Tito 2 e "ensinar o que é bom".

- Crescer como uma ouvinte sábia e amorosa.

- Crescer como uma mulher que usa a teologia de uma maneira muito prática, de uma vida para outra, de modo que a Palavra de Deus seja aplicada às situações reais da vida das mulheres em nossas vidas. O nosso discipulado, então, entrará de forma crescente e destemida nas confusões das vidas das mulheres, ajudando-as a ver as tentações e os padrões de pecado sexual para os quais estão cegas.

4) Sendo as Mãos Curadoras de Jesus

É maravilhoso que Deus nos use para trazer a cura de Jesus à vida de mulheres quebradas e para compartilhar a alegria dessa cura entre o povo de Deus. Ele poderia fazer tudo isso sozinho.

Jesus poderia ter realizado a cura em Lucas 13 em privado. Ele poderia ter notado a mulher e curado-a simplesmente com um pensamento amoroso, enquanto ela se sentava no fundo da sala. Mas Jesus torna a necessidade dela por ele e o seu amor por ela bem públicos. Ele está mostrando e compartilhando a sua obra. Ele proclama palavras de liberdade e cura sobre ela e, em seguida, com santas mãos divinas, toca-a. Imagine o que essa mulher sentiu quando ouviu essas palavras milagrosas e, então, sentiu o seu terno toque de cura em seu corpo destruído. Imagine a admiração do povo que testemunhou esse milagre enquanto "se alegrava por todos os gloriosos feitos que Jesus realizava" (v. 17). Jesus está perto das mulheres com quem convivemos e que estão com o coração desolado e presas pelo pecado, e ele *nos* envia para falar de seu amor, para tocar com a sua compaixão e para multiplicar alegria em sua obra.

Servimos como instrumentos nas mãos de Deus e embaixadoras da graça que cura ao trazermos a sua Palavra às mulheres, aplicando as verdades do evangelho à desolação sexual. "Então, na sua angústia, clamaram ao SENHOR, e ele os livrou das suas tribulações. Enviou-lhes a sua palavra, e os sarou, e os livrou do que lhes era mortal" (Salmo 107.19-20). Ser embaixadoras intencionais do evangelho e mulheres de Tito 2, em relação à integridade sexual, significa incorporar vários níveis de ensino e discipulado prático em nossos relacionamentos de mentoria individual, em nossos pequenos grupos de mulheres, em nossos estudos bíblicos semanais de mulheres e até mesmo nos retiros de nossas mulheres da igreja. Nosso objetivo será:

1. Oferecer ensino bíblico claro sobre o bom projeto de Deus para a sexualidade.
2. Ajudar mulheres a entender que a queda impactou cada detalhe de quem somos.
3. Assegurar às mulheres que a tentação sexual é uma provação "comum a todos", a qual continuaremos a enfrentar enquanto vivermos nessa terra e para a qual precisaremos ser equipadas, especialmente nesses dias em que as batalhas sexuais são difundidas e públicas. Isso implica em abraçar nosso presente Salvador e, pelo seu Espírito, aprender a como fugir dos ídolos, como não fazer provisões para os desejos da carne, e a como, de forma prática, "revestir-nos do Senhor Jesus Cristo" (cf. Romanos 13.8-14; 1 Coríntios 10.13-14).
4. Exortar todas as mulheres a se comprometerem com um estilo de vida que seja "na luz", o que significa *sem se esconder*. A beleza de Provérbios 28.13 é que, juntamente com o alerta firme sobre ocultar os próprios pecados, há uma promessa: "o que as confessa e deixa [as transgressões] alcançará misericórdia". A Palavra de Deus nos ordena a andarmos na luz uns com os outros (1 João 1.5-10), mas, muitas vezes, nossos ministérios de discipulado nunca parecem ir muito a fundo com as pessoas. Isso acontece porque teimosamente resistimos em ser verdadeiros uns com os outros, confessando nossos pecados e ajudando uns aos outros a abandoná-los. A liberdade e prosperidade, não apenas

para as mulheres em lutas sexuais, mas para todos nós em todas as nossas lutas, virão apenas quando confessarmos os nossos 'eus' verdadeiros para Deus e para os outros, quando orarmos uns pelos outros e ajudarmo-nos mutuamente a aplicar graça e verdade a todas as nossas lutas.

5. Incorporar todos os itens acima em nosso ministério por meio de ilustrações, exemplos e aplicações das passagens que estamos estudando. Isso *não* significa que precisamos falar sobre sexo e sexualidade toda semana. Mas evitá-los completamente e nunca aplicar a graça de Deus a essa parte essencial de nossa humanidade é ignorar uma tentação que é comum a todos e sobre a qual muito é dito nas Escrituras. Essa evasão leva muitas mulheres que lutam com isso a se sentirem completamente sozinhas e inseguras sobre como a Palavra de Deus se aplica a essa área da vida.

Michele me surpreendeu ao trazer o seu diário de versículos bíblicos, um caderno de espiral encapado com passagens da Escritura nas quais ela procurava meditar ao longo do dia. Essa mãe de duas crianças pequenas sabia que para deter os seus pensamentos, ela precisava ser diligente em preencher sua mente com a Palavra de Deus e orar as verdades que estava memorizando. Ela também se comprometeu a compartilhar toda a extensão de suas lutas com duas mulheres em seu grupo da igreja a quem ajudei a identificar como sendo confiáveis para se compartilhar.⁷ Ela também começou a se abrir mais nas sessões de aconselhamento matrimonial que ela e seu marido tinham com seu pastor e um conselheiro em sua igreja. Eles estavam buscando ajuda em relação a seus problemas de intimidade sexual, bem como ao contínuo impacto de seu abuso sexual. Em suas conversas comigo, Michele começou a entender como os desejos pelo mesmo sexo haviam sido cultivados em sua vida e como ela poderia crescer em amor e ser cada vez mais sexualmente orientada para aquele que Deus havia dado a ela: seu marido. A batalha foi travada pela Palavra de Deus e em meio ao povo de Deus.

Lauren admitiu o seu hábito de saltar rapidamente para o seu computador para olhar pornografia sempre que suas colegas de quarto saíam. Então, ela assumiu o compromisso de entrar online somente quando suas colegas estivessem em casa e ela estivesse em uma área comum da casa que partilhavam. Além disso, ela se comprometeu a instalar um software de prestação de contas em seu laptop, smartphone e tablet.⁸ Ela também deu o passo corajoso e necessário de compartilhar com duas colegas de classe sobre suas tentações com pornografia e masturbação. Para sua surpresa, ela descobriu que uma delas tinha exatamente a mesma luta. A outra admitiu um padrão de dependência emocional por suas amigas do sexo feminino e fantasias ocasionais sobre mulheres. Essa segunda amiga havia recentemente buscado ajuda de sua mentora, e, como resultado, essa mulher mais velha concordou em começar a se encontrar com as três. Elas começaram a se reunir para oração, estudo bíblico e prestação de contas conforme compartilhavam o desejo comum de serem mulheres solteiras piedosas que estavam cada vez mais dando passos de obediência em seus caminhos de arrependimento e devoção ao seu Salvador.

Ser as mãos de cura de Jesus significa buscar os sexualmente desolados e celebrar a obra de Deus em suas vidas – apesar da oposição. Quando a mulher encurvada em Lucas 13 experimentou uma cura milagrosa, os líderes religiosos na sinagoga zombaram. Os mesmos que deveriam ter mostrado amor e compaixão para com ela não se importaram com sua dor. Eles estavam comprometidos ardentemente com a lei e com as coisas sendo feitas "direito" em sua comunidade religiosa. A demonstração radical de Jesus por compaixão colocou-o em um conflito exaltado com esses homens e, no entanto, a sua reação foi defender e enaltecer essa mulher. Ele não tinha medo do desprezo e da reprovação dos líderes religiosos que não gostavam da sua ruptura do padrão normal de atividade do Dia de Sábado. Nosso amado Senhor estava sempre trabalhando, mesmo em face de adversários, para trazer a redenção e a boa nova do perdão, graça, cura e novos começos para os quebrados de corpo e coração.

Como podemos reconhecer e discipular mulheres lutando contra o pecado sexual e, como Jesus, não nos deixarmos influenciar pela oposição à medida que nos aproximarmos de vidas arrasadas? Talvez a questão mais fundamental seja saber se nós nos alegramos com as boas novas do evangelho, reconhecendo que ela se aplica a toda a nossa desolação, inclusive a desolação sexual de mulheres, dando esperança àquelas encurvadas pelo seu pecado sexual. Muitas filhas do Senhor anseiam por um ensino bíblico corajoso e discipulado gentil para guiá-las ao arrependimento.

Pode haver aqueles que, como os líderes da sinagoga, se oporão a você, dizendo coisas como: "Mulheres cristãs não lutam com essas coisas! E mesmo que lutem, não devemos falar sobre essas coisas nas reuniões ministeriais de nossas mulheres".

Em 2013, foi publicado o currículo do discipulado de nossas mulheres: *Sanidade Sexual para Mulheres: Curando-se da Desolação Relacional e Sexual*, e então eu recebi um e-mail de uma mulher. Ela escreveu: "Você sabe, né, que 99 por cento das mulheres na igreja nunca se envolverão com isso? A maioria das igrejas nem sequer considerará isso!". Fiquei desanimada e, inicialmente, com raiva. Esse livro me envolveu em um processo longo e difícil. Será que ela não apreciava o fato de que estávamos dispostos a ajudar as igrejas a abordar esse tema?

Após um ou dois dias de oração e reflexão sobre suas palavras, o Espírito Santo me confortou e me desafiou. E se a mulher estiver certa? Deus parecia estar me perguntando: *Ellen, o 1 por cento vale a pena?* De alguma forma, essa pergunta dissolveu a minha raiva e frustração, porque, sem hesitação, a minha resposta foi sim. Meu coração foi movido, lembrando-me dos rostos de tantas mulheres que se envolveram em suas lutas contra o pecado sexual com corajoso arrependimento – mulheres como Lauren e Michele que, como a mulher encurvada, responderam ao chamado do Senhor para se aproximar dele em áreas de luta sensíveis e vergonhosas.

Como a mulher em Lucas 13, elas deixaram seu esconderijo e luta solitária. Com a ajuda de pessoas piedosas, elas estão crescendo à semelhança de Cristo com uma busca crescente por obediência e uma busca decrescente pelo pecado.

Talvez alguns de vocês ao lerem esse capítulo tenham encontrado suas próprias áreas escondidas de encurvatura e experimentado a presença compassiva de Jesus por meio da sua Palavra e do seu povo. Se assim for, você está maravilhosamente preparado para ser as mãos de cura de Jesus aos outros. Ele envia cada um de nós, seus filhos perdoados, para semear a sua Palavra de forma generosa e extravagante – compartilhando as graciosas verdades da graça, perdão e salvação a todos os pecadores, inclusive pecadores sexuais. Não podemos acumular os tesouros do Evangelho, aplicando-os somente às áreas de luta com as quais nos sentimos confortáveis. Jesus nos envia como seus servos aonde e como lhe agrada, e isso pode significar ir a lugares nas vidas e corações das mulheres sobre os quais preferiríamos não saber. Talvez isso signifique ser uma mulher de Tito 2 para alguém preso ao pecado sexual.

Mas essas mulheres, filhas amados de Deus, não devem ser libertas da desolação do pecado e vergonha?

Sim, elas devem. Os amados filhos do Senhor não foram criados para vidas encurvadas, mas para ser aquele que, depois de ter encontrado Jesus, levante-se em louvor ao nosso Deus. Que o rei Jesus nos dê coragem, sabedoria e alegria em nosso ministério de perceber, chamar, acolher, discipular e amar suas preciosas filhas.

Capítulo 9

Dons e Talentos

Encontrando o Lugar Para Servir

Gloria Furman e Kathleen Nielson

Mulheres em contextos complementaristas, muitas vezes, discutem sobre a questão de haver ou não um lugar para os seus dons na igreja. Esse capítulo tem como objetivo apresentar um esmagador e enorme encorajador *'sim!'* em resposta a essa pergunta – juntamente com um chamado a homens e mulheres para cultivarem e apoiarem os dons das mulheres de forma mais plena e frutífera dentro de suas congregações locais.

Gloria e eu (Kathleen) trabalhamos juntas neste capítulo, primeiramente distribuindo um questionário simples para dezoito mulheres em vários cargos de ministério dentro de congregações com uma base bíblica sólida, onde somente homens servem como presbíteros e pregam nos cultos. Essa não é nenhuma pesquisa científica, mas estamos felizes que as onze entrevistadas reais representem seis denominações diferentes (incluindo igrejas independentes), regiões diversas dos Estados Unidos e seis diferentes países.[1] Elas são líderes de estudo bíblico, diretoras de ministérios de mulheres e esposas de pastores envolvidas no ministério de mulheres. Buscamos reunir a partir dessas mulheres (e de muitas outras mais informalmente, no curso de nossas próprias viagens e ministérios) um vislumbre de como as mulheres estão servindo na igreja e como a igreja pode encorajá-las a servirem mais e de forma mais frutífera. Algumas mulheres nos deram permissão para citá-las – e nós o faremos. Somos gratas a todas as mulheres que compartilharam conosco seus pensamentos sobre esse importante tema.

O tema de como as mulheres usam seus dons na igreja exige mais espaço do que um capítulo permite. Nosso objetivo é oferecer um vislumbre encorajador – primeiro, conforme faço a pergunta: *Como o ministério entre mulheres está acontecendo agora?* E, em seguida, conforme a Gloria faz a pergunta: *Como a igreja pode incentivar um ministério cada vez mais frutífero entre as mulheres?*

COMO O MINISTÉRIO ENTRE MULHERES ESTÁ ACONTECENDO AGORA?
Resposta 1: Tal Como Acontece em Qualquer Lugar
Muitas mulheres colocam esse ponto primeiro – e ele deve certamente vir em primeiro lugar. Mulheres são, primeira-

mente e, acima de tudo, seres humanos criados à imagem de Deus e criados junto com os homens para serem fecundos, multiplicarem-se, encherem a terra, sujeitá-la e terem domínio sobre ela. Gênesis 1 vem em primeiro lugar. Todo ser humano é criado para ouvir e obedecer à Palavra de Deus e, assim, de fato, homens e mulheres, meninos e meninas devem estar todos juntos aprendendo e vivendo as Escrituras. Entre todo o seu povo, Deus distribui generosamente dons e talentos, conhecimento e sabedoria, inteligência e habilidade, tudo para sua glória e para o bem do corpo de Cristo.

Uma boa parte dos relatos sobre o que as mulheres estão fazendo é simplesmente o que os cristãos em geral deveriam estar fazendo: estudando e compartilhando a Bíblia com outros, participando no ministério de música, evangelismo, berçário, discipulando outros, ajudando idosos ou pessoas com deficiência, orando com os outros, visitando doentes, trabalhando com finanças ou administração, projetando ou organizando os boletins, preparando ou servindo refeições. Nenhum de nós pode fazer todas essas coisas em todos os momentos, mas todos os crentes compartilham o chamado para partilhar nossos dons com as outras ovelhas no rebanho e com as ovelhas que estão sendo chamadas para se juntar ao rebanho.

O fato de que o ensino autoritativo/ papel governante dos presbíteros deva ser preenchido por homens qualificados (1 Timóteo 2.12; 5.17) coloca uma guarda em torno desse canal particular de serviço e abre os outros canais por meio dos quais homens e mulheres são igualmente chamados a usar seus dons para servir. Há perigos em todas as direções, é claro: não apenas de que possamos perder o ensino claro da Escritura, mas também de que, no processo de mantê-lo, possamos acrescentar a ele, ou de que as importantes restrições bíblicas sobre um único canal, de alguma forma pudessem minimizar o valor dos outros canais. A maioria das mulheres que encontro se deparou pessoalmente com esses perigos de uma forma ou de outra, assim como eu.

O que queremos destacar aqui, no entanto, são as histórias que não são contadas vezes suficientes: as histórias de um bom e frutífero ministério entre mulheres. Essas histórias estão à nossa volta; talvez elas não sejam muitas vezes contadas simplesmente porque as pessoas nelas estão ocupadas dando continuidade a elas. A maioria das entrevistadas com o nosso questionário não confirma um perfeito equilíbrio de tensões dentro de suas congregações, mas um envolvimento saudável das mulheres em múltiplos canais de serviço. Se você visitasse muitas das reuniões da igreja, você veria tanto mulheres quanto homens cumprimentando, ou talvez conduzindo as pessoas, ou cantando, ou lendo a Escritura, ou dando testemunhos, ou sendo citados nos boletins como líderes de vários ministérios e comitês. Ministérios complementaristas totalmente engajados não são apenas possíveis; eles estão acontecendo em muitas áreas, e é bonito quando as partes trabalham juntas. É de partir o coração quando não o fazem. Há muito espaço para crescimento, como veremos. Mas há muita vida vibrante para relatar.

Como o ministério entre as mulheres está acontecendo agora? Em primeiro lugar, *tal como acontece em qualquer lugar*. Mulheres e homens estão juntos nisso, como seres humanos criados por Deus e chamados a segui-lo de acordo com a sua Palavra.

Mas aqui vai a pergunta incisiva: Se homens e mulheres são distintos enquanto macho e fêmea desde o início, então, que diferença essa distinção faz na vida da igreja? Se a Escritura dá aos homens e mulheres não papéis idênticos, mas complementares, como já vimos (ver principalmente o Capítulo 2), tanto no casamento quanto na igreja, então que diferença esses papéis fazem no ministério em geral? Essas distinções devem ter ramificações.

Resposta 2: Com Funções Discipuladoras e Ensino Distintos

Embora o ministério entre as mulheres aconteça em grande parte como acontece em qualquer lugar, é fundamental reconhecer suas distinções, particularmente num contexto complementarista. Se acreditássemos que os papéis das mulheres e dos homens são indistinguíveis, então poderíamos esperar que os seus ministérios fossem em grande parte indistinguíveis, e haveria pouco ímpeto para desenvolver os ministérios de mulheres. No entanto, se acreditarmos que os papéis das mulheres e dos homens são distintos, então podemos esperar que seus ministérios tenham algumas distinções também. O fato básico de que a função de presbítero deve ser preenchida apenas por homens qualificados significa que todas as mulheres em uma igreja complementarista são chamadas a exercer o ministério sob a liderança autoritativa de pessoas do sexo oposto – isso é distintivo. Isso exige que haja alguma acomodação cheia do Espírito Santo de ambos os lados.

O resultado mais concreto desses papéis distintos é aquele que Paulo esclarece em 1 Timóteo 2.12, e não é difícil ver por que esse ponto precisa de esclarecimento. Como pessoas feitas para viver na Palavra de Deus, estaremos constantemente ensinando isso umas às outras, e mulheres são claramente, muitas vezes, tão boas professoras quanto homens (às vezes melhores). Considere Priscila, por exemplo. E, no entanto, as mulheres não devem estar em uma posição de autoridade, ensinando os homens, por causa de algo inerente à própria ordem da criação, como 1 Timóteo 2 passa a explicar (veja o Capítulo 2). O resultado concreto aqui não é simplesmente de que as mulheres não preguem para os homens, mas também que as mulheres devem encontrar o contexto adequado para pregar ou ensinar.[2] Esse contexto muitas vezes acaba por ser aquele em que as mulheres se reúnem para estudar a Bíblia, ensinar umas às outras e, desse modo, serem modelos de como a feminilidade piedosa e articulada deve ser; deve ser de mulheres cheias da Palavra, mulheres que entendem e transmitem claramente as Escrituras, tanto através da vida como do ensino.

O ensino de mulher-para-mulher que Paulo recomenda a Tito tem o seu lado bom e prático, mas aparece em um livro cujo ponto é que o comportamento piedoso flua a partir da verdade do evangelho; eles devem andar juntos. (Consulte o Capítulo 7 para uma discussão mais aprofundada de Tito 2.) Se nós, mulheres, estamos ensinando umas às outras apenas dicas práticas ou mesmo o ensino bíblico sobre feminilidade apenas, então, estamos perdendo as verdades profundas a partir das quais essas lições de vida fluem; devemos ensinar toda a Bíblia como a base de tudo. A maioria das mulheres que responderam ao nosso questionário (e muitas delas em nossa experiência) está cheia de entusiasmo pelo estudo da Bíblia entre as mulheres em suas igrejas – não para substituir outra interação com o corpo de Cristo, como reuniões regulares de adoração, pequenos grupos e qualquer outro meio de crescimento que a liderança da igreja fomente, mas sim para encorajar as mulheres a se tornarem (e ajudar umas às outras a se tornarem) receptoras e compartilhadoras ativas da Palavra de Deus.

O estudo da Bíblia entre as mulheres acontece de todas as formas. Na *College Church* em Wheaton, por exemplo, centenas de mulheres se reúnem semanalmente para estudar livros da Bíblia juntas, reúnem-se em pequenos grupos e discutem sobre o trabalho que fizeram em casa, e depois ouvem uma exposição plenária dada por uma das professoras. Fiz parte desse estudo por muitos anos e testemunhei a Palavra mudando vidas, conforme as mulheres compartilhavam-na umas com as outras e partilhavam as suas vidas no processo. Mas, em muitos contextos hoje, o estudo da Bíblia está acontecendo menos formalmente e de forma mais orgânica: as mulheres estão lendo e ensinando a Bíblia às outras no formato de uma-para-uma (relata Leonie Mason, da igreja St. Helens Bishopsgate em Londres); "uma mulher espiritualmente madura discipulou e encorajou inúmeras mulheres ao longo dos anos" (Linda Green, The Orchard Evangelical Free Church, em Arlington Heights, Illinois); e "as mulheres estão ativamente envolvidas no evangelismo e discipulado de outras mulheres... visitando casas de amigas e orando umas pelas outras e lendo as Escrituras juntas... e em um estudo bíblico em que as mulheres mais velhas ensinam as mulheres mais jovens da igreja" (Hepzibah Shekhar, Zion Church, em Uttar Pradesh, Índia).

Resposta 3: Na Forma de Mulheres Ajudando Mulheres

O ministério da Palavra se conecta a outros tipos de ministério distintivo entre as mulheres. Porque Deus estabeleceu desde o início que as mulheres fossem aquelas a se tornarem esposas e mães, as mulheres – mesmo aqueles que não se casam ou têm filhos – compartilham experiências que as distinguem. Como o ministério entre as mulheres está acontecendo? Está acontecendo à medida que as mulheres chegam para ajudar umas às outras com a segurança e a compreensão que a presença de outra mulher traz.

Foi interessante observar os padrões de mulheres ajudando mulheres nos comentários das entrevistadas. Aquela mulher da igreja de Linda Green, que discipulou inúmeras outras, tem agora uma deficiência auditiva e, assim, cuida dos filhos de mulheres mais jovens que estão sendo instruídas no discipulado. Nem tudo, mas grande parte da ajuda se refere a mulheres ajudando outras mulheres com as questões relacionadas a filhos. Em muitas áreas de baixa renda dos Estados Unidos e do mundo, mulheres estão lutando juntas para criarem seus filhos, com alguns homens e pouquíssimos homens piedosos presentes em suas vidas. Patricia Henry (Metropolitan Evangelistic Church, na Cidade do Cabo, África do Sul) relata que muitas igrejas são compostas por mais de 80 por cento de mulheres, em grande parte devido aos efeitos adversos do sistema de apartheid Sul-Africano. "As unidades familiares na comunidade são compostas principalmente de mulheres liderando famílias monoparentais com uma ausência visível de pais homens". Por isso a Igreja se torna verdadeiramente uma família para essas mulheres que valorizam a liderança dos presbíteros do sexo masculino e ajudam umas às outras de maneiras notáveis: "a comunhão das mulheres é de longe o maior ministério... e fornece um fórum para o encorajamento mútuo, prestação de contas e divulgação do evangelho a outras mulheres que sofrem por meio de provações semelhantes".

O que se segue é apenas uma das muitas descrições vívidas de Patrícia sobre uma mulher que ela compara à Dorcas bíblica (vamos chamá-la de "Dorcas" para proteger sua identidade):

> "Dorcas" é uma viúva (perdeu o marido para a violência de gangues há três anos) que veio para fé enquanto estava presa por ser uma mula de drogas e agora tem

andando fielmente com o Senhor por sete anos. Ela tem duas filhas e um filho – somente a filha mais velha está andando com Cristo. No bloco de apartamentos onde mora, onde antes era temida, ela agora tem uma grande dose de respeito da comunidade, porque a evidência de sua mudança de vida em Cristo é claramente visível. Ela alimenta duas vezes por semana mais de quarenta crianças em sua pequena casa com uma refeição quente; ela financia esse esquema de alimentação por "venda ambulante", ou seja, ela vende detergentes de uso doméstico que ela mesma engarrafa e percorre a comunidade durante todo o seu tempo livre, empurrando o seu carrinho de supermercado com seus produtos. Ela também cuida de muitas pessoas doentes e idosas da comunidade (com visitas domésticas e hospitalares), e vê sua responsabilidade social e oportunidade de compartilhar o evangelho com elas como um resultado natural de sua gratidão a Deus por sua salvação. A igreja não tem sido capaz de apoiar financeiramente o que ela faz, mas vê o que ela está fazendo como parte integrante de sua vida dentro da família da igreja.

"Dorcas" está ajudando as mulheres ao seu redor por causa do evangelho. Esse é um vislumbre do ministério de mulheres que todos precisamos ter.

Curiosamente, "Dorcas" também é o nome do ministério

de mulheres relatado por Esther Lopez de Ramirez da Igreja Evangélica Presbiteriana do Peru, em Los Rosales, Cajamarca, Peru. As mulheres desse ministério administram os significativos recursos encaminhados por meio de apoio missionário e organizam vendas e distribuição, cuidando, assim, de uma grande população de crianças da comunidade que são vestidas e alimentadas – e recebem o ensino da Bíblia e do Breve Catecismo de Westminster.

Nunca me esquecerei de estar ensinando no grupo de estudo bíblico das mulheres na favela Kibera em Nairobi, no Quênia. Era um grupo em grande parte composto de mulheres soropositivas que aparentemente teriam sentado ali por horas a fio escutando a Palavra ser ensinada por meio de um tradutor – com bebês se contorcendo nos braços e engatinhando por todo o chão de terra. O que me lembro, além de sua extrema atenção ao ensino, são as histórias de como as mulheres pegavam os filhos umas das outras quando uma delas vinha a morrer. Mesmo vivendo nas circunstâncias mais pobres, lá estavam elas, em um estudo bíblico da Reformed Presbyterian Church de Kibera, aprendendo a Palavra e ajudando umas às outras (e aos filhos umas das outras) a sobreviver dia após dia. Isso era o ministério entre mulheres.

Todos os tipos de mulheres têm necessidades ministeriais que outras mulheres podem, muitas vezes, suprir de forma melhor. Christine Hoover da Charlottesville Community Church em Virginia fala de vários grupos para os quais elas têm atentado, inclusive "um grande número de estudantes universitárias, muitas das quais têm perguntas sobre sexualidade e sobre como lidar com o pecado sexual passado ou atual. Temos mulheres que abandonaram o pecado sexual e que estão ansiosas e dispostas a aconselhar jovens sobre pureza e decisões piedosas em relação a namoro". Certamente é proveitoso que mulheres lidem com mulheres em relação ao conjunto de questões sexuais. Ou em relação a contextos compartilhados: lá em Virginia, a esposa de um médico residente "usou sua experiência para alcançar a grande população de esposas de residentes em nossa cidade". Nessa igreja existe uma equipe do ministério de mulheres composto de seis mulheres que cuidam não apenas do estudo da Bíblia, mas desses outros aspectos do ministério também.

Não estamos falando de uma ajuda que esteja separada do compartilhamento da Palavra de Deus. Sandra Smith (New City Fellowship, de Chattanooga, Tennessee) descreve os relacionamentos proveitosos que cresceram a partir da classe de escola dominical das mulheres, instruída por duas mulheres: uma afro-americana e uma branca: "Essa classe aproxima mulheres de contextos transculturais e transgeracionais e de diversos níveis econômicos e educacionais. Mulheres estão se conectando através dessas barreiras para tomar posse e celebrar o evangelho de Jesus. A mentoria informal está acontecendo, e jovens e velhas estão aprendendo umas com as outras".

Hepzibah Shekhar coloca isso bem: "Muitas vezes, mulheres em perigo ou em necessidade procurarão obter o apoio de outras mulheres, e Deus frequentemente usa tais situações para trazer essas mulheres e suas famílias a ele, conforme as mulheres cristãs se reúnem em torno delas e oram por elas e compartilham o evangelho com elas". Ensinem-nos, mulheres indianas.

Resposta 4: Relacionado à Liderança Masculina

Chamamos a atenção para uma distintiva do ministério complementarista de mulheres: elas acreditam na realização do ministério sob a liderança autoritativa de pessoas do sexo oposto. Também mencionamos a "acomodação" necessária de ambos os lados – conforme as mulheres aprendem a "aprender em silêncio, com toda a submissão" (1 Timóteo 2.11), e os presbíteros aprendem a conduzir com sabedoria altruísta e amorosa. Claro, é importante também que os homens leigos aprendam a se submeter à liderança dos presbíteros. Mas a submissão deles é um pouco diferente, *sem* a ordem específica de não ensinar ou exercer autoridade sobre o sexo oposto, e *com* a possibilidade de eles mesmos tornarem-se presbíteros, se forem encontrados qualificados. No contexto complementarista é impossível falar do ministério entre mulheres sem falar sobre o relacionamento único das mulheres com os presbíteros que as lideram. O ministério das mulheres acontece relacionado à liderança masculina.

Nós todos não fazemos simplesmente certas coisas dentro do corpo da igreja; mas sim, vivemos em relacionamentos ordenados e variadamente cruzados entre si – pais e filhos, maridos e esposas, presbíteros e leigos, homens e mulheres.

Essa é a paisagem eclesial. É uma bela paisagem, concebida por Deus para nossa alegria e para a sua glória. Certamente podemos causar confusão de todos os lados, e muitas vezes o fazemos. Mas as nossas confusões não alteram a bondade inerente da ordem estabelecida de Deus.

Visito várias igrejas e eventos de mulheres, observando, no processo, diversas dinâmicas do ministério entre mulheres. O que descobri é que, com os relacionamentos de maior suporte entre mulheres e presbíteros (geralmente pastores, por isso vou usar esse título) vêm também alguns dos ministérios mais alegres e frutíferos entre mulheres. Se as mulheres estão apenas de forma independente conduzindo seus ministérios separadamente, pode lhes faltar direção da igreja e ligação com ela. No fim, eles serão menos favoráveis e frutíferos para o crescimento de toda a igreja.

Mas quando há o apoio claramente encorajador em ambas as direções, mulheres e homens estimulam uns aos outros de todas as formas. Ocasionalmente, um pastor me envia um recado antes de um evento, dizendo que está orando pela bênção de Deus enquanto me preparo; isso tem grande significância e revela muito. Às vezes, um pastor está lá para saudar, abençoar e orar pelas mulheres quando um evento começa, e as mulheres são realmente abençoadas e respondem positivamente. Às vezes uma refeição ou reunião é organizada com mulheres em vários cargos de liderança, juntamente com um pastor ou pastores, e todos nós discutimos em conjunto questões relacionadas com métodos de estudo bíblico, materiais e treinamento, alguns dos quais podem ser pertinentes a homens e mulheres, e alguns apenas a mulheres.

Muitas interconexões de ministério frutífero se tornam rapidamente aparentes em tais relações de apoio mútuo à medida que homens e mulheres oram por famílias e compartilham percepções acerca de várias delas, planejando estratégias harmonizadoras de ministério etc. Em nossas conferências de mulheres do *The Gospel Coalition*, significa muito para as milhares de mulheres que participam, não apenas ter excelentes professoras mulheres, mas também ter líderes do TGC, vários homens que vêm e se importam e se juntam com tanto gosto ao ensino. Tal ministério apoiado entre mulheres as atrai para a igreja, ajudando-as, por sua vez, a apoiar os vários níveis de liderança ao seu redor – todos os quais, em última análise, ajudam a edificar toda a igreja.

As entrevistadas com os questionários se juntaram às muitas vozes da minha experiência e à de Gloria expressando apreço pelo apoio pastoral *e* a necessidade de mais apoio: espiritual, teológico e material (bem como financeiro). Kathy Keller, da *Redeemer Presbyterian Church*, na cidade de Nova York, coloca essa necessidade de forma direta; ela é uma das muitas falando sobre a importante prioridade de contratação de obreiras do sexo feminino: "Os pastores que acreditam que as mulheres são igualmente criadas à imagem de Deus para governar a criação precisam tornar isso visível em suas práticas". Christine Hoover comenta que as mulheres "servem frutiferamente quando sabem que são uma parte valiosa da igreja, e quando seus ministérios são destacados, e a obra de Deus é celebrada neles".

Em uma visita a Sydney, na Austrália, compartilhei um adorável momento de chá com um grupo de mulheres piedosas e fortes que servem em posições ministeriais, em sua maioria pagas, por toda aquela cidade – todas complementaristas convictas, ministrando em igrejas lideradas por homens, e todas não apenas instruídas teologicamente, mas também no processo de instrução de outras mulheres – muitas das quais estiveram em cargos oficiais de estágio na igreja. Olhei em volta e perguntei: "Como isso aconteceu"? A resposta delas foi primeiramente (não só isso, mas em primeiro lugar) dar crédito à forte liderança de homens que (como o apóstolo Paulo) valorizavam mulheres como colaboradoras crucialmente importantes do evangelho (ver Filipenses 4.3). Essa paisagem de Sydney era, de fato, bela.

Ao visitar um firme seminário Reformado nos Estados Unidos, compartilhei chá novamente, dessa vez com uma sala cheia de mulheres estudantes. Em um momento de perguntas e respostas, a pergunta incisiva delas para mim foi: "Existe um lugar na igreja para nós servirmos"? Olhei para aquele grupo de mulheres piedosas, ávidas e teologicamente treinadas e, com todo o meu coração, disse um alto sim! Há lugar para as mulheres servirem. Não será sempre o lugar perfeito que imaginamos. Podemos ser chamadas para fazer coisas que não pretendíamos ou queríamos fazer ao longo do caminho. Dorcas nem sempre ganham o que merecem. Mas devemos de fato servir – com força sossegada, submissa, implacável e em oração – porque estamos servindo nosso Senhor. Estamos servindo a igreja que ele ama, por quem ele morreu.

E, conforme servimos, devemos clamar à liderança da igreja (ou, talvez mais importante, a liderança deve clamar à igreja) para criar mais e mais lugares para as mulheres servirem, incentivar o treinamento e apoiar o serviço nesses lugares tanto com celebração quanto com finanças. Ao longo do caminho precisamos servir humildemente, "aprendendo em silêncio com toda a submissão" (1 Timóteo 2.11), respeitando e orando pelos presbíteros de nossas igrejas e sempre à procura de oportunidades proveitosas para diálogo e crescimento. (Veja também a discussão do contexto da liderança da igreja no Capítulo 4.) Ouça o que Hepzibah Shekhar relatou que aconteceu com a "Irmã S", da *Zion Church* em Uttar Pradesh:

> A "Irmã S" (nome omitido para fins de segurança) é uma mulher piedosa e uma mulher de oração. Ela é ousada na evangelização e sempre foi muito ativa em compartilhar o evangelho... Ela era de uma família pobre e, portanto, ia para as casas de diferentes pessoas, lavava a louça e limpava para ganhar algum dinheiro extra e sustentar a família. No meio de tudo isso, ela permanecia fiel e orava [por seu marido incrédulo], cumpria suas responsabilidades em casa, e ainda estendia a mão a outras mulheres e compartilhava o evangelho com elas. Eventualmente, o Senhor foi

bondoso em mudar o coração de seu marido, e a igreja viu o amor dela pelo Senhor e por evangelismo e a tomou como obreira e uma evangelista, a fim de liberá-la e dar-lhe mais tempo para alcançar outras mulheres em situações difíceis similares. Ela tem compartilhado o evangelho com centenas de mulheres, orado com centenas delas, e visto dezenas de mulheres virem ao Senhor e várias famílias mudadas.

Resposta 5: Com Variações de Acordo com o Contexto – Mas Com Um Tema Central

Como o ministério entre mulheres está acontecendo agora? Está acontecendo *exatamente como acontece em qualquer lugar*. Está acontecendo com *ensino e funções discipuladoras distintas*. Está acontecendo *na forma de mulheres ajudando mulheres*. Está acontecendo *relacionado à liderança masculina*. E, finalmente, está acontecendo *com variações de acordo com o contexto – mas com um tema central*.

Nenhuma fórmula incentiva perfeitamente as mulheres a usarem seus dons no ministério. Igrejas funcionam de forma diferente, de acordo com as diferentes denominações, cidades e culturas. Algumas igrejas urbanas estão cheias de mulheres solteiras e profissionais, e homens que servem de variadas formas e, nesse contexto, alguns dos ministérios de auxílio mais característicos de mulher-para-mulher podem ser menos enfatizados, embora eles estejam certamente ali. Muitas igrejas pequenas simplesmente não têm fundos para desenvolver programas e equipes, embora a igreja da "Irmã S" certamente se sobressaia! Igrejas em áreas economicamente difíceis estão, muitas vezes, cheias de mulheres ajudando umas às outras a sobreviver – e frequentemente ministrando poderosamente nesse processo. Algumas igrejas têm prósperos programas que ensinam a Bíblia às mulheres e encorajam-nas ao ministério, e muitas dessas igrejas têm uma visão crescente de treinar mais professoras e líderes mulheres para levá-las adiante.

O ministério entre as mulheres acontece diversas vezes de acordo com o contexto – mas com um tema central: no coração desses diversos vislumbres de ministério está uma paixão pelo evangelho. O que vem por meio dele é um desejo não tanto de usar os dons, mas de ver a igreja crescer conforme pessoas chegam ao conhecimento de Jesus Cristo e seguem a sua Palavra. Se essa motivação evangelística não está em nossos corações, então o serviço é inútil, e os dons são vãos. Linda Green vê a necessidade de um foco renovado no evangelho entre as mulheres; pois muitas não se encaixam nas atividades da igreja, e não é sempre que não há um lugar para elas. Muito frequentemente é que "em vez de examinarem seus corações e realinharem suas prioridades através da lente do evangelho, elas estão investindo suas vidas nas coisas desse mundo, deixando de compreender a importância eterna da igreja e que ela vale os seus melhores esforços e tempo". O que estamos buscando, Linda escreve, "tem que começar, continuar e ser abastecido, em todos os sentidos, pelo evangelho da glória de Cristo".

COMO A IGREJA PODE ENCORAJAR UM MINISTÉRIO FRUTÍFERO ENTRE MULHERES DE FORMA CRESCENTE? (Gloria)

Vimos evidências, a partir dessa pequena amostra de mulheres que servem em igrejas locais ao redor do mundo, que foram dadas capacitações divinas para o ministério a mulheres que estão em Cristo. Nossa apreciação cresce pelo fato de que cada membro do corpo de Cristo tem uma função específica designada e habilitada por Deus – inclusive mulheres. Então, como a igreja poderia visualizar e incentivar *melhor* o ministério entre tais mulheres talentosas?

Como cristãos, entendemos que homens e mulheres são antes de tudo seres humanos criados à imagem de Deus. Deus nos criou para sermos portadores cuidadosos de sua imagem e vivermos ouvindo e respondendo corretamente à sua Palavra. Com esse ponto de partida, os cristãos não podem compartilhar muitos dos pontos de vista mundanos sobre mulheres: devemos negar que as mulheres derivam sua importância ou significância de suas partes do corpo, relacionamentos, fertilidade, estado civil, habilidades ou emprego. O mundo não pode nos dar a fundação e direção que precisamos. Olhamos para o nosso Deus criador e sua Palavra para nos governar conforme procuramos formar uma visão e encorajar o ministério entre mulheres.

Considerando o objetivo das instruções de Paulo e Pedro para as igrejas primitivas, não se tem dúvida de que suas palavras sobre a mordomia de dons foram direcionadas a homens e mulheres. As mulheres têm sido estratégicas para a edificação do corpo de Cristo desde o nascimento da Igreja em Atos. Enquanto os apóstolos pregavam e pastoreavam, as mulheres estavam no meio dos que eram convertidos, começaram servindo como colaboradoras, e saíram em missões transculturais. Os exemplos de muitas dessas mulheres estão por todo o Novo Testamento. Paulo, que muitas vezes carrega o peso do mal-entendido sobre o papel da mulher na família e na igreja, na verdade, engajou-se em práticas radicalmente contraculturais ao tratar as mulheres como colaboradoras no evangelho. Por exemplo, no final de sua epístola aos Romanos, Paulo envia suas saudações a vinte e oito pessoas pelo nome, e um terço são mulheres. Qualquer apreensão que tenhamos sobre confiar na Bíblia para nos dar uma visão para investir em mulheres deve ser colocada de lado. Por mais razões do que uma, podemos ter absoluta confiança na Bíblia como um guia confiável para dirigir nossas conversas sobre a melhor forma de encorajar as mulheres em seus dons. Com a Bíblia para nos dirigir, podemos chegar aos seguintes sete pontos de ação.

Contextualizar as Pontes para Oportunidades de Serviço

Como o apóstolo Pedro, nós, crentes, valorizamos as mulheres como coerdeiras da graça da vida (1 Pedro 3.7). Portanto, repudiamos toda mentira demoníaca que diz que as mulheres são "menos do que". Os líderes da Igreja e os leigos também precisam defender de bom grado a cosmovisão bíblica de que cada ser humano é criado para ouvir e obedecer à Palavra de Deus e, portanto, remover obstáculos com entusiasmo e construir pontes de modo que cada mulher possa ouvir e obedecer à Palavra de Deus – do Gênesis ao Apocalipse. Os obstáculos podem se apresentar de forma diferente ao redor do mundo. Considere o exemplo de Hepzibah Shekhar e das mulheres indianas que experimentam problemas ao sair de suas casas à noite:

> Um dos maiores desafios no ministério de mulheres em nosso contexto é que a maioria das mulheres não é muito independente, elas não têm o seu próprio meio de transporte, não podem dirigir e muitas vezes não é seguro sair sozinha à noite. Qualquer ministério que é feito tem que manter essas coisas em mente. Assim, para toda atividade com as quais as mulheres se comprometem, muitas vezes significa que temos que encontrar voluntários que possam lhes dar carona e acompanhá-las, e também temos que encontrar babás – mas o mais importante é que tudo seja concluído antes de escurecer. (Hepzibah Shekhar, Zion Church, Lucknow, Uttar Pradesh, Índia).

Uma mistura de obstáculos práticos nos assedia. Pam Brown, da Trinity Bible Church em South Sutton, New Hampshire, comenta sobre atividades como um obstáculo: "A maioria das esposas e mães estão sobrecarregadas com o malabarismo que é dar contada família, do trabalho e da igreja". Leeann Stiles da Redeemer Church em Dubai nomeia mais alguns problemas práticos:

> Nossa igreja tem quatro anos e tem crescido rapidamente. Temos uma demografia surpreendente: mais de cinquenta nacionalidades e pessoas de todas as esferas de vida... No entanto, o crescimento rápido e diversificado não acontece sem desafios, principalmente em atrair pessoas à comunhão umas com as outras. Novas pessoas às vezes não são notadas. Nós nos encontramos em um hotel, por isso, reuniões no meio da semana são espalhadas pela cidade. Muitos membros trabalham seis dias por semana.

Nossas pontes para habilitar mulheres para servirem no ministério devem ser contextualizadas. Compare a Ponte Golden Gate de aço e ferro, em São Francisco às pontes feitas de raízes vivas de árvores que se estendem pelos poderosos rios em Cherrapunji, na Índia. Esses canais, construídos em lados opostos do planeta, são separados visualmente, mas têm a mesma funcionalidade. As pontes que precisamos construir em nossas igrejas locais terão uma aparência diferente dependendo do contexto, mas sua função servirá para edificar as mulheres e equipá-las para um serviço frutífero para o Senhor.

Na Índia as mulheres precisam de motoristas confiáveis e de ministérios à luz do dia. De New Hampshire a Dubai, as mulheres precisam de meios de conexão intencionais, eficientes e pessoais. Na maioria dos contextos, o cuidado com crianças é um problema. Em alguns contextos, mulheres precisam de ajuda com habilidades de leitura ou de linguagem. Em muitos contextos, as mulheres precisam aprender sobre a sua necessidade de ler, estudar e compartilhar a Palavra – e sua capacidade de fazê-lo. Todas essas pontes levam ao objetivo de mulheres crescendo juntas na Palavra, e servindo o corpo de Cristo de forma eficaz à luz da Palavra.

Como chamados por Deus para sermos portadores da imagem e a quem foi dada a mente de Cristo, somos instruídos a orar pela sabedoria de Deus que está prontamente disponível quando nos falta; nós, os crentes, nunca estamos em desvantagem quando se trata de construir pontes para que mulheres possam ouvir e obedecer à Palavra de Deus. Quais são os obstáculos em sua igreja local que afastam as mulheres do ministério da Palavra? O que as impede de tornar o ministério mais frutífero? A sabedoria de Deus é suficiente para a construção de uma ponte que precisa acontecer em todos os nossos ministérios ao redor do mundo.

Ensinar sobre Mordomia

Como as mulheres devem se ver conforme cruzam essas pontes, particularmente em relação ao seu serviço e ministério na Igreja? A Palavra de Deus nos diz que todos os cristãos, inclusive as mulheres, precisam ser equipados com uma mentalidade de mordomia a respeito de seus dons. O termo "dom" (*charisma*) (Ver Romanos 12.6; 1 Coríntios 1.7; 12.4,9,28,30-31; 1 Timóteo 4.14; 2 Timóteo 1.6) revela que os dons não dizem respeito a nós, mas nos marcam como beneficiários da "multiforme graça de Deus".

Isto é especialmente importante de se entender porque mordomos são gestores, não proprietários (cf. Lucas 12.42; 16.1,3,8; 1 Coríntios 4.1-2; Gálatas 4.2; Tito 1.7). Infelizmente, a nossa inclinação da carne é para o egocentrismo, e nossos corações são capazes de fazer os dons espirituais dizerem respeito a nós mesmos. Gostamos de nos ver como proprietários, usando nossos dons para a autorrealização e satisfação de nossas próprias necessidades. Sentimo-nos felizes quando estamos servindo usando nossos dons, ouvindo o retorno de pessoas que foram abençoadas, e podemos ser enganados a buscar esse sentimento de autossatisfação ao invés de sermos fiéis a Deus. Quando ensinamos sobre dons e sobre facilitar as oportunidades de serviço, devemos ter o cuidado de não transmitir (intencionalmente ou não) que os dons espirituais são um impulso para a nossa autoestima, um meio para estabelecer a nossa identidade, ou uma indicação do nosso valor.

Os dons têm um foco externo, visto que todos eles (tanto os dons de fala quanto os de serviço) têm o objetivo de edificar o corpo de Cristo. Se uma mulher tem dons de fala, ela deve se esforçar por falar palavras que estão em conformidade com a Palavra de Deus. Se ela tem dons de serviço, ela deve se esforçar para servir de tal forma que esteja servindo com a força que Deus concede. Quando as mulheres se envolvem no ministério dessa maneira, então o dom, a força, o fruto e a glória são todos para o louvor da glória de Deus (1 Pedro 4.10-11). Cabe à igreja ensinar e modelar uma mentalidade de mordomia: devemos desenvolver e fazer o bem com os nossos dons, porque Deus é aquele que os deu para o fortalecimento de outros. Mulheres que se encontram em oportunidades de serviço que não imaginavam para si mesmas, ou mulheres que se ouvem chamadas para servir em lugares dos quais pessoalmente não gostam, serão revigoradas ao lembrar que Deus as chamou para a fidelidade. E ele suprirá todas as suas necessidades. Verdadeiramente, esse tipo de mordomia de dons está acontecendo entre as mulheres ao redor de todo o mundo, como você pode ler em alguns dos exemplos acima.

Priorizar a Formação Teológica

Precisamos objetivar o progresso na construção de pontes e ensinar a mordomia e, em geral, encorajar as mulheres a serem membros biblicamente saudáveis e ativas de uma congregação. Mas por quê? Para quê? Precisamos inculcar nas mulheres (e nos homens!) que atividade da igreja não é algo que cai sob o domínio dos esforços extracurriculares, algo que se pode simplesmente adicionar ao CV ou a um requerimento de universidade. Atividade da Igreja, biblicamente falando, é o corpo de Cristo flexionando seus músculos – edificando a si mesmo em amor e se estendendo a um mundo perdido com o amor de Cristo. Não mandamos nossos filhos para as atividades dos jovens no meio da semana apenas para "mantê-los fora da rua e longe de problemas". Nem nós, mulheres, participamos no ministério para "ter algo com que ocupar o nosso tempo". Em oposição ao entendimento errado de que o ministério de mulheres é simplesmente um local de encontro social, há algo profundamente teológico e escatologicamente orientado sobre o ministério entre mulheres.

Temos que nos livrar, de uma vez por todas, do pensamento absurdo de que investir na instrução teológica de uma mulher irá minar a autoridade de seu marido, ou diminuir a sua feminilidade, ou azedar o seu espírito manso e tranquilo. Esse equívoco justifica uma visão errada de santidade e santificação, e assume que o efeito da sã doutrina e da formação teológica é encher a pessoas com conhecimento sem amor.

Se quisermos ver o evangelho continuar a ir adiante por meio do ministério de mulheres (como Paulo e Pedro queriam), então as mulheres precisam não apenas ser instruídas teologicamente, mas também ser treinadas no *processo de treinar outras mulheres* (ver Capítulo 3). Isso infundirá um sopro de ar fresco em qualquer relacionamento de discipulado individual que tenha esquecido a visão de multiplicação. O que o Senhor pode fazer por meio do serviço de suas filhas se cada igreja local assumir o trabalho caro (no entanto, compensador) de instruir as mulheres em teologia?

> A igreja pode ajudar as mulheres fornecendo uma formação orientada teologicamente e não relegando as mulheres para o canto sob a bandeira do "ministério de mulheres". (Christine Hoover, Charlottesville Community Church, Charlottesville, Virgínia)

No momento, a nossa maior tarefa é manter essa enorme força voluntária motivada na obra evangelística, assim, o nosso foco tem sido o de fornecer assistência espiritual adequada e apoio para elas. Acreditamos que quando elas são bem alimentadas espiritualmente, a consequência natural de suas vidas mostrará mais frutos no seu serviço. (Patricia Henry, Metropolitan Evangelistic Church, Cidade do Cabo, África do Sul).

A igreja deve organizar treinamentos e oficinas de serviços em uma comunidade específica com necessidades urgentes a serem atendidas e colocar o que aprendemos em prática imediatamente. (Esther Lopez de Ramirez, Evangelical Presbyterian Church of Peru, Los Rosales, Cajamarca, Peru)

Valorizar as Variedades

O que qualquer um de nós tem que não tenha sido dado a nós por Deus? As mulheres, portanto, receberam variedades de dons de Deus (todos são manifestações da graça de Deus) para serem utilizados na edificação do corpo de Cristo. Há uma piada correndo com minha amiga Katie de que ela tem o dom espiritual do pão de abóbora com gotas de chocolate, porque ela é uma excelente cozinheira e compartilha o seu dom nos estudos bíblicos e confraternizações. Mas deixando a brincadeira de lado, uma vez que o talento e recursos dela são dados por

Deus, e o exercício do seu ministério é cheio do Espírito Santo, e o seu serviço se destina a apoiar a edificação da igreja, então devemos dar a Deus a glória que é devida a ele em resposta à sua graça abundante por meio da Katie.

A igreja precisa que todas as mulheres do corpo de Cristo se envolvam no serviço, arraigadas e alicerçadas em amor, para que possamos compreender, com todos os santos, qual é a largura, o comprimento, a altura e a profundidade do amor de Cristo (Efésios 3.17-18). No uso frutífero de nossos dons podemos contemplar os vários aspectos da graça, o que torna uma igreja local saudável uma visão e tanto para se ver. Temos um interesse corporativo em ver as mulheres servindo frutiferamente com os dons que lhes foram dados. Ser membros uns dos outros significa que temos um interesse especial em nossos companheiros usando seus dons de forma produtiva. Para experimentar todas as dimensões geométricas do amor de Cristo, será necessário todo o corpo de Cristo, todas as partes e juntas, trabalhando. Mais ministérios frutíferos por mulheres podem acontecer quando os seus variados dons são reconhecidos e os seus efeitos de edificação validados.

Ensinar História da Igreja às Mulheres

A validação baseada na Bíblia dos dons uns dos outros é especialmente importante em um mundo que oferece muitos outros sistemas atraentes, agressivos e antibíblicos de validação. As mensagens que as mulheres ouvem do mundo são numerosas. Muitas de nossas entrevistadas observaram que as mulheres recebem mensagens conflitantes sobre a sua identidade e propósito. Elas sugeriram com esperança confiante que as mulheres serviriam de forma mais frutífera se fossem ensinadas sobre identidade e propósito a partir de uma cosmovisão bíblica. Afinal, quem além da igreja gerará nas mulheres uma perspectiva bíblica de si mesmas e da razão pela qual estão aqui?

Há uma aplicação óbvia e evidente desse desafio: ensinar de forma consistente tanto homens quanto mulheres a compreensão bíblica da identidade em Cristo e do bom projeto de Deus para seus portadores da imagem de gênero. Mas há uma aplicação sutil que pode passar despercebida: celebrar a aplicação encarnada quando a vemos. Há uma grande nuvem de testemunhas ao nosso redor no presente *e* incitando-nos ao passado, e nós fazemos um desserviço quando apertamos nossos antolhos e deixamos de ver o seu testemunho encorajador para nós. Certamente, as mulheres mencionadas nesse capítulo (e em outros) servem como exemplos vibrantes de irmãs engajadas no ministério frutífero entre mulheres. Podemos também olhar para a História da Igreja e estudar as biografias de mulheres do passado que sorriram para o futuro porque se agarraram firmemente à verdade de que seu Redentor vive.

As mulheres em nossas igrejas precisam ser encorajadas pelo ministério fiel de mulheres que se foram antes de nós – Luzia, Blandina, Perpétua, Betty Stam, Betty Olsen, Ann Judson, Amy Carmichael, Lottie Moon, Sarah Edwards e outras. Já vi e experimentei o efeito fortalecedor de considerar as contribuições dessas predecessoras na fé. As mulheres são mais capazes de ver seus dons à luz do grande panorama quando podem voltar um pouco e ver o que têm em comum com essas mulheres de quem o mundo não era digno. Somos filhas do mesmo Pai, salvas por meio da fé no mesmo Salvador, dotadas pelo mesmo Espírito e buscando arduamente o mesmo objetivo.

Aproveitar o "Privilégio das Mulheres"

Um bom número dessas predecessoras na fé serviu como missionária e compreendeu o princípio de aproveitar o "privilégio das mulheres". Amy Carmichael estava praticando esse princípio ao se sentar com várias mulheres escondidas em muitos cômodos nos fundos de casas no sul da Índia. Agências missionárias têm praticado há anos o que as igrejas em contextos orientais fazem instintivamente. Quando certas situações são apresentadas como oportunidades de ministério, elas enviam as mulheres.

Em muitos grupos de povos menos alcançados existem regras sociais rígidas em que as atividades das mulheres são acompanhadas de perto e restritas. A interação social entre homens e mulheres que não são parentes não somente é desaprovada em muitas dessas culturas, mas proibida. Muitas mulheres passam a vida inteira dentro dos limites de suas próprias casas sem acesso à escola, viagens ou socialização fora do ambiente familiar. Mulheres nessas sociedades de difícil alcance não precisam ser riscadas como aqueles que nunca poderiam ter a chance de ouvir a boa nova, porque as mulheres têm o privilégio de serem capazes de alcançá-las. Ministérios ainda mais frutíferos podem acontecer quando elas entendem o "privilégio das mulheres" nesses contextos.

Mesmo ministrando em comunidades onde as mulheres são marginalizadas, abusadas, estupradas, assassinadas no útero, o privilégio de ser uma mulher é óbvio. Mulheres cristãs são dotadas pelo Espírito para servir essas mulheres de formas que os homens não podem – por meio de sua presença encorajadora, toque físico não ameaçador e fé suave com uma firmeza de aço. Que nunca descrevamos inadvertidamente o bom projeto de Deus para suas filhas como um obstáculo para o ministério frutífero para o qual ele nos chamou.

Orar Persistentemente por Mudança

Em um ponto na história recente da minha cidade foi relatado que mais da metade dos guindastes do mundo estava operando nessa pequena faixa de litoral no Golfo Pérsico. A cidade está em constante construção. Parece que, durante a noite, uma duna de areia pode ser convertida em um buraco gigante, o qual é então preenchido com uma fundação de concreto para um novo arranha-céu. Esse tipo de mudança rápida é possível em muitas igrejas, mas em outras, o solo pode não ser tão receptivo. Estou pensando em um presbítero que conheço que orou por quase uma década para que sua igreja não apenas abraçasse uma visão bíblica de evangelismo e missões através da plantação de igrejas, mas também aceitasse prontamente os desafios da doação sacrificial, a fim de que isso acontecesse. O Senhor respondeu suas orações ao longo dos anos através de meios ordinários. Deus equipou essa igreja com presbíteros que tinham uma visão semelhante das nações, capital financeiro através de doações fiéis, pessoas discipulando umas às outras, e líderes prontos para entrarem no terreno desconhecido de plantação de igrejas. Entendo que alguns de vocês possam sentir profunda frustração em seu coração quando se trata do tema da visão de sua igreja sobre mulheres no ministério. Quando a mudança parece lenta em vir, não devemos esmorecer em nossas orações fiéis que Deus venha a glorificar a si mesmo em nosso meio. A mudança radical na cultura da igreja pode vir durante a noite, e pode vir por meio de uma caminhada constante e meios ordinários.

Enquanto somos pacientes na oração, temos que abordar situações embaraçosas com graça. Apegando-nos ao nosso compromisso com a Escritura como a nossa autoridade, devemos graciosamente reconhecer a ambiguidade de tantas situações em que as mulheres se encontram. Por exemplo, muitas mulheres missionárias têm uma consciência atormentada por causa das tarefas ministeriais que lhes são apresentadas em seu trabalho devido à falta de homens no campo missionário. Uma vez que o papel de presbítero é restrito a homens, cabe a nossos irmãos cristãos aspirarem à função de presbíteros em contextos interculturais, e suas irmãs devem encorajá-los nisso. Temos uma necessidade de discernimento dada a nós pelo Espírito de Deus, que sempre nos conduzirá em santidade e a decisões que honrarão nosso Senhor.

Pela graça extraordinária de Deus, mulheres cristãs ordinárias prosseguem fielmente em seu chamado radical de seguir Cristo cotidianamente. Temos visto nesse capítulo que *ordinário* é relativo, e que nenhum serviço feito com a força que Deus fornece é menos que *glorioso*. Em resumo, alegremo-nos na sabedoria de Deus em criar homens e mulheres de forma diferente, separando-os para funções distintas! Como Linda Green diz tão pungentemente:

> Quando as mulheres pararem de se comparar e competir com os homens no lar e na igreja e começarem a entender a poderosa influência de uma mulher piedosa (juntamente com o reconhecimento de sua dependência da Palavra de Deus, oração e discipulado), começarão a encontrar uma grande alegria em complementar os homens com os quais todos servem para a glória do evangelho. Elas deixarão de se focar sobre as duas posições que a Escritura designa a homens e começarão a ver as infinitas possibilidades que estão disponíveis para que as mulheres usem quaisquer que sejam os dons que Deus lhes deu. À medida que virem como podem glorificar Cristo e seu evangelho de uma forma única que os homens não podem, elas começarão a encontrar grande alegria em fazer o que talvez tenham visto como um trabalhos em sentido antes.
> (Linda Green, The Orchard Evangelical Free Church, Arlington Heights, Illinois).

Que a dependência de Deus em espírito de oração seja a postura do nosso coração à medida que consideramos como podemos contextualizar pontes para o ministério entre mulheres, ensinar a visão bíblica da mordomia dos dons, priorizar a formação teológica de mulheres, apreciar a variedade de maneiras pelas quais o Espírito trabalha por meio de nós, refletir humildemente sobre os exemplos de mulheres que vieram antes de nós, e discernir formas de aproveitar o "privilégio das mulheres" a serviço de nosso Senhor. Entusiasmo cheio de expectativa deve marcar a nossa perspectiva. Recebemos a Palavra de Deus para iluminar nosso caminho e o Espírito para nos conduzir. Que o Senhor se agrade conforme suas filhas procuram servir em seu nome e para sua glória.

Parte 4

O Objetivo
do Ministério
de Mulheres

Capítulo 10

Objetivos Finais

Tendo Aquele Dia em Vista

Nancy Guthrie

À s vezes não parece que gastamos muito dos dias de nossas vidas focadas em algum dia no futuro? Quando éramos pequenas, talvez contássemos os dias para o nosso próximo aniversário, cheias de expectativa. (Agora nem tanto, certo?) Quando estávamos na escola, aguardávamos com ansiedade o último dia da escola que iniciava uma temporada de diversão e liberdade. (É claro que, nesse mesmo dia, os pais provavelmente começavam a contagem regressiva para o dia em que as aulas começariam novamente.) Algumas de nós já planejaram cuidadosamente uma viagem e contaram as semanas e dias até que chegasse o dia de iniciar sua aventura. Algumas tiveram a data do casamento ou uma data provável do nascimento do bebê agendada, e contaram os dias.

Mas suponho que também haja dias planejados à nossa frente que tememos – o dia em que o divórcio é consumado, o dia agendado para a operação, o dia em que temos que dizer adeus.

Há um dia citado ao longo de toda Escritura – um dia de intervenção divina na história humana chamado de "o dia do Senhor", ou às vezes simplesmente de "o dia" ou "naquele dia". Ele é descrito como um dia de fardos aliviados (Isaías 10.27), ação de graças, honra, relacionamento, graça, amor, edificação, dança, diversão, alegria, salvação, redenção, descanso, regozijo, alegria, conforto, abundância, satisfação, intimidade, perdão e recompensa (Jeremias 30.19-31.40); aprendizagem, paz, segurança e cura (Miquéias 4); purificação e pertencimento (Zacarias 13). Soa como um dia para almejarmos. E é. Mas isso não é tudo o que a Bíblia nos diz sobre esse dia.

Também descobrimos nas Escrituras que o dia do Senhor será um dia de humilhação (Isaías 2.12.); destruição (Isaías 13.2; Joel 1.15); crueldade (Isaías 13.9); condenação (Ezequiel 30.3); escuridão (Amós 5.18); retribuição (Obadias 15); aflição, angústia, ruína e devastação (Sofonias 1.15); fogo (Malaquias 4.1); exposição (2 Pedro 3.10.); e guerra (Apocalipse 16.14). Quando lemos essas descrições, esse dia não parece exatamente algo pelo qual devamos almejar com alegria, mas sim um dia para se temer.

Então, que dia é esse? O dia do Senhor – o dia em que Cristo retornará – será um dia de lamento ou um dia de alegria? Será um dia de destruição ou um dia de restauração? Será um dia de perda inacreditável ou um dia de ganho indescritível?

A realidade é que ele será ambos. Para aqueles que temeram ao Senhor, crendo no seu evangelho e estão unidos a Cristo pela fé, o dia que está preparado no futuro por Deus, o dia em que ele intervirá na história humana, vale a pena acordar todos os dias se perguntando, com um coração ansioso, se este será o dia. Mas para aqueles que rejeitaram a oferta da misericórdia de Deus e ignoraram o gracioso convite de Deus para a segurança de seu rebanho, é um dia sobre o qual se acorda todas as manhãs pensando, com uma sensação de medo doentio.

O ministério de mulheres hoje realmente importa, porque esse dia certamente chegará. Na verdade, o ministério de mulheres terá importância eterna, porque as mulheres irão encarar a eternidade.

Talvez percamos isso de vista de tempos em tempos. É fácil para o ministério de mulheres ser principalmente sobre o aqui e agora – as realidades que podemos ver com nossos olhos, as coisas que enxergamos como nossas necessidades e desafios mais significativos. Temos uma tendência de ir à Bíblia e de levar mulheres à Bíblia buscando descobrir as respostas para aquilo que enxergamos como nossas questões mais urgentes, mas frequentemente buscando principalmente o conforto para problemas temporais. Podemos passar tanto tempo focadas em copiar estratégias e planos de melhoria para essa vida, que simplesmente jogamos fora a consideração esperançosa e sóbria da vida por vir – o para sempre que começará naquele dia para o qual a Bíblia nos direciona vez após vez – o dia que marcará o início da alegria e descanso eternos na presença de Deus ou da miséria eterna longe de sua presença.

Conforme chegamos à conclusão desse livro sobre o ministério de mulheres, vamos considerar o objetivo final de tal ministério. É evidente que o objetivo final da obra de Deus no mundo, o fim último da história dos propósitos redentores de Deus no mundo, é o que terá começado apenas no dia sobre o qual lemos como a culminação da história humana – o dia do Senhor – o dia em que, finalmente, a terra se encherá do conhecimento da glória do Senhor como as águas cobrem o mar (Habacuque 2.14). A maior tragédia da vida será enfrentar esse dia despreparadamente.

Talvez isso coloque diante de nós o maior objetivo do ministério de mulheres: preparar mulheres para esse grande e terrível dia. Certamente, se prepararmos mulheres para fazerem um bom trabalho no mundo, terem bons relacionamentos e serem boas esposas e mães, mas não as prepararmos para aquele dia, então, teremos fracassado totalmente. Toda a nossa sã teologia, palestras criativas, eventos interessantes e reuniões bem frequentadas terão sido em vão se o nosso ministério de mulheres não resultar em estarmos rodeadas pelas mulheres que Deus colocou em nossas vidas agora, quando estivermos diante dele naquele dia, não é verdade?

Infelizmente, muitos ministérios que gastam algum tempo ensinando sobre o dia do Senhor tendem a gastar a maior parte desse tempo focados na tentativa de conectar profecias bíblicas a eventos, nações e pessoas atuais, como se o mais importante sobre esse dia fosse saber se ele acontecerá em nossos dias. Evidentemente, esse foco não é nada novo. Em Mateus 24, lemos que, na semana antes de Jesus ser crucificado, os discípulos aproximaram-se dele em particular, perguntando: "Dize-nos quando sucederão estas coisas e que sinal haverá da tua vinda e da consumação do século" (Mateus 24.3).

A resposta primária de Jesus foi que ninguém, exceto seu Pai, sabe quando esse dia será. Em vez de focar no *momento* daquele dia, Jesus parecia muito mais interessado na *prontidão* dos discípulos para ele. Por meio de várias ilustrações e parábolas, Jesus ajudou seus discípulos a entenderem o que é estar preparado para aquele dia e o resultado final dessa prontidão, bem como o que está adiante para aqueles que vivem como se esse dia não fosse acontecer e, ao invés disso, vivem somente para o hoje.

Imagino que, se um grupo de mulheres de nosso tempo se reunisse em torno de Jesus e lhe perguntasse quando ele voltaria, ele lhes diria a mesma coisa que disse aos seus discípulos. Na verdade, porque sua Palavra inspirada *é* o que ele nos diz hoje, podemos achar nosso caminho através das ilustrações e parábolas que Jesus contou aos seus discípulos em seus dias, registrados em Mateus 24 e 25, para descobrir como o nosso ministério de mulheres hoje pode ajudar a preparar as mulheres para aquele dia. Pegamos a resposta de Jesus a seus discípulos em Mateus 24.37-42:

Pois assim como foi nos dias de Noé, também será a vinda do Filho do Homem. Porquanto, assim como nos dias anteriores ao dilúvio comiam e bebiam, casavam e davam-se em casamento, até ao dia em que Noé entrou na arca, e não o perceberam, senão quando veio o dilúvio e os levou a todos, assim será também a vinda do Filho do Homem. Então, dois estarão no campo, um será tomado, e deixado o outro; duas estarão trabalhando num moinho, uma será tomada, e deixada a outra. Portanto, vigiai, porque não sabeis em que dia vem o vosso Senhor.

Assim, a primeira coisa que ouvimos Jesus dizer sobre esse dia é que *o dia da sua vinda será um dia de juízo. Naquele dia, alguns serão varridos, enquanto alguns serão salvos.*

Quando a água começou a cair do céu e a jorrar da terra nos dias de Noé, as pessoas estavam ocupadas com a vida ordinária. Elas não estavam esperando o julgamento que começou a cair sob a forma de gotas de chuva. Elas estavam como tantas de nós, mulheres, hoje, tão ocupadas com o ordinário – pensando nos planos para o jantar, ou na agenda de amanhã, ou nas atividades das crianças, ou no grande projeto do trabalho – assumindo que a vida simplesmente continuará como é, enquanto os dias vêm e vão, sem perceber qualquer ameaça do julgamento vindouro. Evidentemente, a própria ideia de Deus irrompendo na história humana para julgar o mal da humanidade, mesmo nos dias de Noé, não era crível ao povo – certamente não era urgente para eles.

E esse não é o caso hoje? Vamos encarar. A mensagem da Bíblia de que haverá um dia em que todos aqueles que se recusarem a entrar na arca da segurança na pessoa de Jesus Cristo serão varridos pela tempestade do juízo de Deus, enquanto aqueles que se refugiarem em Cristo serão salvos é facilmente ridicularizada, marginalizada e ignorada. Ela certamente não parece urgente para muitas mulheres com quem interagimos em um dia normal.

E pode nos parecer que há assuntos mais urgentes para cobrir em nosso ministério de mulheres, ou, no mínimo, temas mais interessantes. As mulheres precisam desesperadamente da perspectiva bíblica para saber o que é urgente e o que simplesmente não importa para a eternidade. Nós todos precisamos ser levados ao ponto em que reconhecemos nossa necessidade de sermos salvos de um julgamento vindouro bastante real. Nós todos precisamos ser direcionados para os braços abertos de Cristo, onde podemos encontrar refúgio desse julgamento certo, mediante a fé em nosso Salvador que morreu, sofrendo a ira de Deus em nosso lugar, e ressuscitou dos mortos, vencendo a morte e o pecado para sempre. Todos nós precisamos do evangelho.

Em sua próxima história (Mateus 24.45-51), Jesus revela que *o dia da sua vinda será um dia de examinação. Naquele dia, alguns serão expulsos, enquanto alguns serão confiados.*

Jesus fala de um servo prudente que serve os outros conservos na casa de seu mestre com fidelidade, contrastando-o com um servo mau que, quando seu mestre está atrasado, abusa de seus conservos e dos recursos de seu mestre. Após o regresso do mestre, enquanto o servo prudente é abençoado, sendo colocado no comando de todos os bens do mestre, o servo mau é expulso da casa do mestre e enviado para um lugar de tristeza contínua e arrependimento agonizante.

Certamente isso tem algo a dizer, não especificamente ao mundo secular, mas àqueles que se uniram à igreja, à família da fé: ambas as figuras dessa história são servos na casa do mestre, aguardando o seu retorno. Esse texto desafia todos aqueles que ouviram o chamado para servir ao Mestre Jesus, ao servir conservos em sua família da fé. Isso inclui todos nós na igreja, quer tenhamos responsabilidades de liderança ou sejamos responsáveis por cuidar dos conservos de formas mais informais, talvez servindo ao Mestre ao servir pais idosos, ou filhos em crescimento, ou vizinhos carentes. Será que somos fiéis no dia a dia "para dar-lhes o sustento a seu tempo" (v. 45), colocando com sabedoria perante eles não apenas o sustento físico, mas o alimento que nutrirá suas almas? O dia virá quando o nosso Mestre voltará e examinará de que forma lhe serviram aqueles a quem foram dadas responsabilidades em sua casa. Ele examinará o nosso serviço, procurando a perseverança fiel e prudente que revela corações transformados pela graça do evangelho.

Que promessa essa história guarda para a mulher que procura servir ao Mestre em perseverante fidelidade e sabedoria piedosa – que os seus serviços importam, que no dia da volta de Cristo ele lhe dará oportunidades ainda maiores para servi-lo de maneira significativa na eternidade. Visto que as mulheres hoje buscam regularmente formas de contribuir com boas obras significativas para a melhoria de um mundo necessitado, todos nós precisamos ouvir vez após vez, que boas obras são importantes – não apenas para fazer uma diferença no mundo, e não como uma contribuição de qualquer tipo para a nossa justificação, mas como um serviço amoroso e eternamente valioso para o nosso Mestre, que fez um lugar para nós em sua casa para sempre. O serviço a Deus começa em sua casa e se estende para a eternidade. E pense no que significará servir-lhe no dia em que a futilidade e a frustração do nosso trabalho, pelo qual agora trabalhamos em um mundo amaldiçoado, terão acabado para sempre.[1]

À medida que avançamos para o capítulo 25 de Mateus, Jesus conta duas parábolas que fornecem mais iluminação para os seus discípulos, e para nós, no que diz respeito a como será o dia da sua vinda. Na primeira parábola (v. 1-12), ele diz que o dia será como um dia de casamento, em que dez virgens encarregadas de iluminar o caminho para a festa de casamento esperam a chegada do noivo. Elas saem para encontrá-lo carregando suas lâmpadas de azeite para conduzir a ele e sua noiva à festa de casamento, mas quando o noivo não vem tão rapidamente quanto elas pensavam que viria, as virgens adormecem. Cinco das dez simplesmente não estão preparadas para um longo tempo de espera – não trouxeram com elas azeite suficiente para manter suas lâmpadas acesas. Então, quando o noivo finalmente chega, aquelas cinco virgens néscias não estão preparadas para entrar na festa de casamento.

Elas querem se valer da preparação das outras cinco para que compartilhem um pouco de seu azeite com elas. Mas a preparação das outras não pode ser aproveitada. E, assim, as virgens néscias ficam de fora.

Por meio dessa história Jesus nos diz que *o dia da sua vinda será um dia de festa. Naquele dia, alguns ficarão de fora, enquanto alguns serão bem-vindos.*

Simplesmente não podemos contar com o compartilhamento da preparação de outros cristãos naquele dia. Embora o povo de Cristo seja de fato um só corpo, cada membro desse corpo é chamado à fé individual nele – fé que se manifesta na preparação para o seu retorno. Não podemos nos valer da bondade de Cristo para nos deixar entrar na ceia das bodas do Cordeiro no último minuto quando ele vier, se não estivermos dispostos a nos preparar para sua vinda agora. Ser convidado para o casamento e chamado para participar dele não garante entrada nele se não estivermos entre os sábios que se prepararam para o evento.

Quantas mulheres estão sentadas em nossas reuniões da igreja se valendo da preparação daquelas ao seu redor ou daqueles relacionados a elas, ou se valendo da bondade do noivo? Nenhuma outra pessoa, nenhum noivo terreno, nenhuma herança de fé ou participação fiel entre os fiéis pode substituir um relacionamento individual com o nosso noivo celestial. Quem dentre nós gostaria de ouvir Jesus lhes dizer naquele dia: "Não conheço você"? Como precisamos ouvir o alerta de nosso Noivo nessa parábola e estar preparadas para esperar pela sua chegada, que pode demorar mais do que pensamos. Como precisamos buscar conhecê-lo e ser conhecidas por ele – agora, quando chegamos à fé em nosso Salvador, e ao longo de todo o caminho para encontrá-lo face a face naquele dia. Que ministério significativo é este – um ministério que tem importância eterna – prepara mulheres para conhecerem Cristo, para que, naquele dia, elas sejam bem-vindas, ao invés de fechadas do lado de fora da grande festa.

Como preparamos mulheres para encontrar Cristo? Ousadamente, nós as chamamos para vir a Cristo, em vez de assumirmos que já tomaram posse dele pela fé. Nós as ensinamos a prestar máxima atenção à "palavra profética... como a uma candeia que brilha em lugar tenebroso, até que o dia clareie" (2 Pedro 1.19). Nós as desafiamos "a crer no amor que Deus tem por nós" e a permanecer nesse amor "para que, no Dia do Juízo, mantenham confiança" (1 João 4.16-17). Nós exortamo-nos "mutuamente cada dia, durante o tempo que se chama Hoje, a fim de que nenhum de nós seja endurecido pelo engano do pecado. Porque nos temos tornado participantes de Cristo, se, de fato, guardarmos firme, até ao fim, a confiança que, desde o princípio, tivemos" (Hebreus 3.13-14). Com "a nossa esperança no Deus vivo", pelo poder do Espírito de Cristo ressurreto, buscamos criar uma cultura de treinamento vigoroso para a piedade entre os crentes, sabendo que "a piedade para tudo é proveitosa, porque tem a promessa da vida que agora é e da que há de ser" (1 Timóteo 4.8,10).

Na parábola seguinte (Mateus 25.14-30), comumente chamada de "parábola dos talentos", Jesus revela que *o dia da sua vinda será um dia de prestação de contas. Naquele dia, alguns serão expostos como negligentes, enquanto alguns serão elogiados como fiéis.*

Nessa parábola, o mestre está saindo em uma viagem. Antes de sua partida, ele confia diferentes quantidades de recursos a alguns servos. E só há uma expectativa: que esses recursos sejam investidos em um retorno para o seu reino. Os servos que recebem cinco e dois talentos saem "imediatamente" e fazem negócios lucrativos, de modo que o que lhes foi confiado dobra de valor para os bens do mestre. Mas o servo encarregado de um talento "abriu uma cova e escondeu o dinheiro do seu senhor" (v. 18). E, em seguida, "depois de muito tempo", o mestre retorna. Em sua chegada, ele ajusta as contas (v. 19).

Nessa parábola, cada um dos servos é chamado a prestar contas – os que têm sido bons mordomos dos recursos do mestre, bem como aqueles que não têm. A verdade sobre a sua mordomia torna-se clara para todos naquele dia de prestação de contas. Em vários lugares ao longo de toda a Escritura nos é dito que isso é exatamente o que vai acontecer no dia em que Cristo voltar. Quando Jesus vier, ele acertará as contas com os seus servos. "Porque importa que *todos* nós compareçamos perante o tribunal de Cristo", escreveu Paulo aos crentes de Corinto (2 Coríntios 5.10). Todos. Crentes e não crentes.

Em seu comentário sobre o livro de Mateus, Douglas Sean O'Donnell diz que o julgamento vindouro é o tema mais negligenciado na igreja. Ele continua: "O segundo tema mais negligenciado é o tema de que a igreja deverá ser julgada: 'a ocasião de começar o juízo pela casa de Deus é chegada' (1 Pedro 4.17). O terceiro tema mais negligenciado é o tema de que cada cristão deve estar diante do Tribunal de Cristo para prestar contas do que fez (Mateus 16.27; cf. Romanos 14.12)".[2]

Acho que a grande questão que todos temos que encarar à luz dessa vindoura prestação de contas é a seguinte: Eu sou vulnerável? Quando eu prestar contas, isso resultará em eu ser exposta a como negligente ou elogiada como fiel? Será que serei expulsa ou recompensada? Conforme consideramos essa questão e, à medida que consideramos as implicações desse dia de prestação de contas para o ministério de mulheres, sabemos disto: "Agora, pois, já nenhuma condenação há para os que estão em Cristo Jesus" (Romanos 8.1). Aqueles que estão unidos a Cristo são tão indestrutíveis quanto Cristo. Para crentes genuínos, não serão as suas vidas que estarão vulneráveis nesse dia, mas sim, sua recompensa. Temos dificuldade em entender completamente a natureza de tais recompensas a partir da perspectiva dessa vida terrena, mas fazemos bem em ouvir as referências das Escrituras sobre elas. Em 1 Coríntios 3.13-15, Paulo descreve o dia de prestação de contas: "a obra de cada um o próprio fogo provará. Se permanecer a obra de alguém que sobre o fundamento edificou, esse receberá galardão; se a obra de alguém se queimar, sofrerá ele dano; mas esse mesmo será salvo, todavia, como que através do fogo". Parece que o resultado desse julgamento será o ganho ou a perda de recompensas eternas.

Agora você pode estar pensando: *Se Cristo pagou o preço pelo pecado, e eu confessei o meu pecado e fui perdoada, então, como posso ser responsabilizada por aquilo que fiz ou não fiz? Tudo não gira ao redor do que Cristo fez?* Não podemos confundir o dom da salvação de Deus com a sua promessa de galardão. Como Randy Alcorn disse: "A salvação se trata da obra de Deus por nós. É um dom gratuito da graça para o qual não contribuímos em nada. Galardões tratam do nosso trabalho para Deus",[3] para o qual somos habilitados e capacitados para cumprir pela sua graça em nós.

Então o que é que o nosso Mestre recompensará com o seu louvor na sua vinda? Nós, como mulheres, sabemos o que é recompensado no mundo, na nossa sociedade. Não posso deixar de pensar sobre as coisas que nós, como mulheres, tendemos a recompensar com atenção, admiração e elogios. Somos tão rápidas em dizer umas às outras: "Você está bonita!" Admiramos o senso de moda, habilidades de decoração, habilidades parentais, graus acadêmicos, aumento de renda, habilidade de fazer coisas com antecedência e até mesmo o bem social. Naturalmente nenhuma dessas coisas é ruim em si, mas buscar a recompensa temporária da aprovação do mundo pode nos distrair de buscar a recompensa eterna da aprovação do Senhor.

Então, o que essa parábola revela sobre o que Deus recompensa com o seu louvor? Ele recompensa mordomia, que é simplesmente fazer o máximo do que ele nos confiou, a fim de aumentar os seus bens. Ele confiou a cada uma de nós, suas servas, diferentes habilidades, aptidões, capacidades e oportunidades.

Ele nos colocou em diferentes lugares, cercadas por necessidades diferentes, com personalidades diferentes. Devemos nos perguntar: O que Deus confiou exclusivamente a mim que eu possa estar investindo para um retorno para o seu reino? O que eu enterrei que eu deveria estar investindo na causa do evangelho? De que forma ele me fez única para expandir o seu reino no mundo? Como posso ser parte do desenvolvimento de uma cultura entre as mulheres que incentiva e louva trabalhar por recompensas que durarão eternamente? E nós deveríamos estar encorajando umas às outras, afirmando a mordomia que vemos na vida de outras – a maneira como elas investem seu tempo na causa de Cristo, a maneira como desenvolvem seus talentos (e até mesmo as suas contas bancárias) para contribuir para a proclamação do evangelho, a maneira como abrem suas casas para ministrar o amor de Cristo, a maneira como usam suas histórias para contar a história de Cristo, seu Redentor.

No dia da prestação de contas, quando estivermos diante do tribunal de Cristo, seremos chamadas a relatar como temos investido tudo o que nos foi confiado. Aquelas que são mães darão um relato de como criaram os filhos que lhes foram confiados, para que haja um aumento no reino do Mestre. Aquelas de nós que receberam educação e oportunidade serão responsabilizadas pela forma como investiram esses privilégios de maneira a estender o Reino de Deus. Aquelas a quem liderança foi confiada darão conta de como a conduziram. E, porque sabemos que "aquele que começou boa obra em vós há de completá-la até ao Dia de Cristo Jesus" (Filipenses 1.6), podemos confiantemente prever ouvir o nosso Mestre dizer naquele dia: "Muito bem, servo bom e fiel; foste fiel no pouco, sobre o muito te colocarei; entra no gozo do teu senhor" (Mateus 25.21).

Que esperança incrível para se colocar diante das mulheres para que tomem posse – que, quando são unidas a Cristo pela fé, e conforme seu Espírito opera nelas para produzir justiça, elas podem esperar um dia em que não se envergonharão, mas ouvirão o Mestre que amam lhes dizer: "Muito bem. Muito bem feito. Confiei certas coisas a você – coisas diferentes das que confiei àqueles ao seu redor – e você provou ser um bom mordomo. E, porque você foi fiel sobre o que lhe confiei nessa vida, há muito mais que estou lhe confiando na vida por vir, agora que você estabelece residência comigo e com todos aqueles que me amam na nova criação. As portas da minha casa estão abertas para você e, na minha casa, você experimentará a minha alegria comigo para sempre".

Nosso serviço para nosso Mestre, muitas vezes difícil ou triste ao longo dessa vida, parece diferente quando o vemos à luz do que está certamente chegando. Esse "breve tempo", como Pedro coloca (1 Pedro 1.6; 5.10), precisa desesperadamente da luz da eternidade para que nós não apenas o suportemos, mas nos alegremos nele como uma preparação para viver na casa de Deus para sempre e chamar outros para entrar nessa casa enquanto ainda é hoje. Como é importante encorajar mulheres a ansiarem por viver na casa de Deus com novos e perfeitos corpos de ressurreição, enquanto lutamos não apenas com doenças humanas comuns, mas com todas as dores únicas dos corpos das mulheres como Deus as criou, conforme sofrem os efeitos da queda. Como é maravilhoso pensar em todas as lágrimas sendo enxugadas, em meio a tantas lágrimas. Como é fortalecedor ansiar, como povo de Deus, por um noivo celestial, quando tantas mulheres lutam com questões terrenas. Todas essas lutas são também dadas a nós como servas do Senhor para investirmos em seu reino e, por causa delas podermos orar para ver o seu crescimento.

Se estivermos em Cristo, esse dia de prestação de contas não deve ser um dia para se temer, mas para o qual devemos nos preparar com alegria. Não precisamos temer não ter feito o suficiente. (Não é verdade que nós, mulheres, geralmente tendemos a pensar que não fazemos o suficiente ou que simplesmente não *somos* suficientes?) O perigo real que está sendo delineado para nós nessa parábola não é o perigo de não fazer o suficiente para o Mestre. Os dois servos fiéis recebem quantidades diferentes e aparecem com diferentes quantidades no final, e ambos são recompensados com exatamente o mesmo elogio do Mestre. O perigo real ameaça aqueles que não fazem *nada* com o que lhes foi confiado, aqueles para os quais o retorno é zero – nenhuma resposta de fé ao evangelho, nenhuma valorização do Mestre, nenhum fruto do Espírito, nenhum retorno para o reino do Mestre – nada. Esse é o ponto do terceiro servo, que não fez nada com o seu dom. Porque ele não fez nada, ele não apenas perdeu sua recompensa; ele perdeu sua vida.

Na seção final de Mateus 25 (v. 31-46), Jesus fala daquele dia como um dia de grande glória, quando ele virá como rei e tomará seu trono. Observe que Jesus não está contando uma parábola na qual devemos supostamente descobrir que ele é o rei retratado na história. Ele está dizendo diretamente que, naquele dia, ele virá como rei.

> Quando vier o Filho do Homem na sua majestade e todos os anjos com ele, então, se assentará no trono da sua glória; e todas as nações serão reunidas em sua presença, e ele separará uns dos outros, como o pastor separa dos cabritos as ovelhas (Mateus 25.31-32).

Ao descrever o dia da sua vinda, Jesus usou uma ilustração que teria sido um cenário muito familiar para aqueles que o ouviam. Naqueles dias, um pastor, muitas vezes, cuidava tanto de ovelhas quanto de cabritos e, quando eles estavam soltos no campo, as ovelhas e os cabritos pastavam juntos. Mas quando chegava a hora de entrarem por causa do frio, as ovelhas e os cabritos tinham que ser separados porque eram diferentes. A imagem de separar duas espécies diferentes é o que Jesus usa para descrever a separação dos que pertencem a ele por meio da fé nele, daqueles que não o fazem.

Por meio dessa parábola, Jesus diz que *o dia da sua vinda será um dia de separação. Naquele dia, alguns serão amaldiçoados enquanto outros serão abençoados*. É uma dura realidade que dentro de nossas igrejas possa haver tanto ovelhas quanto cabritos, não é? Nem sempre temos o discernimento para reconhecer a diferença. Mas Jesus tem. O ministério de mulheres tem importância eterna, porque esse grande dia de separação está realmente chegando. O ministério de mulheres oferece um contexto crucial, específico e pessoal em que as mulheres podem, de forma consistente e sem qualquer vergonha, chamar umas as outras, de acordo com a Palavra, a "examinarem-se a si mesmas, para ver se estão na fé" (2 Coríntios 13.5).

Jesus diz que naquele dia, quando ele vier, ele dirá para suas ovelhas: "Porque tive fome, e me destes de comer; tive sede, e me destes de beber; era forasteiro, e me hospedastes; estava nu, e me vestistes; enfermo, e me visitastes; preso, e fostes ver-me" (Mateus 25.35-36). Mas as ovelhas respondem perguntando a Jesus *quando* fizeram essas coisas por ele, para o que ele responde: "Em verdade vos afirmo que, sempre que o fizestes a um destes meus pequeninos irmãos, a mim o fizestes" (v. 40).

Observe que Jesus está falando aqui do que é feito por seus irmãos. E quem são os irmãos de Jesus? "Qualquer que fizer a vontade de meu Pai celeste, esse é meu irmão, irmã e mãe", disse ele (Mateus 12.50). Então, Jesus está falando especificamente sobre o que os crentes fazem por seus irmãos e irmãs em Cristo que estão famintos, necessitados, nus e presos. Porque os crentes são membros do corpo de Cristo, o que é feito para o crente é feito por Cristo. Vemos essa mesma forma de falar da conexão de Cristo com os crentes quando lemos em Atos que

Jesus disse a Saulo, que estava perseguindo os cristãos, "Saulo, Saulo, por que *me* persegues?" (Atos 9.4). Servir os crentes é servir a Cristo; perseguir os crentes é perseguir Cristo.

Quando penso sobre as irmãs que servem a "um desses pequeninos" no corpo de Cristo, penso nas mulheres que são sempre as primeiras a se manifestar e servir no berçário ou ministério infantil, altruistamente servindo "um desses pequeninos" ao trocar fraldas, servir biscoitinhos e contar histórias da Bíblia. Penso em uma irmã em Cristo que, semana após semana, pega uma mulher de nossa igreja que está confinada a uma cadeira de rodas para levá-la ao estudo bíblico e buscá-la. Penso na equipe de mulheres com habilidades de enfermagem que trabalhava fora do horário para passar tempo com outra mulher que enfrentava seus últimos dias de vida, quando o câncer produziu seus efeitos. Penso em uma mulher que embala regularmente o melhor do que foi dado ao ministério de doação de roupas para enviar a famílias missionárias. Penso na viúva que alegremente investe o seu tempo correspondendo-se com presos, lendo suas respostas em seus programas de estudos bíblicos e dando retorno. O dia virá quando essas mulheres ouvirão Jesus dizer: "Vinde, benditos de meu Pai! Entrai na posse do reino que vos está preparado desde a fundação do mundo" (Mateus 25.34).

Claro, alguns procuram usar essa passagem para nos desafiar a nos ocuparmos no mundo, alimentando os famintos, acolhendo estrangeiros e visitando os doentes, se quisermos ser bem-vindas naquele dia. Mas Jesus não está dizendo que isso é o que devemos fazer se quisermos ser abençoadas em vez de amaldiçoadas. Ele está dizendo que essas são as coisas que faremos se formos verdadeiramente ovelhas do seu rebanho. Esse tipo de doação amorosa e altruísta aos nossos irmãos e irmãs em Cristo – especialmente aqueles que estão sofrendo e em necessidade, presos por causa do evangelho – será um resultado natural de nossas vidas, dando provas de que somos ovelhas e não cabritos em meio às ovelhas. Ele está nos dando uma maneira de examinar a nós mesmas para ver se estamos na fé.

Ao ministrarmos para as mulheres nunca devemos presumir que uma mulher engajada em nossa igreja, ou uma mulher que fale de forma espiritual ou até mesmo use expressões do "evangeliquês", tenha vindo da morte para a vida espiritualmente. Devemos procurar pela capacidade de resposta à Palavra de Deus e amor pelo povo de Deus. Devemos procurar pelo tipo de vida altruísta, que Jesus descreve aqui como aquele que se desenvolve a partir de uma conexão com ele. Observe que, quando Jesus falou sobre as ovelhas e os cabritos, ele estava falando a seus discípulos. Nos dias que se sucederiam, um daqueles discípulos seria exposto como cabrito por sua traição a Jesus. Mesmo entre os discípulos havia um cabrito, um cabrito não reconhecido pelas ovelhas.

Muitas vezes queremos nos apressar em oferecer a segurança da salvação a mulheres que vêm até nós incomodadas, questionando a autenticidade de sua conversão. Talvez ministrar sabiamente entre mulheres deva considerar a realidade da existência de ovelhas e cabritos, e não se mover tão rapidamente ou automaticamente em direção à suposição da certeza. Talvez, a realidade que prende nossa atenção da vida eterna futura para as ovelhas, bem como do castigo eterno futuro aos cabritos, deva nos impulsionar de forma consistente a fazer um chamado evangelístico para que sigam a Cristo. Quando estudarmos a Palavra juntas – essa Palavra que nos torna sábias "para a salvação pela fé em Cristo Jesus" (2 Timóteo 3.15) – não seremos capazes de evitar a sua insistente e abrangente mensagem evangelística. Devemos continuar falando da Bíblia como um todo, da verdade de vida ou morte umas às outras, ao darmos boas-vindas às mulheres que claramente ainda não conhecem Cristo, e mesmo quando todas que estiverem na sala, ou lendo o blog, ou sentadas ao redor da mesa já tenham estado na igreja por um longo tempo.

Quando consideramos como é difícil para uma mulher que pensa em si mesma como alguém que conhece e é conhecida por Cristo, reconhecer que ela nunca verdadeiramente confiou em Cristo de uma maneira salvífica – que ela tem estado errada na estimativa de seu condicionamento espiritual – percebemos o quanto precisamos que o Espírito Santo faça o que só ele pode fazer. Certamente isso significa que grande parte do nosso ministério de mulheres deve ser um ministério de oração. Sabemos que "o vento sopra onde quer, ouves a sua voz, mas não sabes donde vem, nem para onde vai; assim é todo o que é nascido do Espírito" (João 3.8). Assim, ministrar entre as mulheres nos leva aos nossos joelhos, enquanto pedimos ao Espírito Santo que sopre por meio de nossas igrejas, de nossos lares e através das vidas de mulheres que encaram a separação eterna longe da obra salvífica e vivificante do Espírito nelas.

Nas ilustrações e parábolas de Jesus, apresentadas em resposta à pergunta de quando será o dia em que ele virá novamente, vimos que o que importa mais do que saber *quando* ele estará chegando é estar *preparada* para sua vinda, quando quer que ela aconteça. A mensagem de perseverança, espera e preparação para sua vinda continua ao longo de todo o Novo Testamento. O apóstolo Paulo disse aos coríntios que aguardassem "a revelação de nosso Senhor Jesus Cristo, o qual também vos confirmará até ao fim" (1 Coríntios 1.7-8). Ele orou pelos tessalonicenses para que o Senhor os fizesse "crescer e aumentar no amor uns para com os outros e para com todos, como também nós para convosco, a fim de que seja o vosso coração confirmado em santidade, isento de culpa, na presença de nosso Deus e Pai, na vinda de nosso Senhor Jesus, com todos os seus santos" (1 Tessalonicenses 3.12-13). O autor de Hebreus disse aos primeiros judeus convertidos para se agarrarem firme à esperança que tinham em Cristo, para despertarem um ao outro ao amor e às boas obras, e não negligenciarem o reunir-se juntos, mas encorajarem uns aos outros "tanto mais quanto vedes que o Dia se aproxima" (Hebreus 10.22-25).

Minhas amigas, o dia se aproxima. É por isso que o ministério de mulheres hoje importância eterna, porque as mulheres enfrentarão a eternidade. Cada uma de nós será/estará:

- para sempre varrida ou para sempre segura em sua presença;
- para sempre entregue à agonia incalculável ou para sempre abençoada com um trabalho frutífero;
- para sempre banida da presença do Noivo ou para sempre compartilhando de sua festa;
- para sempre lançada nas trevas externas ou para sempre envolvida na alegria do Mestre;
- para sempre amaldiçoada no fogo eterno ou para sempre abençoada com a vida eterna.

O trabalho do ministério de mulheres terá importância eterna porque "no Senhor, o [nosso] trabalho não é vão" (1 Coríntios 15.58). A oração de Paulo pelos Filipenses conecta nossos trabalhos dos dias de hoje à esperança certa do dia da vinda de Cristo:

> E também faço esta oração: que o vosso amor aumente mais e mais em pleno conhecimento e toda a percepção, para aprovardes as coisas excelentes e serdes sinceros e inculpáveis para o Dia de Cristo, cheios do fruto de justiça, o qual é mediante Jesus Cristo, para a glória e louvor de Deus (Filipenses 1.9-11).

Agradecimentos

Meus sinceros agradecimentos às mulheres que compartilharam suas respostas às perguntas do Capítulo 9, "Dons e Talentos: Encontrando o Lugar para Servir".

Pam Brown, coordenadora voluntária e líder de pequenos grupos da Trinity Bible Church (igreja independente), South Sutton, New Hampshire, EUA.

Esther Lopez de Ramirez, obreira do ministério de mulheres, Evangelical Presbyterian Church of Peru, Los Rosales, Cajamarca, Peru.

Linda Green, diretora do ministério de mulheres, The Orchard Evangelical Free Church, Arlington Heights, Illinois, EUA.

Patricia Henry, esposa de pastor e líder do ministério infantil, Metropolitan Evangelistic Church, Lavender Hill, Cidade do Cabo, África do Sul.

Christine Hoover, esposa de pastor, Charlottesville Community Church (Igreja Batista do Sul), Charlottesville, Virginia, EUA.

Kathy Keller, diretora de comunicação e esposa de pastor, Redeemer Presbyterian Church, Nova York, EUA.

Leonie Mason, obreira do programa de treinamento Associate Scheme, St. Helen's Bishopsgate (Igreja Anglicana), Londres, Reino Unido.

Hepzibah Shekhar, obreira com mulheres e coordenadora do ministério de Escola Bíblica Dominical, Zion Church, Lucknow, Uttar Pradesh, Índia.

Sandra Smith, esposa de pastor e coordenadora do ministério com mulheres, New City Fellowship (Igreja Presbiteriana na América), Chattanooga, Tennessee.

Leeann Stiles, diaconisa de treinamento de mulheres, Redeemer Church of Dubai, Dubai, Emirados Árabes Unidos.

Colaboradoras

Kristie Anyabwile é esposa de um pastor plantador de igrejas, mãe de três filhos e discipuladora de mulheres. Ela e sua família residem em *Southeast Washington*, DC. Ela gosta de falar e escrever sobre maternidade, casamento e ministério. Ela luta, pela graça de Deus, para ser uma mulher de Tito 2 em um mundo de Romanos 1.

Cindy Cochrum é diretora de estudo bíblico na *College Church* em Wheaton, Illinois. Ela ensina mulheres, treina líderes e tem escrito estudos em Marcos (*Meeting the King*), e em Rute e Ester (*God's Woman in God's Place in God's Time*). Cindy e seu marido Kent têm quatro filhos.

Ellen Mary Dykas possui mestrado pelo *Covenant Theological Seminary*, serve como coordenadora do ministério de mulheres na *Harvest USA*, um ministério de alcance nacional nos EUA, focado no discipulado centrado no evangelho e no ensino sobre sexualidade. Ela é coautora do livro *Sexual Sanity for Women: Healing from Relational and Sexual Brokenness*, e do livreto *Sex and the Single Girl: Smart Ways to Care for Your Heart*.

Keri Folmar (Doutora em Direito, Loyola Law School, Los Angeles), esposa do John, pastor da *United Christian Church of Dubai*, e mãe de três adolescentes. Ela escreve, ensina e lidera estudos bíblicos para mulheres em sua igreja. Ela é autora dos livros *Joy! A Bible Study on Philippians for Women*; *Faith* (em Tiago) e *Grace* (em Efésios).

Gloria Furman (Mestre em Educação Cristã, *Dallas Theological Seminary*) serve como obreira transcultural nos Emirados Árabes Unidos, onde seu marido Dave pastoreia a *Redeemer Church of Dubai*. Ela é mãe de quatro filhos e autora de vários livros, incluindo *Sem Tempo Para Deus*.

Nancy Guthrie ensina a Bíblia por meio de inúmeros livros de estudos bíblicos em sua igreja local, a *Cornerstone Presbyterian Church* em Franklin, Tennessee, e em conferências nacionais e internacionais. Através de seus livros, conferências para pais enlutados, e da série de vídeos *Grief Share*, apresentada com seu marido David, ela oferece companhia e ensino bíblico aos que sofrem. Nancy é autora do livro *Antes de Partir*.

Susan Hunt é casada com o pastor aposentado Gene Hunt há cinquenta anos. Eles têm três filhos e doze netos. Ela foi diretora do ministério de mulheres da *Presbyterian Church in America* e escreveu diversos livros para mulheres, incluindo *Spiritual Mothering: The Titus 2 Model for Women Mentoring Women*, além do livro infantil *Samuca e seu Pastor*.

Kathleen Nielson (PhD, *Vanderbilt University*) é diretora de assuntos femininos do ministério *The Gospel Coalition*. Ela já ensinou inglês, dirigiu estudos bíblicos com mulheres em diversas igrejas, além de dar palestras e escrever em abundância. Kathleen e Niel vivem em Wheaton, Illinois, e têm três filhos, duas noras e quatro netas.

Carrie Sandom (Bacharel em Teologia, *University of Oxford*) está envolvida com o ministério de mulheres há mais de vinte anos. Ela vive em St. John's, Tunbridge Wells, onde trabalha com mulheres de todas as idades e etapas da vida. Palestrante frequente em congressos, Carrie também é diretora do ministério *Women's Ministry Stream*, no *Cornhill Training Course*, em Londres.

Claire Smith (PhD, *Moore Theological College/ University of Western Sydney*) possui um ministério de ensino bíblico entre mulheres em Sydney (onde ela e o marido Rob vivem), por toda a Austrália e internacionalmente. Além de sua tese de doutorado a respeito do "ensino" em 1 Coríntios, 1 e 2 Timóteo, e Tito, ela também escreveu o livro *God's Good Design: What the Bible Really Says about Men and Women*.

Notas

Capítulo 1: A Palavra no Centro

1. John M. Frame, A Doutrina da Palavra de Deus (São Paulo, SP: Editora Cultura Cristã, 2013).

Capítulo 2: A Palavra Sobre Mulheres

1. http://www.smh.com.au/national/girls-boys-and-toys-call-to-end-stereotyping-20131106-2x21m.html, acessado em 3 de Janeiro, 2014.
2. Veja http://www.playunlimited.org.au/2013/11/27/dolls-trucks-workplace-gender-divide/, acessado em 3 de Janeiro, 2014.
3. http://www.mercurynews.com/business/ci_25134482/here-are-facebooks-56-gender-identity-options, acessado em 10 de Abril, 2014.

4. Isso não nega que algumas pessoas tenham gênero fisiológico ambíguo, e certamente não nega que elas sejam totalmente feitas à imagem de Deus, igualmente amadas por ele. Essa rara desordem, como toda fragilidade e sofrimento, é prova trágica das rupturas e distorções que nossa rebelião humana contra Deus causou em sua criação originalmente boa; elas não são parte da intenção original de Deus para a humanidade (cf. Rm 8.19-22). Podemos louvar a Deus, porque nos dias de hoje mais recursos e pesquisas são direcionados a ajudar pessoas com essas desordens.

5. Deus é como a galinha mãe (Mt 23.37) e uma ama (Nm 11.12). Ele dá à luz o seu povo (Dt 32.18; Tg 1.18) e cuida dele como uma mãe (Sl 131; Is 66.13).

6. Por exemplo, por se referir a Deus apenas como "Deus" e nunca como "Pai". De forma ainda mais radical, outros tentam se referir a Deus como "Mãe" ou "Deusa".

7. Paulo indica que a mulher é feita à imagem de Deus quando deixa de fora a palavra "imagem" na última frase do verso 7. Paulo sabe que Deus criou o homem à sua imagem, macho e fêmea. Seu interesse aqui é na diferença entre homem e mulher em termos de glória.

8. Embora sejamos pessoalmente filhos ou filhas de Deus (Rm 8.16-17), também somos todos — homens e mulheres —"filhos de Deus," porque nossa relação filial com o Pai é estabelecida no Filho, e por meio dele recebemos o Espírito do Filho, assim como os privilégios e a herança de um "filho" (Gl 4.1-7).

9. Heb. *ishshah*, "mulher"; *ish*, "homem".

10. A maioria das traduções da Bíblia segue a convenção explicada nas notas de rodapé da versão ESV (*English Standard Version*) para Êx 3.15: "A palavra Senhor, quando escrita com letras maiúsculas, representa o nome divino, 'YHWH', no texto original hebraico".

11. Dt 33.29; Sl 33.20; 70.5; 115.9,10,11.
12. Is 30.5; Ez 12.14; Os 13.9.
13. Veja Ap 12.9; 20.2; 2Co 11.3–4, cf. 2.11; 11.14, e também Lc10.18–20.
14. Rm 6.3–11; 8.29; 1Co 15.49; 2Co 3.18; Cl 3.10.
15. Veja os livros de Wayne Grudem: "The Meaning of kephalê ('Head'): An evaluation of New Evidence, Real and Alleged", Biblical Foundations for Manhood and Womanhood (Wheaton, IL: Crossway, 2002), 145–202, repr. de JETS 44/1 (Março 2001): 25–65; Confrontando o Feminismo Evangélico (São Paulo, SP: Cultura Cristã, 2009)
16. Embora muitos ainda sejam escravizados por outros meios, como trabalho infantil, prostituição, tráfico de pessoas, escravidão sexual e outros tipos de exploração e perda da liberdade.
17. 1Co 7.21; Ef 6.5-9; Cl 3.22–4.1; 1Tm 6.1-2; Fl 10–16; 1Pe 2.18-21.
18. Veja, e.g., Denny Burk, What Is the Meaning of Sex? (Wheaton, IL: Crossway, 2013); Claire Smith, God's Good Design: What the Bible Really Says about Men and Women (Sydney, AU: Matthias Media, 2012).
19. E.g., Rm 12.3-8; 1Co 12.4-30; Ef 4.11.
20. E.g., 1Co 3.5-10; 16.15-16; Ef 4.12; Fl 1.1; 1Ts 5.12; 1Tm 3.1-13; 5.18; Hb 13.7; 1 Pe 5.1.
21. E.g., Gl 6.6; 1Tm 3.6.
22. E.g., 1Co 7.17-35; 2Co 12–15; Fl 2.25-30; 1Tm 5.13; 6.17-18.
23. E.g., 1Co 12.22-26; 14.5-6, 9-19, 23-24, 26-39.
24. E.g., 1Tm 5.1-14; Ti2.2-6; 1Pe 5.5.
25. Veja a discussão desse texto por Mark Thompson: "The Theological Ground of Evangelical Complementarianism," em Women, Sermons and the Bible (Sydney, AU: Matthias Media, 2014).

26. 1Tm 2.7; 3.2; 4.11,13; 6.2; 2Tm 1.11; 2.2,24; 3.10,16; 4.2.

27. E.g., 1Tm 3.1-7; 4.11-16; 2Tm 2.24–25.

28. At 16.13-15; 17.4,12.

29. At 12.12; 16.40; Rm 16.3-5; 1Co 16.19; Cl 4.15.

30. At 1.14; 21.5,9; 1Co 11.5; 1Tm 5.5.

31. At 18.2; Rm 16.4; Fl 4.2-3.

32. At 8.3; 22.4; Rm 16.6,7,17; 1Co 9.5.

33. Rm 16.16; 2Tm 4.21; Fl2.

34. Ex., At 2.42-47; 1Co 2.7; 11.26; 14.25; 2Co 10.7; 1Ts 1.3,7; 5.11.

35. A palavra *gunaikas* na língua original pode significar "mulheres" ou "esposas". Nesse contexto, seguindo o verso 3.8, poderia ser traduzido como: "Da mesma forma, mulheres [diaconisas] devem...", ou então "Da mesma forma, as esposas [de diáconos] devem...". A versão em inglês ESV prefere a segunda possibilidade.

36. E.g., 1Co 14.26,31; 1Ts 5.11.

Capítulo 3: A Palavra Transmitida

1. Isso não deve, de forma alguma, minar o papel dos presbíteros ou implicar que outros ministros carregam a mesma autoridade; eles claramente não a carregam (ver Cap. 2). Os presbíteros, conforme "transmitem" em seus papéis de autoridade, tanto servem de modelo quanto supervisionam o processo de "transmissão", à medida que ele ocorre em muitos segmentos da congregação.

2. Paulo diz algo semelhante em 1Tm 6.11-12 e 2Tm 1.13-14.

3. Veja, por exemplo, 1Tm 3.1.

4. A outra passagem é 1Tm 3.1-7. Os critérios para a designação de diáconos são estabelecidos em 1Tm. 3.8–13, mas como o papel de diácono

não é um papel formal de ensino, não se espera que eles ensinem (embora os outros critérios sejam muito parecidos).
5. Consulte 1Tm 3.4-5.
6. Veja 1Tm 3.6.
7. Veja 2Tm 1.5.
8. Em outro texto, é claro, Paulo insta Timóteo a não deixar o povo desprezá-lo por sua mocidade, indicando que a maturidade espiritual pode ser encontrada mesmo entre aqueles que são mais jovens do que as pessoas que eles buscam servir (veja 1Tm 4.12).
9. Veja, por exemplo, Ti 1.12-13.
10. Paulo afirma isso em Ti 2.11-14.
11. Veja 2Tm 3.6.
12. Quando Jesus falou com o jovem mestre rico, ele disse que apenas Deus é bom; veja Marcos 10.18 ou Lucas 18.19.
13. Veja Ti 1.12.
14. A esposa virtuosa de Provérbios 31 possuía muitos papéis fora de casa, mas fica claro que seu marido e seus filhos permaneciam sendo seu foco principal.
15. Veja Ef 5.22 e Cl 3.18.
16. O autor de Hebreus diz a mesma coisa em Hb 12.7-11.
17. Veja Rm 3.25 e 8.1, onde Paulo deixa isso claro.
18. Veja, e.g., Carrie Sandom, "Equipped for Every Good Work: Profitable Handling of the Scriptures," fonte: The Gospel Coalition 2012 National Women's Conference, http://resources.thegospelcoalition.org/library/equipped-for-every-good-work. A palestra inclui algumas das ferramentas necessárias para a compreensão das epístolas do Novo Testamento. Veja também Carrie Sandom: "Bible Toolkit #2: Rightly Handling the Word of

Truth", que apresenta as ferramentas necessárias para revelar a narrativa do Antigo Testamento. http://resources.thegospelcoalition.org/library/bible-toolkit-2-rightly-handling-the-word-of-truth.

19. *Two Ways to Live* é um curso de treinamento em sete sessões, de Phillip Jensen e Tony Payne, ed. rev. (Sydney, AU: Matthias Media, 1998), que vem com um manual do líder e um livro de atividades para membros do grupo. Um aplicativo também está disponível para download.

20. Tenho liderado grupos em cursos oferecidos pelo *The Good Book College* (www.thegoodbookcollege.co.uk), que são baseados no curso por correspondência do *Moore College Correspondence Course* (www.moore.edu.au/distance). Estão disponíveis outras boas opções de cursos à distância biblicamente sólidos.

21. Maiores informações a respeito do *Cornhill Training Course* podem ser encontradas no website da *Proclamation Trust*, www.proctrust.org.uk/cornhill.

22. A conferência anual *Proclamation Trust Women in Ministry Conference* fornece uma rede para mulheres no ministério de ensino bíblico no Reino Unido, assim como oportunidades para afiar suas habilidades de ensino bíblico; www.proctrust.org.uk/conferences. O Charles Simeon Trust, baseado em Chicago, oferece cursos similares nos EUA; www.simeontrust.org.

Capítulo 4: A Igreja Local

1. O nome de Nayana foi alterado.
2. John Stott, *Basic Christian Leadership* (Downers Grove, IL: InterVarsity, 2002), 17.
3. Charles Hodge, *1 Corinthians* (Wheaton, IL: Crossway, 1995), 219.
4. Ron Bentz, *The Unfinished Church: God's Broken and Redeemed Work-in--Progress* (Wheaton, IL: Crossway, 2014), 37.

Capítulo 5: O Mundo ao Nosso Redor

1. Thomas Chalmers, sermão "The Expulsive Power of a New Affection", (1817), http://manna.mycpanel.princeton.edu/rubberdoc/c8618e-f3f4a7b5424f710c5fb61ef281.pdf.
2. Gn 17.3; Jz 6.22; 13.22; Is 6.5; Ez 1.28; 3.23; 43.3; 44.4; Dt 8.17; Mc 9.6; At 9.4; Ap 1.17.
3. "Chicago Statementon Biblical Inerrancy" (Chicago: International Councilon Biblical Inerrancy, 1978). Uma cópia publicada da declaração pode ser encontrada em Carl F. H. Henry, God, Revelation, and Authority, vol. 4 (Waco, TX: Word, 1979), 211-19.

Capítulo 7: Mais Velhas e Mais Jovens

1. O Catecismo Maior de Westminster (Atlanta: Presbyterian Church in America Committee for Christian Education & Publications, 1990), 4.
2. "O pacto da graça é o arranjo soberanamente iniciado pelo qual o Deus Trino vive em benevolência salvadora e relacionamento misericordioso com seu povo. Porque estamos em união com Ele, estamos unidos aos seus outros filhos. Assim, o pacto da graça define o nosso relacionamento com Deus e uns com os outros. Ele determina um modo de vida que flui de uma promessa de vida. Perceber isso é pensar e viver pactualmente". J. Ligon Duncan e Susan Hunt, *Women's Ministry in the Local Church* (Wheaton, IL: Crossway, 2006), 32.
3. Confissão de Fé de Westminster, cap. 26, "Da Comunhão dos Santos" (Atlanta: Presbyterian Church in America Committee for Christian Education & Publications, 1990), 85.
4. Susan Hunt, *Spiritual Mothering* (Wheaton, IL: Crossway, 1992), 12.

5. Veja *Women's Ministry in the Local Church*, Apêndice 2. Uma versão expandida, bem como uma seção sobre treinamento de líderes de DT2, estão no *Women's Ministry Training and Resource Guide*, uma publicação do *Committee on Discipleship Ministries of the Presbyterian Church in America*, http://www.cepbookstore.com.

6. TRUE, um programa de estudos de três anos para adolescentes, também publicado pelo *Committee on Discipleship Ministries of the Presbyterian Church in America*, http://www.mytrueteen.com. Pode ser adaptado para meninas no Ensino Fundamental. Outros recursos: Susan Hunt e Mary A. Kassian, *Becoming God's True Woman: While I Still Have a Curfew*, nova ed. (Chicago: Moody, 2012); e Susan Hunt e Richie Hunt, *Cassie and Caleb Discover God's Wonderful Design*, nova ed. (Chicago: Moody, 2013).

7. Matthew Henry, *Matthew Henry's Concise Commentary on the Whole Bible*, "John 13:34–35" (acessado em 12/15/2014), *Bible Hub: Online Bible Study Suite*, http://biblehub.com/commentaries/mhc/john/13.htm

Capítulo 8: Integridade Sexual

1. Detalhes modificados para fins de confidencialidade.

2. Essas questões são abordadas com mais detalhes no programa de discipulado de mulheres do ministério Harvest USA, *Sexual Sanity for Women: Healing from Relational and Sexual Brokenness*, ed. Ellen Dykas (Greensboro, NC: New Growth Press, 2013).

3. Semelhantemente ao compromisso de um casal casado de não permitir quaisquer influências de terceiros em sua intimidade sexual, tal compromisso para solteiros proibiria o envolvimento em qualquer forma de atividade sexual com alguém ou *alguma coisa*: um amigo, consigo mesmo, objetos – quer diretamente ou por meio do uso da tecnologia, ou seja, sexo por telefone, salas de bate-papo de sexo online.

4. João 14.23 é a bela promessa que Jesus fez de vir e fazer morada em seus discípulos. Ele descreveu poderosamente essa ideia de 'lar' por meio do ensino em João 15, no qual ele se proclama como a videira verdadeira e seus discípulos como os ramos que permanecem (fazem morada) nele.
5. Descobri em meu próprio ministério de ensino bíblico e discipulado que as mulheres respondem avidamente quando questões relativas à sexualidade são colocadas como uma parte normal do currículo. Na verdade, muitas mulheres são gratas por terem questões sexuais levantadas, porque elas não sabem como falar sobre isso. Precisamos ajudar as mulheres cristãs a adquirirem uma teologia bíblica desses assuntos e vocabulário para saberem como se envolver na conversa.
6. Estou em dívida para com o Dr. Paul Tripp, ex-membro do corpo docente da *Christian Counseling and Educational Foundation*, que usou esse termo em palestras para sua classe de 2006, *Métodos de Mudança Bíblica*.
7. Há sabedoria em encorajar mulheres a terem mais de uma irmã para prestação de contas e para servir de auxiliadora, visto que isso difunde qualquer tentação em direção à dependência não saudável.
8. Prestação de contas e um compromisso de viver na luz serão tanto trabalhosos quanto custosos, mas extremamente válidos!

Capítulo 9: Dons e Talentos

1. As entrevistadas estão listadas nos agradecimentos.
2. Complementaristas em diferentes culturas tendem a usar o termo *pregar* de diversas maneiras. Americanos, na maioria das vezes, não diriam que as mulheres pregam (o que significa que as mulheres não

são ordenadas para oferecer ensino autoritativo na adoração conjunta do povo de Deus). Aqueles no Reino Unido e na Austrália, por exemplo, muitas vezes parecem bastante confortáveis referindo-se a mulheres que pregam (como na exposição da Palavra de Deus umas às outras).

Capítulo 10: Objetivos Finais
1. Rm 8.18-25.
2. Douglas Sean O'Donnell, *Matthew: All Authority in Heavenandon Earth* (Wheaton, IL: Crossway, 2013), 725.
3. Randy Alcorn, "Questions to Randy Alcorn about Eternal Rewards", 2 de Março, 2010, http://www.epm.org/resources/2010/Mar/2/questions-randy-alcorn-about-eternal-rewards/.

FIEL
MINISTÉRIO

O Ministério Fiel tem como propósito servir a Deus através do serviço ao povo de Deus, a Igreja.

Em nosso site, na internet, disponibilizamos centenas de recursos gratuitos, como vídeos de pregações e conferências, artigos, e-books, livros em áudio, blog e muito mais.

Oferecemos ao nosso leitor materiais que, cremos, serão de grande proveito para sua edificação, instrução e crescimento espiritual.

Assine também nosso informativo e faça parte da comunidade Fiel. Através do informativo, você terá acesso a vários materiais gratuitos e promoções especiais exclusivos para quem faz parte de nossa comunidade.

Visite nosso website

www.ministeriofiel.com.br

e faça parte da comunidade Fiel

Esta obra foi composta em Chaparral Pro Regular 12, e impressa
na Promove Artes Gráficas sobre o papel Pólen 70g/m²,
para Editora Fiel, em Março de 2025